CW00853506

**Das Buch:**

Friedhelm Eck, ein erfolgreicher Nürnberger Gastronom, erhitzt mit einem neuen, makaberen Projekt die Gemüter: Erlebnisgastronomie in den Lochgefängnissen, mit Büßerhemd, Daumenschraube und Henkersmahlzeit.
Eine Bürgerinitiative versucht, mit Petitionen und Demonstrationen das Projekt zu stoppen. Eines Morgens wird die Sprecherin der Bürgerinitiative tot aufgefunden.
Als bekannt wird, dass bei ihr die Nachricht *„Grüße vom Meister Franz"* hinterlassen wurde, ist allen Nürnbergern klar: Der Henker Franz Schmidt ist zurück...

**Die Autorin:**

Monika Martin, Jahrgang 1969, ist Sozialpädagogin und führt seit 1996 für das Institut für Regionalgeschichte, *Geschichte für Alle e.V.* historische Stadtrundgänge in Nürnberg durch.
In *„Hochgericht"* verbindet sie ihre literarische Tätigkeit mit ihrem regionalgeschichtlichen Engagement zu einem Kriminalroman mit Fakten aus der mittelalterlichen Strafjustiz.
Monika Martin lebt mit ihrer Familie in Schwanstetten bei Nürnberg.

Außerdem von Monika Martin bei Books on Demand erschienen:

Aus der Reihe „Krimis mit Geschichte":
*„Rauschgoldengel"*, Oktober 2016

Aus der Reihe „Ermitteln, wo andere Urlaub machen":
*„Die Tote im See"*, August 2008
*„Hitzewelle"*, August 2010
*„Schattenschlag"*, Februar 2012
*„Apfelrausch"*, August 2013

Monika Martin

# Hochgericht

Charlotte Gerlachs erster Fall

*In Gedenken an Martin Schieber*

*Bibliografische Information der Deutschen Nationalbibliothek:*
*Die Deutsche Nationalbibliothek verzeichnet diese Publikation in der Deutschen Nationalbibliografie; detaillierte bibliografische Daten sind im Internet unter http://dnb.d-nb.de abrufbar.*

Dieses Buch ist auch als E-Book erhältlich

2. Auflage im Januar 2017


Layout und Gestaltung: M&M Logistics
Fotos: Michael Endres

Herstellung und Verlag: BoD - Books on Demand, Norderstedt

ISBN-13: 978-3-734-73896-8

***„Male patratis sunt atra theatra parata"***

**„Wer frevle Taten begangen,<br>den grause Spiele empfangen."**

Inschrift einer Tafel an der Wand der Folterkammer im Nürnberger Lochgefängnis

# Prolog

## 28. Oktober 1617

Bald wird es soweit sein.
Bald werden sie ihn holen.
Versteinert vor Angst saß Georg Carl Lamprecht, ein Müllner von Markt Bernheim, zitternd auf der harten Pritsche und starrte in die undurchdringliche Finsternis.
Er hörte nicht die Schreie der anderen Gefangenen, nahm nicht den bestialischen Gestank wahr, den Hunderte armer Teufel vor ihm in der winzigen, mit rohen Brettern verkleideten Zelle hinterlassen hatten.
Die entsetzliche Angst davor, was auf ihn wartete, schnürte ihm die Kehle zu, raubte ihm den Verstand.
Was werden sie mit ihm machen? Wie schlimm würde es werden? Was würde er aushalten können?
Würden sie ihm glauben, wenn er nochmals seine Unschuld beteuerte?
Er hatte nichts getan!
Man hatte ihn verleumdet!
Er war kein Zauberer, kein Hexer, hatte keine Münzen gefälscht, niemanden betrogen!
Er war ein ehrbarer Müllner, der sein Handwerk verstand.
Die beiden anderen, der Heroldsschmied Zacharias und der Feylenhauer Carl, hatten ihn angeschwärzt. Sie waren die Drahtzieher.
Wie sollte er jetzt noch im wahrsten Sinne des Wortes seinen Kopf aus der Schlinge ziehen?
Er hatte keine einflussreichen Fürsprecher, an die er sich in seiner Not wenden konnte.
Er saß zu Unrecht in diesem grauenvollen Loch!

Eiseskälte kroch vom festgestampften Lehmboden durch seine dünnen, weißen Socken die nackten Beine hinauf. Das steife, kratzige Büßerhemd hing wie ein Sack an seinem mageren Körper. Er schlotterte, klapperte mit den Zähnen, spürte nicht, wie er sich eins ums andere Mal die Lippen blutig biss.
Sein Herzschlag setzte kurz aus, als er hörte, wie sich schwere Schritte seiner Zellentür näherten. Ein riesiger Schlüssel wurde ins rostige Schloss gesteckt und quietschend umgedreht.
Eine bullige Gestalt, die den Türrahmen fast vollständig ausfüllte, betrat den kleinen Raum.
Der Henker! Franz Schmidt! Meister Franz!
Seit nunmehr 40 Jahren richtete er hier in Nürnberg die Verbrecher. Er war ein Meister mit dem Schwert, eine respekteinflößende Person.
Man hatte schon oft davon gehört, dass er selbst beim Rat der Stadt um Gnade für die Verurteilten gebeten hatte. Zwar hatte er keinen Freispruch erwirkt, aber die Umwandlung der Strafe vom Ertränken oder Rädern zum Tod durch das Schwert.
Ihm, dem mutmaßlichen Hexer und Falschmünzer, stand der Tod durch das Feuer bevor. Wenn nicht noch ein Wunder geschah, würde er in wenigen Tagen bei lebendigem Leib verbrennen.
Doch zuvor brauchten sie sein Geständnis, ohne das keine Verurteilung möglich war.
Man würde ihn foltern.
Er war kein Held, ertrug keine Schmerzen, würde vermutlich alles gestehen, was sie ihm in den Mund legen würden.
Er hatte grauenvolle Angst.
Meister Franz trug eine weite Hose aus dickem, braunem Wollstoff, die unter seinen Knien mit einem schmalen Riemen zusammengebunden war. Die Waden waren mit schmutzigen Strümpfen bedeckt, die Füße steckten in wuchtigen Stiefeln. Das beige, mit zahlreichen Blutflecken

übersäte Hemd mit den weiten Ärmeln war halb aufgeknöpft und ließ die dichten, schwarzen Brusthaare herausquellen. Um die kräftigen Handgelenke trug er grobe Ledermanschetten. Er hatte dichtes, ungepflegtes schwarzes Haar und einen verfilzten Bart.
Der Mann hielt eine Kerze in der Hand und blendete damit Georgs Augen. Zu lange hatten sie keinen Lichtstrahl mehr gesehen, hatten sich an die gnadenlose Finsternis gewöhnt.
Trotz schmerzender Augen wurde Georg von der riesigen, behaarten Pranke des Mannes grob am Arm gepackt und von der Pritsche gezerrt.
„Aufstehen", knurrte Meister Franz ungnädig und stieß den Wehrlosen vor sich her auf den schmalen, schwach beleuchteten Gang hinaus.
Georgs Knie gaben nach, er stürzte auf den kalten Boden. Der Henker beugte sich über ihn und riss ihn wieder auf die Beine.
Stets den heißen Atem des Henkers im Nacken schleppte sich der Angeklagte keuchend den Gang entlang, vorbei an weiteren Zellen, aus denen teils klägliches Gewimmer, teils wütendes Geschrei oder einfach nur lautes Weinen zu hören war.
„Hier hinein!", befahl der riesige Mann hinter ihm und wies auf eine offene Tür. Hinter dieser führten einige ausgetretene Stufen in einen schmalen, hohen Raum hinab, dessen Decke an das Gewölbe einer Kirche erinnerte. Deshalb also wurde von der Folterkammer der Nürnberger Lochgefängnisse stets als *Kapelle* gesprochen, schoss es Georg kurz durch den Kopf.
Der Raum war mit Fackeln beleuchtet.
Vor ihm stand eine Vorrichtung aus Metall, die auf einem schweren Holztisch befestigt war.
„Sieh genau hin!", brummte der Henker und versetzte Georg einen heftigen Stoß in den Rücken. „Wenn du nicht gleich gestehst, was du verbrochen hast, quetsche ich dir deinen Daumen zu Brei!"

Damit trat er auf den Delinquenten zu und packte seinen Arm.
„Ich bin unschuldig“, wimmerte Georg verzweifelt. „Glaube mir, ich habe nichts getan.“
Georg spürte, wie eine warme Flüssigkeit zwischen seinen Schenkeln herab rann und eine kleine, gelbe Pfütze auf dem Lehmboden hinterließ.
„Du bist angeklagt der Hexerei und der Falschmünzerei! Gestehe!“, brüllte der Henker ungnädig.
Wie oft schon hatte er sich diese Unschuldsbeteuerungen anhören müssen. Es schien, als habe er es ausschließlich mit Unschuldslämmern zu tun.
Georg schwieg mit gesenktem Kopf.
Meister Franz steckte Georgs Daumen in die Vorrichtung und drehte langsam zu.
„Gestehe“, hauchte der Henker in das Ohr seines Opfers. Der faulige Atem, der Gestank nach Schweiß und Blut und die entsetzliche Angst davor, was nun kommen würde, ließ in Georg Übelkeit aufsteigen. Er würgte, war kurz davor zu erbrechen.
Ein entsetzlicher Schmerz bohrte sich in seinen Daumen, seine Hand, seinen ganzen Körper.
„Gestehe!!!“
Schluchzend sackte der Müllner zusammen.
„Ja!! Ja, ich habe Münzen gefälscht und Leute bestohlen! Ich bin ein Zauberer und Betrüger!!“
Er würde alles gestehen, alles! Wenn nur dieser Schmerz aufhörte. Sein Mund war trocken, das Herz schlug ihm bis zum Hals.
„Was hast du gesagt?“, fragte der Henker mit einem schiefen Lächeln auf den aufgesprungenen Lippen. „Wir können dich nicht verstehen!“
„Ich bin ein Zauberer und Betrüger“, wiederholte Georg mit heiserer Stimme.
„Lauter!!“
„Ich bin ein Zauberer und Betrüger“, stieß Georg

hoffnungslos hervor.
Der Henker lockerte die Schraube, der Gefolterte sank jammernd und schluchzend auf den Boden und krümmte sich weinend zusammen.
„Er hat gestanden!“, rief der Henker in Richtung eines Schachtes in der Decke, der in einen Raum über der Folterkammer führte. Hier saßen die Lochschöffen, die Zeugen der peinlichen Befragung, und der Lochschreiber, der die Aufgabe hatte, das Geständnis zu dokumentieren.
„Georg Carl Lamprecht, Müllner von Markt Bernheim“, donnerte die gewaltige Stimme des Henkers durch den kahlen Raum, „gesteht, dass er Hexerei und Falschmünzerei betrieben hat!!“

# 1

## 14. November 2009

Es war stockfinster und kalt. Anton Brugger, Mitarbeiter einer kleinen IT-Firma, saß in seinem weißen Büßerhemd auf einer harten Pritsche und wartete.
Man hatte an alles gedacht, um diesen Ausflug ins Mittelalter so authentisch wie möglich zu gestalten. In der winzigen Zelle des Nürnberger Lochgefängnisses stank es fürchterlich nach menschlichen Exkrementen. Man spielte sogar Schreie anderer Gefangener über eine Lautsprecheranlage ein.
Hätte Anton gewusst, was bei diesem Betriebsausflug auf ihn zukam, hätte er eine schlimme Erkältung oder Ähnliches vorgetäuscht, um sich nicht dieser – im wahrsten Sinne des Wortes – Tortur aussetzen zu müssen.
Das war so ziemlich die geschmackloseste Idee, die sein Chef je hatte.
Auf der anderen Seite bekam man wirklich eine Ahnung davon, was die Menschen früher einander angetan hatten, was die Leute hatten erleiden müssen.
Aber konnte man das nicht weniger drastisch darstellen?
Der Gestank war unerträglich, er fror, hatte Hunger und keine Lust auf das, was der Veranstalter sicherlich noch alles geplant hatte.
Da hörte er schwere Schritte vor der Tür.
Unwillkürlich zuckte er zusammen und dankte seinem Schicksal, dass er im 21. und nicht im 17. Jahrhundert lebte.
Obwohl er wusste, dass alles nur gespielt war, klopfte sein Herz schneller, war die Kälte plötzlich vergessen.
Die Tür wurde geöffnet und eine imposante Gestalt betrat

den winzigen Raum.
„Du bist dran“, brummte der Mann, der mit seinem blutverschmierten Hemd und dem bärtigen Gesicht genau dem Bild entsprach, das Anton von einem mittelalterlichen Scharfrichter hatte.
Er folgte dem Henker durch den schmalen Gang zur Folterkammer.
Die werden mich doch wohl nicht wirklich foltern, schoss es Anton durch den Kopf. Das würde doch nun wirklich zu weit führen!
Die Folterkammer war vom flackernden Licht zweier Fackeln beleuchtet.
Auf dem Boden kniete ein Mann mit wirrem Haar, schmutzigem, schmerzverzerrtem Gesicht und einem ebensolchen grau-weißen Büßerhemd wie Anton eines trug. Sein Daumen steckte in einer Vorrichtung aus Metall, die auf einem schweren Holztisch befestigt war.
„Sieh genau hin!“, brummte der Henker und versetzte Anton einen heftigen Stoß in den Rücken. „Wenn du nicht gleich gestehst, was du verbrochen hast, geht es dir wie ihm!“
Damit trat er auf den knienden Mann zu und drehte an der Schraube, die eine kleine Metallplatte noch fester auf den Daumen des Mannes quetschte. Der Mann brüllte vor Schmerzen wie ein Tier.
Anton lief ein Schauer über den Rücken.
Das war so ziemlich das Übelste und Geschmackloseste, was er je erlebt hatte. Da quälte man zum Schein einen Menschen, um andere, die viel Geld dafür bezahlt hatten, zu unterhalten.
Ihm wurde übel.
Er wollte hier raus.
„Du bist ein Dieb!“, brüllte der Henker und drehte noch einmal an der Schraube. „Gestehe, dass du deinem Nachbarn fünf Schweine gestohlen hast! Gestehe!!“
„Ja, ich habe gestohlen“, schrie der Gefangene unter Schmerzen. „Ich bin ein Dieb!“

„Dann bist du des Todes!“
Fassungslos beobachtete Anton das grausige Spektakel.
Der Henker löste die Daumenschraube und wandte sich Anton zu.
„Und jetzt zu dir!“

Plötzlich hörte er Stimmen.
Lautes, ausgelassenes Lachen.
Die Stimmen näherten sich der Folterkammer.
Anton blickte in Richtung der niedrigen Tür.

„Anton!“, hörte er jemanden rufen. „Wie siehst du denn aus?“
Es folgte vielstimmiges Gekicher und Gemurmel.
„Also, wenn ich es nicht besser wüsste, könnte ich ernsthaft glauben, du wärst ein echter Gefangener im finsteren Mittelalter und kein Teilnehmer einer erlebnis-gastronomischen Aktion Anfang des 21. Jahrhunderts.“
Ein etwa 45-jähriger Mann – ebenfalls in Büßerhemd und weißen Socken – kam die Treppenstufen herab und half Anton beim Aufstehen.
Anton lehnte sich benommen an den Tisch mit der Daumenschraube und schüttelte sich.
„Klaus! Das ist Wahnsinn!“, krächzte er heiser. „Hat jemand etwas zu trinken für mich?“
„Ich fand es auch irre!“, stimmte ihm nun eine Frau mit kurzgeschnittenem blondem Haar zu und reichte ihm eine Flasche Wasser. Anton setzte die Flasche an und trank sie in einem Zug leer.
„Danke, Sonja“, murmelte Anton leise vor sich hin. „Was haben die Leute damals gelitten!“
Es war ihm anzusehen, dass er noch immer nicht ganz aus der grausamen Welt des Mittelalters in die Gegenwart zurückgekehrt war. Zu intensiv und frisch waren noch die Eindrücke, die das inszenierte Schauspiel bei ihm hinterlassen hatten. Zu entsetzlich die Vorstellung, das eben

Erlebte könne ihm in Wirklichkeit widerfahren.
Furchtbar!
Wie unfassbar grausam und brutal waren die Menschen, unsere Vorfahren?
Warum?
Warum hatten sich die Menschen das gegenseitig angetan?
Das Entsetzlichste an der vergangenen Stunde war für Anton das Wissen, dass diese Szenen nicht erfunden waren, nicht einzig der lebhaften Fantasie diverser Schauspieler und Regisseure entsprungen. Diese Dinge sind tatsächlich passiert! Viele Hunderte oder Tausende von Menschen wurden auf solch grausame Art und Weise gequält.

„Komm jetzt“, forderte ihn der Kollege gut gelaunt auf und klopfte ihm aufmunternd auf die Schulter. Ihm schien die Inszenierung nicht so zugesetzt zu haben. „Jetzt freue ich mich auf das Essen. Ich habe einen Bärenhunger!“
Fröhlich plaudernd setzten sich die zwölf Mitarbeiter der kleinen Firma in Bewegung, zwängten sich den engen, verwinkelten Gang entlang, vorbei an der Schmiede mit all den grausamen Folterwerkzeugen und erklommen die geschwungene, steile Treppe hinauf in einen Raum, der einst der Aufenthaltsraum des Lochhüters, also Gefängniswärters war.
Hier wurde die Gruppe von einem schick gekleideten Mann Ende 50 mit vollem, grauem Haar und einer randlosen Brille begrüßt. Sein teuer aussehender Designeranzug saß perfekt, die weißen Zähne leuchteten, die gepflegten Hände mit den offensichtlich frisch manikürten Fingernägeln sahen nicht so aus, als müssten sie schwere körperliche Arbeit verrichten.
Mussten sie auch nicht.
Friedhelm Ecks Hände bedienten lediglich Handys, Computer und ab und zu seinen goldenen Kugelschreiber.
„Willkommen im Gasthaus zum grünen Frosch“, begrüßte er die Gäste mit seiner vollen, tiefen Stimme, die jede Frau dahinschmelzen ließ. „Ich hoffe, Sie hatten eine interessante

und spannende Zeitreise ins finstere Mittelalter mit all seinen Schrecken und Grausen?“
Ohne eine Antwort abzuwarten fuhr er fort: „Manch einer fragt sich sicher, woher der ohne Zweifel eigenartige Name dieses Etablissements stammt?“
Er lachte kurz auf und warf den Damen in der Gruppe einen betörenden Blick zu.
„Das ist tatsächlich der Name, den dieser Raum bereits im Mittelalter scherzhaft trug. Der Lochwirt selbst wurde dementsprechend *Wirt zum grünen Frosch* genannt, ist das nicht erstaunlich?“
Friedhelm Eck strahlte amüsiert, breitete einladend beide Arme aus und lud seine Gäste ein, an dem rustikalen Holztisch Platz zu nehmen, der den kleinen Raum dominierte.
Der Tisch war gedeckt mit grob geschnitzten Tellern, riesigen, ebenfalls aus Holz gearbeiteten Humpen und unförmigen Löffeln. Edle Kerzen, Tafelsilber, Servietten oder Kristallgläser suchte man vergebens. Auch bequeme Stühle mit weichen Polstern und schicken Hussen gehörten nicht zur Ausstattung des Gasthauses. Sah man sich die Kleidung der Gäste an, schien die Aufmachung jedoch mehr als angemessen zu sein.
„Herr Eck!“, rief Klaus Markert, der Chef der Abteilung euphorisch und schüttelte Herrn Eck die Hand. „Es war fantastisch! So authentisch und echt. Manchen von uns lief wirklich ein Schauer über den Rücken.“ Er warf Anton Brugger ein verschmitztes Lächeln zu und fuhr fort.
„Was für eine großartige Idee, unsere Vergangenheit auf diese eindrückliche Art und Weise erlebbar zu machen. Fabelhaft!“
„Es freut mich, Herr Markert, dass Sie und Ihre Mitarbeiterinnen und Mitarbeiter diesen etwas anderen Betriebsausflug genießen.“ Er lachte kurz auf. „Und das Beste kommt ja noch – die Henkersmahlzeit!“
Zustimmendes Gemurmel erhob sich.

„Um noch ein wenig im Thema zu bleiben, servieren wir Ihnen eine kleine Auswahl dessen, was die Todeskandidaten im Mittelalter tatsächlich in den letzten drei Tagen vor ihrer Hinrichtung bekommen haben. Schließlich soll unser kleiner Ausflug ja so authentisch wie möglich sein."
„Vielleicht können Sie uns konkreter erläutern, welche Köstlichkeiten Sie für uns vorgesehen haben?", fragte Markert gespannt.
„Aber gerne doch", nahm Eck den Faden auf. „Die Gefangenen bekamen früher Eiergerste, zwei eingemachte Hühner, einen gebratenen Kalbsschlegel, 1,5 Maß Wein und sechs Semmeln."
„Das klingt ja wirklich verlockend", bemerkte Sonja Kahl amüsiert. „Wie lange haben wir denn Zeit zum Essen?"
„Für uns mag die Menge und Auswahl der Speisen fremd wirken", erklärte Eck, als sich die vielen lauten Zwischenrufe gelegt hatten. „Für damalige Verhältnisse war die Verpflegung jedoch recht üppig. Man wollte wohl die Gefangenen damit ruhigstellen."
„Ich fürchte, uns müssen Sie auch bald ruhigstellen", rief ein junger Mann mit halblangem Haar dazwischen. „Mein Magen knurrt schon seit Stunden!"
Er griff nach dem rustikalen Holzbesteck und klopfte damit provokativ auf den Tisch. Schnell schlossen sich andere Teammitglieder an und binnen Sekunden war der kleine Raum von einem Höllenlärm erfüllt.
Friedhelm Eck fuchtelte beschwichtigend mit den Händen. „Guten Appetit!", schrie er in die Menge und verließ mit so manchem Schweißtropfen auf der Stirn den Raum.
*Diese IT- Leute sind kein bisschen erwachsener, als Grundschüler,* fuhr es ihm durch den Kopf, als er die Tür hinter sich geschlossen hatte.
„Ihr könnt anfangen!", rief er dem Küchenchef zu, der bereits ungeduldig auf das Zeichen gewartet hatte.
Mehrere junge Leute in mittelalterlichen Gewändern strömten aus der Küche in den Gastraum. Jeder trug ein

Tablett mit kleinen Holzschalen, die mit schwer zu identifizierenden Speisen gefüllt waren.
Die Gesichter der Gäste wurden immer länger, als sie einen Blick auf den hellbraunen Brei warfen, aus dem hie und da eine Fleischfaser herausspitzte.
„Eingemachtes Huhn an Eiergerste mit einem Hauch von gebratenem Kalbsschlegel“, erläuterte einer der mittelalterlich Gewandeten mit ernster Miene, als handle es sich um ein Menü in einem Gourmetrestaurant.
„Dazu reichen wir ofenfrische Semmeln und fruchtigen Rotwein“, vervollständigte der junge Mann seine Erklärung und verschwand mit einer kleinen Verbeugung wieder in der Küche.
Mit hochgezogenen Augenbrauen blickten sich die Gäste belustigt an.
„Das soll das angekündigte Festessen sein?“, fragte Sonja Kahl skeptisch und stocherte dabei in einer der Holzschüsseln herum. „Ich dachte, das mit der Henkersmahlzeit sei ein Scherz?“
„Sollen wir das wirklich essen?“, fügte ein Kollege hinzu.
Einzig Klaus Markert tauchte schwungvoll ein Stück seiner Semmel in den zähen Brei.
„Ich weiß gar nicht, was ihr habt?“, presste er gut gelaunt mit vollem Mund hervor. „Wir wollen doch so authentisch wie möglich ins Mittelalter abtauchen. Seid froh, dass das nicht wirklich eure Henkersmahlzeit ist.“
Er biss abermals in seine Semmel und lachte. „Abgesehen davon schmeckt diese Pampe besser, als sie aussieht. Ihr solltet euch das auf keinen Fall entgehen lassen!“
Zögerlich griffen auch seine Mitarbeiter nach und nach zu den knusprigen Brötchen und steckten die Spitze der rustikalen Holzlöffel vorsichtig in den gelblichen Brei.
Markert hatte durchaus recht. Die angebotenen Speisen schmeckten wirklich weitaus besser, als sie aussahen. Und doch war die Mahlzeit Lichtjahre von dem entfernt, was sich die Belegschaft vom versprochenen Festessen erhofft hatte.

In Erwartung eines schicken 5-Gänge-Menüs hatten sich die Damen neu eingekleidet, in neues Parfum oder eine weitere Handtasche investiert.
Und jetzt?
Jetzt saßen sie hier in diesen unförmigen, kratzigen Hemden und tauchten Brötchen in einen Grießbrei-Verschnitt.
Kurz bevor die Stimmung am Nullpunkt angelangt war, betrat erneut Friedhelm Eck den Raum
„Und? Hat es Ihnen geschmeckt?“, begann er betont fröhlich. „Ist es nicht erstaunlich, was den Verbrechern damals für Köstlichkeiten vorgesetzt wurden?“ Er nickte seinen Kunden vielsagend zu. „Schön, dass wir Ihren Geschmack getroffen haben. Jetzt darf ich Sie in den historischen Rathaussaal bitten – der Fotograf wartet bereits. Sie wollen doch sicher eine bleibende Erinnerung an diesen denkwürdigen Tag haben?“
Mit ungläubigen, enttäuschten Gesichtern und knurrenden Mägen folgte die Gruppe dem Veranstalter durch das altehrwürdige Gebäude.
„Ich will mich endlich umziehen“, knurrte Anton Brugger missmutig. „Mir reicht es langsam.“
„Ach Anton“, gab Sonja Kahl zurück, „sei doch nicht immer eine solche Spaßbremse.“
Für ihn war die ganze Aktion tatsächlich sehr fragwürdig und hatte nichts mit Spaß zu tun.
„Wie kann man nur eine so geschmacklose Aktion anbieten“, stieß er verächtlich hervor. „Mit dem Leid so vieler Menschen Reibach zu machen halte ich für völlig daneben. Hast du keine moralischen Bedenken?“
Sonja legte ihm den Arm über die Schultern. „Jetzt mach dich locker – das ist doch alles lange her.“
„Das macht es nicht besser“, gab Anton ärgerlich zurück und schüttelte Sonjas Arm ab. „Abgesehen davon war das Essen eine Unverschämtheit. Markert hat ein Vermögen für diese Veranstaltung bezahlt.“
„Da gebe ich dir allerdings recht“, stimmte Sonja zu. „Aber

aufregend und interessant war es trotzdem. Wir können ja nachher noch eine Bratwurst essen."

Der Fotograf arbeitete schnell und professionell. Nach nur zehn Minuten hatte er alle Aufnahmen gemacht.
„Meine Damen und Herren", ergriff nun Friedhelm Eck wieder das Wort. „Manche von Ihnen mögen vielleicht geglaubt haben, die Henkersmahlzeit sei das Einzige, was wir kulinarisch für Sie vorbereitet haben."
Er blickte sich amüsiert um. „Ich sehe es doch an Ihren enttäuschten, hungrigen Gesichtern", setzte er verschmitzt hinzu. „Für all diejenigen habe ich jetzt eine gute Nachricht! Während wir hier beim Fototermin waren, hat unser Küchenteam neu eingedeckt. In wenigen Minuten wartet ein köstliches Festessen auf Sie! Doch zunächst dürfen Sie sich umziehen. Wir haben Ihre Kleidung – ihr Einverständnis vorausgesetzt – in unsere modernen Umkleideräume gebracht. Sie können sich dort auch etwas frisch machen. Wir treffen uns in, sagen wir 20 Minuten, im Gasthaus zum grünen Frosch, einverstanden?"
Viele Gruppenmitglieder nickten dankbar und erleichtert bei der Aussicht, das unbequeme, kratzige Hemd endlich ablegen und die neu gekaufte Garderobe zeigen zu können.
Wenig später saß die Gruppe fröhlich plaudernd um den gewaltigen Holztisch. Die Frauen trugen frisches Make-up, schicke Blusen, kurze Röcke und hochhackige Schuhe, während die Männer eher zum bequemen Casual-Look gegriffen hatten. Sie begnügten sich mit Polohemden und Jeans. Auch die Tischdekoration war kaum wiederzuerkennen.
Die Holzschüsseln waren edlem Geschirr gewichen, statt der rustikalen Löffel lag nun glänzendes Silberbesteck bereit. Die harten Holzbänke waren mit feinen, weichen Polstern belegt, aus unsichtbaren Lautsprechern ertönte dezente klassische Musik.
So hatte man sich das vorgestellt!

Die Tür zur Küche öffnete sich und mehrere riesige Holzbretter mit verführerisch duftenden und künstlerisch angerichteten Köstlichkeiten wurden hereingebracht.
Klaus Markert lief beim Anblick der Speisen augenblicklich das Wasser im Munde zusammen. Trotz gespielter guter Laune hatte er schon Bedenken gehabt, die Henkersmahlzeit würde sich tatsächlich auf einen unansehnlichen Getreidebrei mit matschigem Gemüse und zähem Fleisch beschränken. Doch was hier aufgetischt wurde, rechtfertigte endgültig den stolzen Preis, den er für diese Veranstaltung gezahlt hatte.
Mit großem Appetit griff er zum Besteck und füllte seinen Teller. Auch seine Mitarbeiter ließen es sich nicht zweimal sagen und langten erleichtert zu. Für kurze Zeit war im Gasthaus zum grünen Frosch Ruhe eingekehrt.

„Ich hoffe, die Überraschung ist gelungen?“, fragte Friedhelm Eck als er sich eine knappe Stunde später wieder zu seinen Kunden gesellte.
„Großartig, wirklich großartig“, gab Klaus Markert euphorisch zurück. „Diese Eiergerste zu Beginn hat manche von uns etwas irritiert, aber das eigentliche Menü hat uns dann für alles entschädigt.“
„Das freut mich. Ich werde das Kompliment gerne an unser Küchenteam weitergeben.“
Da öffnete sich die Tür und ein schmächtiger, blasser junger Mann in Jeans, Sweatshirt und Turnschuhen betrat den Raum. Seine kurzen, blonden Haare waren noch feucht, um die Augen und an den Schläfen noch die Reste brauner Schminke zu erkennen.
„Meine sehr verehrten Damen und Herren. Zum Abschluss unserer Reise in die mittelalterliche Kriminalgeschichte möchte ich Ihnen noch die Schauspieler vorstellen, die Ihnen die Zustände unten in den Lochgefängnissen so eindrücklich demonstriert haben.“
Friedhelm Eck zog den jungen Mann näher zu sich heran,

was diesem sichtlich unangenehm war.
„Das ist Alex. Er spielte den Schweinedieb, der mit der Daumenschraube gefoltert wurde.“
Eck griff in Alex´ Tasche und zog ein ekliges, schwabbeliges Etwas daraus hervor.
Die Damen kreischten, als sie erkannten was es war. Es handelte sich um eine Art Handschuh aus Latex, der einer menschlichen Hand zum Verwechseln ähnlich sah und dessen Daumen zerquetscht und blutig war.
„Unsere Demonstrationen sollen so authentisch und echt wie möglich wirken, ohne die Gesundheit unserer Kunden oder Mitarbeiter zu gefährden. Deshalb müssen wir zu einigen Tricks greifen“, erläuterte Eck mit einem gewissen Stolz in der Stimme, während sich einige der Damen angewidert abwandten.
In diesem Moment polterte ein großer, kräftiger Mann um die 50 in den Raum. Er hatte eine spiegelblanke Glatze, dunkle Augen, eine beachtliche Nase und wulstige Lippen. Seine Oberarme strotzen vor Muskeln und schienen die Ärmel des T-Shirts sprengen zu wollen. Alles in Allem eine Erscheinung, der man nur ungern alleine in der Dunkelheit begegnen möchte.
„Guten Tag“, brummte er mit tiefer Stimme. „Mein Name ist Kai Siebert. Ich bin Geschäftspartner von Herrn Eck und spiele den Henker. Ich denke, Sie haben mich erkannt?“
Er grinste und warf Anton Brugger einen amüsierten Blick zu. „Ich hoffe, unser kleiner Ausflug in die Vergangenheit war interessant für Sie. Wir bemühen uns stets, mit unseren Inszenierungen so nah wie möglich an die Realität heranzukommen, um Ihnen ein authentisches Gefühl dafür zu vermitteln, wie sich das Leben vor ca. 500 Jahren angefühlt haben könnte.“
„Das ist Ihnen gelungen“, murmelte Anton Brugger missmutig vor sich hin.
„Was sagten Sie?“, hakte Friedhelm Eck überrascht nach, doch Anton zuckte nur mit den Schultern.

„Ihre Meinung ist uns wichtig. Nur so können wir die Qualität unserer Angebote verbessern."
„Qualität verbessern?", wiederholte Anton fassungslos. „Was genau verstehen Sie in diesem Zusammenhang unter Qualität? Noch kratzigere Hemden, kältere Zellen, entsetzlicherer Gestank, grausamere Pseudo-Folterungen? Oder vielleicht eine inszenierte Hinrichtung? Ein hübscher Scheiterhaufen mit qualitativ hochwertigem Feuer und einem Schauspieler im Asbestanzug?"
Anton redete sich in Rage, sein Gesicht war rot angelaufen.
„Diese ganze Veranstaltung sollte verboten werden!!"
Friedhelm Eck versuchte, Fassung zu bewahren, lächelte schief und blickte hilfesuchend zu Klaus Markert.
„Aber Herr..."
„Mein Name tut nichts zur Sache", unterbrach ihn Anton. Er sprang auf und funkelte Eck wütend an.
„Wie kann man nur mit dem Elend Tausender Menschen Reibach machen? Haben Sie keine moralischen Bedenken? Kein schlechtes Gewissen?"
Klaus Markert eilte um den Tisch herum und legte seinem aufgebrachten Mitarbeiter beruhigend die Hand auf den Arm.
„Aber Anton", begann er, doch dieser schüttelte die Hand angewidert ab.
„Das Gleiche gilt auch für dich! Warum musstest du uns heute hierher schleppen? Es gibt doch wirklich genug angenehmere Möglichkeiten für einen Betriebsausflug, als eine fingierte Foltersituation!"
Damit packte er seine Tasche und stürmte hinaus.
Eine peinliche Stille erfüllte den Raum.
„Ja, meine Damen und Herren", ergriff Friedhelm Eck wieder das Wort. „Es passiert immer wieder, dass Teilnehmer von den intensiven Eindrücken des Erlebten überwältigt sind. Das gibt sich bald wieder. Darf ich Ihnen zum Abschluss der Veranstaltung noch auf Kosten des Hauses einen kleinen Digestif servieren lassen?"

„Danke, sehr gerne“, stimmte Klaus Markert zu, in der Hoffnung, der Alkohol würde die gedrückte Stimmung nach Bruggers Abgang wieder heben.

Plötzlich drang Lärm und Geschrei von draußen durch die dicken Mauern des alten Gebäudes.

# 2

Klaus Markert trat an das kleine Fenster mit den bunten Butzenscheiben und weitete erschrocken die Augen.
„Was ist das denn?“, fragte er leise, als er sah, was sich vor dem alten Rathaus abspielte.
Trotz des schlechten Wetters patrouillierten mehrere Dutzend Menschen vor dem Eingang auf und ab. Sie schwenkten riesige Transparente mit der Aufschrift *Schluss mit der Erlebnisgastronomie im Lochgefängnis, Kein Reibach mit der Folter* oder *Nieder mit der Sensationsgier* und brüllten einstimmig:
„Eck muss weg! Eck muss weg! Eck muss weg!!!“
Auch Markerts Mitarbeiter starrten ungläubig auf die wütende Menge.
Nur Friedhelm Eck blieb scheinbar gelassen sitzen und goss sich erneut sein Glas voll.
„Ach, das ist gar nichts“, antwortete er herablassend. „Lediglich ein paar Spinner, die den ganzen Tag nichts Besseres zu tun haben, als sich hier in der Kälte herumzutreiben.“
„Aber“, Markert drehte sich um und sah Eck erstaunt an, „macht es Ihnen denn gar nichts aus, dass sich so viele Leute offensichtlich gegen Ihr Projekt engagieren?“
Hatte Klaus Markert die Idee mit dem sogenannten authentischen Ausflug ins Mittelalter zunächst sehr gelungen und angenehm gruselig empfunden, so machten sich nach dem Ausbruch Anton Bruggers und der Demonstration vor dem Rathaus auch in ihm langsam Zweifel über die moralische Vertretbarkeit der Veranstaltung breit.
War es wirklich in Ordnung, Geld damit zu verdienen, in dem man Folter, Grausamkeit und Willkür spielte? Sich von

oben herab, aus sicherer Entfernung am Leid der Menschen zu ergötzen? Einen wohligen Schauer dabei zu empfinden, dass das Ganze nur ein Spiel war?
Seine Hochstimmung war verflogen.
Er räusperte sich.
„Liebe Mitarbeiterinnen und Mitarbeiter!“ Er blickte in einige betretene Gesichter. „Wir sind jetzt am Ende unseres diesjährigen Betriebsausfluges angelangt. Ich wünsche euch noch ein schönes Wochenende. Bis Montag in alter Frische.“
Die Mitarbeiter antworteten mit zögerlichem Applaus und verließen leise tuschelnd den Raum.

„Herr Markert“, meinte Friedhelm Eck versöhnlich, „lassen Sie sich doch die Laune nicht von ein paar Langweilern verderben. Sie hatten doch einen interessanten Nachmittag mit vielen spannenden Eindrücken, oder?“
Klaus Markert schüttelte ihm die Hand.
„Ja und nein“, gab er zu. „Aber lassen wir das. Schicken Sie mir bitte die Rechnung – und vielen Dank für Ihre Mühe.“

In der Eingangshalle stieß er auf einige seiner Mitarbeiter, die von Teilnehmern der Demonstration belagert wurden.
Eine etwa 40 jährige Frau mit langem, dunklem Haar, einer bunten Strickmütze und einem dicken, roten Wollmantel redete laut auf Sonja Kahl ein.
„...das ist geschmacklos und verhöhnt all die armen Menschen, für die das Ganze bitterer Ernst war.“
Sonja lachte betont lässig.
„Ach, ich bitte Sie. Das ist doch ewig her. Jetzt verderben Sie uns doch nicht den Spaß.“
Das Gesicht der Dame färbte sich dunkelrot.
„Spaß?! Sie bezeichnen das als Spaß?“
Sonja fühlte sich zunehmend unwohl und packte einen ihrer Kollegen am Arm. „Komm, Jürgen, wir bummeln noch etwas durch die Stadt. Auf Wiedersehen.“
So schnell sie konnte schob sie den jungen Mann durch die

schwere Eingangstür nach draußen, gefolgt von den anderen Kollegen. Lediglich Anton Brugger blieb zurück und trat auf die Dame im roten Mantel zu.
„Bitte entschuldigen Sie, die jungen Leute sind manchmal etwas gedankenlos. Mein Name ist Brugger.“
Er schüttelte der Frau die Hand.
„Tietze, Kerstin Tietze“, antwortete diese überrascht. Bisher war es noch selten vorgekommen, dass ein Teilnehmer der in ihren Augen zweifelhaften Aktion hinterher auf sie zukam. Im günstigsten Fall schlichen sich die Leute mit gesenkten Köpfen verschämt hinaus, nahmen hoffentlich ein schlechtes Gewissen mit und dachten im Nachhinein darüber nach. Im viel häufigeren Fall mussten sich Kerstin Tietze und ihre Mitstreiter höhnisches Gelächter und unangemessene Bemerkungen gefallen lassen. Das hielt sie jedoch nicht davon ab, mit ihren Aktionen weiterzumachen. Nach dem Motto *steter Tropfen höhlt den Stein* schrieben sie wöchentlich Petitionen an den Bürgermeister und Leserbriefe an die Presse, sie demonstrierten möglichst nach jeder Veranstaltung, betrieben Infostände in der Innenstadt und machten dadurch Stimmung in der Bevölkerung gegen Friedhelm Ecks erlebnisgastronomisches Projekt im Lochgefängnis.
Mit Erfolg!
In wenigen Tagen hatte sie einen Termin beim Oberbürgermeister. Er konnte sich nicht mehr gegen die massiven Proteste wehren, die im wahrsten Sinne des Wortes direkt vor seiner Haustür stattfanden. Kerstin Tietze versprach sich viel von diesem Gespräch, hoffte damit Ecks Machenschaften endlich ein Ende setzen zu können.
„Ich bin ganz Ihrer Meinung“, stimmte Anton Brugger zu. „Diese fürchterlichen Aktionen müssen gestoppt werden, das ist menschenverachtend und absolut verwerflich.“
Kerstin Tietze blickte ihr Gegenüber überrascht an. Er schien etwa in ihrem Alter zu sein, wirkte allerdings durch seine altbackene Kleidung und die biedere Frisur um einiges

älter.
„Haben Sie nicht auch an der Veranstaltung teilgenommen?“, fragte sie erstaunt.
„Natürlich, deshalb weiß ich ja genau, wovon ich spreche“, gab Anton ärgerlich zurück. „Mein Chef hat die Aktion gebucht, wir wussten nicht, was auf uns zukommt. Es war entsetzlich!“
„Wollen Sie uns nicht unterstützen? Wir treffen uns regelmäßig in einem Lokal, um unser weiteres Vorgehen zu planen“, schlug Kerstin Tietze vor, doch bevor Anton antworten konnte, erschien Friedhelm Eck auf der Treppe.
„Meine Damen und Herren!“, rief er laut durch die Halle. „Bitte verlassen Sie das Rathaus. Sie wissen doch, dass Sie hier im Inneren des Gebäudes ihren Aktivitäten nicht nachgehen dürfen!“
Er bemühte sich um Geduld. „Warum halten Sie sich nicht an die Abmachungen?“
„Wir gehen, wenn Sie endlich damit aufhören, diese geschmacklosen Aktionen anzubieten, das müssten Sie doch inzwischen auch wissen, Herr Eck!“, gab Kerstin Tietze provokant zurück.
„Aber Frau Tietze, sparen Sie sich doch ihre Energie.“ Eck versuchte es zunächst mit Verständnis. „Sie haben doch sicher an einem Samstagnachmittag auch etwas anderes zu tun, als anderen Leuten den Spaß zu verderben.“
„Es ist einfach unfassbar, wie Sie in diesem Zusammenhang von Spaß sprechen können.“ Kerstin Tietze verzog angewidert das Gesicht. „In meinen Augen hat es nichts mit Spaß zu tun, dass Tausende Menschen zu Tode gequält wurden.“
„Jetzt ist es aber genug! Sie haben mit Ihren lächerlichen Aktivitäten keine Chance. Meine Angebote sind genial und werden gerne gebucht. Allem Anschein nach sind Sie und Ihre Spießgesellen die Einzigen, die sich an dem Konzept stören. Auf Wiedersehen!“
Kerstin Tietze fixierte Eck mit zusammengekniffenen

Augen.
„Eck muss weg“, begann sie leise und gab ihren Mitstreitern ein Zeichen.
„Eck muss weg! Eck muss weg! Eck muss weg!“, erklang es vielstimmig durch die Halle.
„Verschwinden Sie, oder ich rufe die Polizei!!“, brüllte Eck wütend. Er rannte die Treppe hinab, als habe er nicht vor, mit der Räumung des Gebäudes auf die Polizei zu warten.
„Das ist nicht nötig“, erwiderte Kerstin Tietze mit fester Stimme und stellte sich dem heranstürmenden Mann in den Weg. „Wir gehen, aber wir kommen wieder, darauf können Sie sich verlassen. Guten Tag.“
Sie rollte ihr Transparent zusammen, nickte den anderen Demonstranten zu und ging nach draußen.
„Toll“, meinte Anton Brugger respektvoll, als sich die Gruppe vor dem Rathaus langsam aufgelöst hatte. „Wie Sie diesem Mann gegenüber treten ist beeindruckend. Entweder Sie sind wirklich so gelassen und abgebrüht, oder Sie sind eine sehr gute Schauspielerin.“
Kerstin Tietze zuckte müde mit den Schultern.
„Vielleicht ist es beides“, seufzte sie müde. „Diese Auseinandersetzungen sind sehr anstrengend, ich darf mir keine Blöße geben, keine Schwäche zeigen, muss immer stark sein.“
Anton hatte unwillkürlich das Bedürfnis, die Frau in seine starken Arme zu schließen, ihr die Möglichkeit zu geben, schwach sein zu dürfen, doch er hielt sich zurück, schließlich kannte er sie erst seit einigen Minuten. Abgesehen davon war er nicht sicher, ob er wirklich stark genug war, dieser selbstbewussten Frau etwas zu bieten.
Er hatte da so seine Zweifel.
Keine Zweifel hatte er jedoch an der Tatsache, dass ihn diese Kerstin Tietze faszinierte und dass er in Begriff war,...
„Herr Brugger“, riss ihn ebendiese Frau aus seinen Überlegungen. Er errötete leicht, als fürchtete er, sie könne seine Gedanken lesen.

„Entschuldigung, was sagten Sie?“, stotterte er verlegen.
Sie lachte, was sie in Antons Augen noch interessanter machte. „Wo waren Sie denn gerade? Ich habe gefragt, ob Sie nicht Lust haben, am kommenden Donnerstag um 20.00 Uhr in die Villa Leon zu unserem nächsten Treffen zu kommen?“
„Villa Leon“, wiederholte Anton und fühlte sich wie ein Teenager.
„Ein Kulturzentrum auf dem ehemaligen Schlachthofgelände“, erklärte Kerstin Tietze amüsiert.
„Ja, das kenne ich. Ich wohne in St. Leonhard und habe die Bebauung des Geländes beobachten können.“
Anton hatte sich wieder gefangen. „Ich komme gerne am Donnerstag. Vielen Dank für die Einladung.“
„Aber gerne doch. Wir sind froh um jeden, der unser Anliegen mit seinen Fähigkeiten und Engagement unterstützt“, freute sich Tietze und wandte sich zum Gehen. „Dann bis nächste Woche also.“
Er schluckte und nahm all seinen Mut zusammen.
„Haben Sie, ich meine ist Ihnen auch kalt? Wir könnten noch einen schnellen Kaffee zusammen trinken, und Sie könnten mir dabei von Ihrer Initiative erzählen?“
Kerstin Tietze lächelte ihn an. „Danke, aber ich habe noch etwas zu tun. Vielleicht ein andermal. Auf Wiedersehen, Herr Brugger.“
Sie dreht sich um und ging in Richtung Hauptmarkt davon.
„Auf Wiedersehen, Kerstin“, flüsterte Anton leise und sah ihr enttäuscht nach. „Bis bald.“

## 3

Dichter Nebel lag über der langsam erwachenden Stadt. Die matten Lichter der Straßenlampen vermochten es kaum, die schwere, feuchte Kälte zu durchdringen.
Wie durch Watte gedämpft durchbrach das Geräusch eines fahrenden Autos die unwirkliche, gespenstische Stille. Die Abgaswolke blieb zunächst wie festgefroren in der Luft stehen, bevor sie sich zögerlich auflöste.
Es war kalt, hatte einige Grad unter Null. Die Scheiben der Autos am Straßenrand waren zugefroren. Die Besitzer würden eine Weile brauchen, um ein kleines Guckloch in das Eis zu kratzen.
Der Winter war greifbar nahe.

Eine gebeugte Gestalt in einem zerschlissenen, viel zu großen dunklen Mantel schlurfte langsam den Gehsteig entlang. Die Sohlen der groben Stiefel waren abgelaufen, die braune Hose war starr vor Schmutz. Auf dem Kopf trug der Mann eine alte, lange aus der Mode gekommene gefütterte Ledermütze deren Ohrenklappen unter dem stoppeligen Kinn notdürftig zusammengebunden waren. Ein dicker, gestrickter Schal war mehrmals um Mund und Hals geschlungen, in der Hoffnung, dem müden Gesicht etwas Wärme zu verschaffen.
Lediglich die kleinen, lebhaften braunen Augen und die rote, stets tropfende Nase waren der Kälte ausgesetzt.
Der Mann blieb kurz stehen, stellte zwei prall gefüllte Plastiktüten ab und versuchte, sich mit einer Hand den Schal etwas aus dem Gesicht zu schieben, was angesichts der dicken Handschuhe nicht so einfach war.
Er sah sich zitternd um, schlug die eiskalten Hände

aneinander und schickte wärmende, weiße Atemwölkchen in seine löchrigen Handschuhe.
Trotz der Kälte und Einsamkeit wirkte der Mann nicht traurig, nicht verzagt oder gar verzweifelt. Er kannte sich aus in seiner Stadt, wusste, wie Winter und Frost sich anfühlten, hatte Erfahrung mit langen dunklen Nächten im Freien, hatte sich damit abgefunden, morgens steifgefroren zu erwachen.
Es würde noch einige Zeit dauern, dann würden seine Lebensgeister wieder erwachen, die steifen Glieder wieder so beweglich werden, wie sie mit seinen 52 Jahren nur werden konnten.
Er haderte schon lange nicht mehr mit seinem Schicksal, hatte sich damit abgefunden, ein freies Leben auf der Straße zu führen, unabhängig von Vermietern, Chefs und Ehefrauen. Er war sein eigener Herr, musste sich nur um sich selbst kümmern, war niemandem Rechenschaft schuldig.
Man hatte ihm oft ein Bett in einer Obdachlosenunterkunft angeboten, doch er hätte das Zimmer stets mit anderen teilen, deren Geräusche und Gerüche ertragen, sich womöglich die Lebensgeschichten Unbekannter anhören müssen.
Da war es ihm lieber, nach einer eiskalten Nacht in den frühen Morgenstunden durch sein noch ruhiges, friedliches Revier zu streifen und in den Tag hinein zu leben. Bereits seit acht Jahren war er hier unterwegs, wohnte unter einer Brücke zwischen Altstadt und Wöhrder Wiese und wurde weitgehend in Ruhe gelassen, so, wie auch er alle Leute in Ruhe ließ.
Heute an diesem ungewöhnlich kalten Novembersonntag erwachte die Stadt noch später als sonst. Die Leute lagen sicher noch in ihren kuschelig warmen Betten in ihren überheizten Wohnungen. Manche von ihnen lagen dort nicht alleine und würden das Bett vermutlich auch den ganzen Tag nicht verlassen.
Willi lächelte.

Er würde es genauso machen, hätte er noch eine Wohnung, ein Bett und jemanden, der es mit ihm teilte.
Hatte er aber nicht.
Dafür hatte er seine Freiheit. War das nicht das Wichtigste?

Inzwischen hatte er den Bahnhof hinter sich gelassen.
Der Bahnhof!
Er war gerne dort. Es war warm und voller Menschen, die scheinbar willkürlich hin und her liefen und doch alle ein Ziel hatten. Manchmal setzte sich Willi auf eine Bank und beobachtete die Leute, stellte sich vor, wohin sie unterwegs waren, wer sie waren, wie es ihnen ging. Vielleicht hatte einer von ihnen eben erfahren, dass er eine Prüfung bestanden, im Lotto gewonnen oder eine neue Arbeitsstelle bekommen hatte. Vielleicht hatte ein anderer gerade seinen Job verloren, von einer Krankheit erfahren oder Geld verspielt. So viele Menschen, so viele Schicksale, Lebensgeschichten, Glücksmomente. So viele Individuen, Charaktere und Wünsche. Und doch sieht alles so gleich aus, laufen alle in diesem Bahnhof hin und her, als wäre es eine einzige große Masse, ein dickes Knäuel Menschen.
Er war einer von ihnen.
Er war Willi, der Obdachlose, der schon beinahe vergessen hatte, dass auch er einst ein *normales* Leben geführt hatte.
Aber was ist schon normal?

Der Bahnhof erwachte früh, manchmal noch früher als Willi, immer früher als die Stadt.
Doch jetzt wollte er nicht zum Bahnhof. Die Menschen waren noch nicht da. Er wäre fast alleine dort.
Er machte sich auf den Weg in den Südstadtpark, nur wenige Meter südlich der breiten Gleisanlage. Oft hatte er sich gefragt, warum sie die paar Bäume und Büsche, die vor wenigen Jahren hier entlang der gepflegten Kieswege gepflanzt wurden, großspurig als Park bezeichneten, aber im Grunde genommen war es ihm egal. Sollten sie dieses

gartenarchitektonische Meisterwerk doch nennen, wie sie wollten, wichtig waren die Abfalleimer, die neben den harten Bänken standen. Gerade am Sonntagmorgen waren die metallenen Kübel überfüllt von den lukrativen Hinterlassenschaften der Nachtschwärmer. Da fanden sich neben diversen Bierflaschen auch oft die in seiner Branche besonders beliebten PET Flaschen, die 25 Cent wert waren. Auch die eine oder andere Dose wurde in den langen Nächten vor dem Sonntag gerne in den Mülleimern entsorgt. Willi wollte heute der Erste sein, der sich die Tüten füllte, um mit dem Geld vielleicht bis Dienstag über die Runden zu kommen.
Schlurfend bog er in den Karl-Bröger-Tunnel ein, eine Fußgängerunterführung hinüber in die Südstadt.
Die Beleuchtung war schummrig, einige Lampen ausgefallen, andere mit Graffiti beschmiert.
Es roch nach Urin, doch das störte Willi nicht, erledigte er doch selbst auch gerne im Schutz der Mauern sein Geschäft. Er blieb stehen, sah sich kurz um, doch es war nicht zu erwarten, dass außer ihm noch jemand zu dieser Zeit hier unterwegs war.
Vorsichtig stellte er seine Tüten ab und nestelte an seiner Hose herum, als er plötzlich am Ende des Tunnels einen großen dunklen Gegenstand auf dem Boden liegen sah. Er kniff die Augen zusammen, griff nach seinen Tüten und schlich näher heran.
Es sah aus wie ein Bündel, ein großes Bündel, ein Mensch? Lag da jemand? Hatte sich einer seiner Kollegen hier seinen Schlafplatz eingerichtet? Aber wo war sein Gepäck?
Willi stand jetzt ganz dicht an dem dunklen Haufen.
Ja, da lag jemand. Mit einem alten löchrigen Bettlaken zugedeckt. Ohne Unterlage. Auf dem eisigen Boden.
Willi lief ein Schauer über den Rücken. Ohne isolierende Unterlage konnte bei diesen Temperaturen niemand eine Nacht überleben. Schon gar nicht, wenn dieses windige Bettlaken die einzige Zudecke war.

„Hallo“, rief Willi mit heiserer Stimme. „Hallo, wer bist du?“
Keine Antwort.
Er schüttelte den Körper vorsichtig an der Schulter, doch es kam keine Reaktion. Mit seiner dick behandschuhten Hand versuchte er, das Laken beiseite zu schieben.
„Hallo! Geht es dir gut?“
Willi erstarrte. Der Körper kippte auf den Rücken.
Es war eine Frau. Sie lag in einem See aus Blut und starrte ihn mit ihren toten Augen an.
Er schrie auf, stolperte rückwärts und rannte aus dem Tunnel heraus. Sein Herz klopfte bis zum Hals, Schweiß trat ihm aus allen Poren.
Dort lag eine Tote!
Was sollte er tun?
Hilfe holen?
Er blickte zu dem toten Körper hinüber. Nein, diese Frau brauchte keine Hilfe mehr. Aber er konnte sie doch nicht da liegen lassen, in der Kälte, der Dunkelheit, der Einsamkeit.
Nein, das brachte er nicht übers Herz. Er konnte nicht einfach weitergehen und darauf warten, dass schon bald jemand anderes die Leiche finden und bei der Polizei anrufen würde. Das wäre fast ein Verrat an der Toten. Er hatte sie gefunden, er war der Erste, der sie entdeckt hatte. Also musste auch er die Behörden informieren.
Trotzdem zögerte er.
Er wusste nicht genau warum, aber er hatte so seine Schwierigkeiten mit der Polizei, ging dem Arm des Gesetzes lieber aus dem Weg. Aber hier war die Polizei vonnöten. Er musste melden, dass im Karl-Bröger-Tunnel eine tote Frau lag, in ihrem Blut!
Er durfte sich aber nicht zu erkennen geben, sonst würden sie ihn mit Fragen löchern, ihm wiedermal einen Schlafplatz unterjubeln wollen oder ihn mit irgendwelchen gut gemeinten Hilfsangeboten drangsalieren.
Am Ende würde einer der eifrigen Beamten auch noch auf

die Idee kommen, er könne sogar etwas mit dem Tod der Frau zu tun haben.
Nein! Niemals! Er musste anonym bleiben!
Hektisch blickte er sich um. Er war noch immer alleine. Niemand hatte ihn gesehen. Gut!
Er ging langsam durch den kleinen Park und steuerte eine Telefonzelle an.
„Hallo, Polizei?“

# 4

Die Atmosphäre in diesem riesigen Stadion war überwältigend. Knapp 100.000 Stimmen grölten, sangen, jubelten. Schwarz-rote Fahnen wurden geschwenkt, Banner ausgerollt, die Spannung war kaum noch auszuhalten.
Charlotte Gerlach war in diesem Moment keine Kriminalhauptkommissarin mehr, sie war nur noch eines: Ein leidenschaftlicher Fan des 1.FC Nürnberg, ihres Clubs, der es nach endlosen Jahrzehnten des Wartens und Hoffens, des Schuftens, Ackerns und Schwitzens endlich, endlich geschafft hatte.
Der Club stand im Finale der Champions-League!!! Gegen Real Madrid!!! In Barcelonas großartigem Stadion Camp Nou!!!
Und sie war dabei!
Es war schlichtweg unfassbar. Vergessen waren die 800 Euro, die sie alleine für die Karte bezahlt hatte, unabhängig vom Flug und des Zimmers im Hotel, das dem Preis nach auch gut und gerne eine Hochzeitssuite in New York City hätte sein können. Geschenkt! Sie hätte ihr letztes Hemd dafür gegeben, heute dabei sein zu können. Und jetzt war es soweit.
Mit offenem Mund stand sie zwischen all den anderen begeisterten Fans und starrte auf den Rasen, auf dem in wenigen Minuten das Elfmeterschießen beginnen würde!
Das Elfmeterschießen!!!
Der Club hatte ernsthaft der Top-Mannschaft Europas ein unfassbares 1:1 abgerungen.
Das Stadion bebte. Die Spieler lagen erschöpft auf dem Rasen. Heerscharen von Masseuren, Betreuern, Ärzten und Trainern wuselten herum, lockerten verspannte Muskeln,

reichten stärkende Getränke, klopften aufmunternd auf muskulöse Schultern.
Die Stimmung war zum Zerreißen gespannt.
Charlotte schwitzte, sie war am Ziel ihrer Träume. Ihr Herz drohte vor Glück und Freude zu zerspringen.
Da! Raphael Schäfer trat neben Iker Casillas, den berühmten Torhüter von Real Madrid, den amtierenden Welttorhüter des Jahres, auf das Feld. Wie zwei gute Freunde lachten sie scheinbar völlig entspannt und wünschten sich gegenseitig Glück, wie das bei fairen Sportsmännern so üblich war.
Unglaublich!
Unser Club-Torhüter im Duell gegen Casillas!
Dieter Hecking gegen José Mourinho!
Sie konnte es nicht fassen, brüllte, was ihre Lungen hergaben, schwenkte den trotz der Hitze mitgebrachten Club-Schal, Freudentränen rannen ihr über die erhitzten Wangen.
Sie war im Paradies!
Es ging los!
Nürnberg durfte beginnen.
Marek Mintal, das Phantom, legte sich den Ball zurecht. Cool, ruhig, mit seiner ganzen Erfahrung.
Er trat einige Schritte zurück, wartete auf den Pfiff.
Anlauf – TOOOOOR!!! TOOOOOR!!!
Charlotte hüpfte gefühlte drei Meter hoch, schrie, klatschte bis ihr die Handflächen brannten, überschlug sich vor überschäumender Begeisterung, wie all die anderen Club-Fans auch.
Nürnberg lag 1:0 vorne!
Doch auch Madrid traf beim ersten Versuch. Auch die nachfolgenden Spieler hatten Erfolg, und es stand nach wenigen Minuten 5:4 für Nürnberg.
Jetzt trat Raphael Schäfer ins Tor. Konzentriert zog er seine Handschuhe an, stellte sich auf der Torlinie zurecht und visierte seinen Gegner an: Cristiano Ronaldo!
Der Portugiese legte den Ball so feierlich auf den

Elfmeterpunkt, als sei er ein wertvolles Kleinod. Dann die dramatisch inszenierten Schritte rückwärts, die Charlotte immer an misslungene Tanzschritte erinnerten. Musste sich dieser aufgeblasene Trottel immer so in Szene setzen?
Egal! Schäfer musste diesen Ball halten, er musste!
Das wäre dann der Sieg! Dann würde der Pokal endlich nach Nürnberg kommen! Nicht nach München zu den arroganten Bayern, die immer von oben herab auf das kleine fränkische Städtchen mit den unbedeutenden Fußballern blickten. Nein! Nürnberg konnte sich dann mit 8,5 Kilo Ruhm und Ehre schmücken.
Plötzlich erstarb der Lärm im Stadion. Fast 100.000 Menschen hielten die Luft an. Man hätte eine Stecknadel fallen hören können.
Da hörte sie ein penetrantes Geräusch, ein Klingeln. Sie beachtete es nicht und starrte auf den Platz.
Ronaldo stand da, starr wie eine Salzsäule, fixierte den Ball mit höchster Konzentration.
Das Klingeln wurde lauter, nerviger, störender. Es schien direkt von nebenan zu kommen. Sie schüttelte sich und sah sich um, doch die Leute neben ihr taten auch nichts anderes als sie, nichts anderes als gebannt auf den Rasen zu starren.
Was also klingelte da so grauenvoll?
Da spürte sie plötzlich einen schmerzhaften Stoß in die Seite.
„Aua! Sind Sie verrückt geworden?“, fuhr sie den Mann neben sich an, doch dieser ignorierte sie.
Charlotte schüttelte den Kopf und wandte sich wieder dem Spielfeld zu. Gleich würde der Pfiff des Schiedsrichters ertönen und die spannendsten Sekunden ihres Lebens würden beginnen.
Allerdings ertönte statt des erwarteten Pfiffs erneut das lästige Klingeln, begleitet von einem weiteren Knuff in ihre Seite. Zu allem Überfluss hörte sie auch noch die Stimme ihres Freundes Tim.
„Charlotte!“

Jetzt kannte sie sich überhaupt nicht mehr aus. Tim interessierte sich kein bisschen für Fußball, würde niemals auf die Idee kommen auch nur 20 Euro für eine Eintrittskarte auszugeben, geschweige denn weit über 2000 Euro für einen kurzen Wochenendtrip, nur um sich anzusehen, wie 22 Männer einem Ball hinterherlaufen. Also was machte Tim jetzt hier in Barcelona und was fiel ihm ein, sie ausgerechnet jetzt zu stören, jetzt, wo es um alles ging?
Cristiano Ronaldo nahm Anlauf...
„Charlotte, geh endlich ans Telefon!“, hörte sie wieder Tims Stimme, diesmal schon etwas ungeduldiger.
Jetzt fühlte sie sich an der Schulter gepackt und unsanft geschüttelt.
… er traf den Ball und...
„Charlotte, jetzt reicht´s mir aber! Wach endlich auf!“
Nein!!!
Das durfte doch nicht wahr sein!
Sie war gar nicht im Stadion in Barcelona, nicht beim Endspiel der Champions-League und schon gar nicht beim Spiel Club gegen Real Madrid.
Sie war zuhause, in Nürnberg, im November, mitten in der Nacht, in ihrem Bett. Tim hielt ihr wütend mit zerzausten Haaren und verschlafenen Augen ihr Handy entgegen.
„Bring das Ding endlich zum Schweigen, ich will weiterschlafen“, blaffte er sie an, drehte sich um und wickelte sich leise schimpfend wieder in seine flauschige Bettdecke. Entgeistert hielt sie den lärmenden Apparat in der Hand. Tränen der Enttäuschung stiegen ihr in die Augen. Langsam dämmerte ihr die bittere Wahrheit, die kalte, harte Realität.
Ihr 1.FC Nürnberg spielte gar nicht in der Champions-League, sondern stand gestern, am 13. Spieltag der Saison 2009/2010 gerade mal auf Platz 14, mit mageren 12 Punkten.
Der Traum vom Spiel gegen Real Madrid war ausgeträumt.
Stattdessen verriet ihr das Handy zwei unangenehme Dinge.

Erstens die Uhrzeit: 5.30 Uhr und zweitens den Namen des Anrufers: Tilman Peter, ihr Chef.
Das war ein schlechter Tausch. Statt ein spannendes Fußballspiel zu erleben, musste sie nun mit ihrem überheblichen Chef telefonieren, der sicher irgendeinen undankbaren Job für sie auf Lager hatte. Und das am Sonntagmorgen nach einer sehr kurzen Nacht. Immerhin war gestern ihr freier Tag gewesen, den Tim und sie mit einigen Freunden ausgiebig genossen hatten. Im Gegensatz zu anderen Leuten hatte sie zwar keinen Kater, denn sie hielt sich bei der Getränkeauswahl stets an Saftschorle statt Hochprozentigem, aber eine Nacht mit nur 3 Stunden Schlaf setzte ihr trotzdem zu.
„Ja, was gibt es?“, brummelte sie in das Telefon, sobald sie dazu in der Lage war. Sie versuchte erst gar nicht, ausgeschlafen oder gar dynamisch zu klingen. Der Chef sollte keinesfalls auf die abstruse Idee kommen, sie sei frisch und motiviert, wenn sie am Sonntagmorgen um halb sechs aus den Federn gerissen wurde.
„Aufwachen, Frau Gerlach! Warum dauert das denn so lange, bis Sie an den Apparat gehen? Haben Sie nun Bereitschaft, oder nicht?“
„Guten Morgen, Herr Peter“, antwortete sie betont freundlich. Das ging ja schon gut los. „Was ist denn passiert?“
Charlotte war vor zwei Jahren zur Kriminalhauptkommissarin befördert worden und mit ihren einunddreißig Jahren auch keine Anfängerin mehr. Trotzdem behandelte sie ihr neuer Chef manchmal, als sei sie frisch von der Polizeischule gekommen. Fürchterlich!
Dabei war sie anderes gewohnt.
Bevor Tilman Peter die Stelle als Leiter der Nürnberger Mordkommission bekommen hatte, war Kommissar Attila Benkö ihr direkter Vorgesetzter gewesen. Das war ein Chef wie aus dem Bilderbuch gewesen - kollegial, verständnisvoll, humorvoll und niemals herablassend oder

arrogant. Sie hatten immer auf Augenhöhe gearbeitet. Charlotte hatte viel von ihm gelernt, sei es im Umgang mit Angehörigen, Verdächtigen oder Tätern. Attila hatte es geschafft, eine Vertrauensbasis zu den Menschen aufzubauen, mit denen er es zu tun hatte, legte aber auch im richtigen Moment die nötige Konsequenz und Härte an den Tag. Charlotte konnte immer ins Schwärmen geraten, wenn sie an die Zeit mit Attila dachte, doch leider war diese seit über zwei Jahren vorbei.
Schade.
Attila hatte sich vorzeitig pensionieren lassen und mit seiner Frau Mariella eine kleine Espresso-Bar in der Nähe des Nürnberger Hauptmarktes eröffnet. Damit verwirklichte er sich einen lang gehegten Traum. Mariella backte göttliche italienische Kekse und Kuchen, während Attila ein wunderbares Händchen in der Auswahl verschiedener Espressobohnen hatte.
Wann immer es Charlotte einrichten konnte, besuchte sie ihn in seiner Bar, probierte die neuesten Geschmacksrichtungen aus und erzählte ihm von den jüngsten Verfehlungen ihres Chefs – natürlich stets unter dem Siegel der Verschwiegenheit. Nach diesen kurzen Abstechern fühlte sie sich immer an Leib und Seele gestärkt genug, um sich bei der Arbeit zu behaupten.
„Ziehen Sie sich an und kommen Sie zum Karl-Bröger-Tunnel“, antwortete Peter kurz angebunden. „Wir haben eine Leiche.“
Charlotte schlug grenzenlos enttäuscht die Bettdecke zur Seite. Sie hätte so gerne gewusst, ob Raphael Schäfer den Ball gehalten hätte.

# 5

Charlotte zog den Kragen ihrer Daunenjacke hoch und stülpte sich trotz Fleecemütze zusätzlich noch die dicke Kapuze über den Kopf. Was war das doch für eine Kälte, dabei war es erst November. Der Winter würde noch über ein Vierteljahr dauern. Wie sollte sie das aushalten?
Zitternd stapfte sie die Untere Wörthstraße entlang, eine schmale Gasse am Ufer der Pegnitz, die der Zerstörung der Stadt im 2. Weltkrieg fast vollständig entgangen war. Idyllisch schmiegte sich ein schmales, liebevoll restauriertes Fachwerkhäuschen an das andere. Das Ensemble erinnerte mehr an die Kulisse eines mittelalterlichen Films, als an einen Straßenzug einer Halbmillionenstadt im 21. Jahrhundert.
Charlotte hatte vor gut einem Jahr gemeinsam mit ihrem Freund Tim eine geräumige Wohnung in einem der Häuser bezogen. Sie genoss es seither, zu Fuß zur Arbeit gehen zu können, denn die Räume der Kriminalpolizei waren in der Polizeiinspektion Nürnberg-Mitte am Jakobsplatz untergebracht, nur zehn Gehminuten entfernt.
Sie liebte die Ruhe und Beschaulichkeit des Viertels, spürte man doch im Schutz der kleinen Gasse wenig von der Hektik der Großstadt. Und trotzdem war man mit wenigen Schritten mitten im Geschehen, am Hauptmarkt, in der Fußgängerzone oder auf der mächtigen Kaiserburg.
Heute Morgen hatte Charlotte allerdings keinen Sinn für die Schönheiten der historischen Altstadt. Sie eilte so schnell sie konnte durch die schlafende Stadt und stieß bei jedem Schritt eine riesige weiße Atemwolke aus. Kein Wunder bei drei Grad minus!
Das war wohl auch der Grund, warum ihr Chef entschieden

hatte, dass es völlig genügte, wenn sie sich zunächst den Tatort alleine ansehe. Er würde dann später dazu stoßen und ihr helfen, die Ergebnisse zu sortieren.
Pah! Ergebnisse sortieren! So ein Quatsch! Er war nur zu bequem, sich so früh aus dem Bett zu schälen. Sicher schlummerte er jetzt schon wieder friedlich in den warmen Federn, während sie durch arktische Kälte rennen musste.
Dabei hatte er an diesem Wochenende Bereitschaft. Sie war nur die Zweite auf der Liste.
Naja, was soll´s. Wenn sie in ein paar Jahren Leiterin der Mordkommission wäre, würde sie vermutlich alles anders machen. Vermutlich.

Eine Viertelstunde später parkte Charlotte ihren Dienstwagen neben den Fahrzeugen der Kollegen in der Nähe des Karl-Bröger-Tunnels. Eigentlich versuchte sie so oft wie möglich das Auto stehen zu lassen und so kurze Distanzen wie diese mit dem Fahrrad zurückzulegen, doch angesichts der Außentemperatur und der Tageszeit wäre das selbst für eine so leidenschaftliche Radfahrerin wie sie etwas zu viel verlangt gewesen.
Die Unterführung war hell beleuchtet. Überall liefen weißgekleidete Gestalten herum, bückten sich, steckten unzählige Kleinigkeiten in Plastikbeutel, pinselten und fotografierten. Der Rechtsmediziner Jens Kohlbrenner packte gerade seine Tasche und erhob sich.
„Guten Morgen, Kollegin", begrüßte er Charlotte fröhlich und zeigte seine strahlend weißen Zähne. Der junge Mann war etwa in Charlottes Alter, gutaussehend, sportlich und stets gut gelaunt. Egal zu welcher Tageszeit, bei welchem Wetter oder unter welchen widrigen Umständen er zu einem Tatort gerufen wurde, er strahlte immer und vermittelte allen oft griesgrämigen Kollegen um sich herum das Gefühl, er freue sich seines Lebens und sei froh jetzt in diesem Moment genau hier und nirgendwo anders sein zu können.
„Hallo, Jens", gab die Kommissarin verschlafen zurück und

gähnte herzhaft. „Weißt du schon was?“
Müde blinzelte sie durch einen Tränenschleier hindurch auf den toten Körper, der vor ihr auf dem eiskalten Boden lag.
Es war eine Frau in einem roten Mantel und einer bunten Wollmütze, unter der langes, dunkles Haar hervorlugte. Ihre Lippen waren blau, die Augen weit aufgerissen. Sie lag in einer riesigen Lache aus gefrorenem Blut. Auch ihre Hände und die Ärmel ihres Mantels waren blutig. Charlotte lief ein Schauer über den Rücken.
„Die Frau heißt Kerstin Tietze, 40 Jahre alt, wohnhaft hier in Nürnberg“, begann Kohlbrenner und reichte Charlotte den Ausweis.
„Tietze?“, stutzte Charlotte. „Ist das nicht die Dame von dieser Bürgerinitiative, die in letzter Zeit immer den Rathauseingang blockiert?“
Kohlbrenner setzte eine verständnislose Miene auf. „Bürgerinitiative? Wofür oder wogegen?“
„Jens!“, rief Charlotte vorwurfsvoll. „Liest du keine Zeitung? Gehst du nie in die Stadt? Interessierst du dich gar nicht dafür, was hier in Nürnberg los ist?“
Jens Kohlbrenner schüttelte grinsend den Kopf. „Aber Frau Ober-Über-Hauptkommissarin, ich bin doch ununterbrochen mit den Leichen beschäftigt, die du mir regelmäßig lieferst. Da habe ich keine Zeit für Vergnügungen.“
Charlotte knuffte ihn freundschaftlich in die Seite. „Du bist unmöglich! Es wird Zeit, dass du dich öfter mal mit den Lebenden beschäftigst, Herr Doktor!“
„Verrätst du mir trotzdem, warum diese Bürgerinitiative ständig das Rathaus belagert?“
„Es geht um eine sehr makabere Aktion unseres Gastro-Gurus Friedhelm Eck.“
„Na, welches Süppchen braut er denn diesmal? Will er etwa in der Rathaushalle ein Burger-Restaurant eröffnen?“
Dem jungen Mediziner war der Name des bekanntesten Gastronomen Nürnbergs sehr wohl ein Begriff. Eck hatte überall seine Finger mit drin, kaufte ein Restaurant nach

dem anderen auf und hatte bereits etliche große gastronomische Betriebe in seiner Hand.
„Das ginge ja noch. Wie ich unseren Herrn Bürgermeister kenne, hätte er sicher gegen einen Cheeseburger oder Big Mac zwischen seinen Sitzungen nichts einzuwenden.“
„Keine Chicken Nuggets im Rathaus?“, jammerte Kohlbrenner mit gespielter Enttäuschung.
„Es geht um die Henker-Aktionen im Lochgefängnis“, erklärte Charlotte.
Kohlbrenner zog interessiert die rechte Augenbraue nach oben. „Kann man sich da nach Wunsch foltern lassen?“
„So ähnlich. Ich habe gehört, man könne sich aus einem Paket von verschiedenen Modulen seine individuelle Veranstaltung zusammenstellen. Beispielsweise als Betriebsausflug für Firmen.“
„Module?“, wiederholte Kohlbrenner fragend. „Wie darf ich mir das vorstellen?“
„Die Leute ziehen sich beispielsweise kratzige Büßerhemden an, sitzen eine gewisse Zeit alleine in einer stockfinsteren, eiskalten, stinkenden Zelle und werden anschließend vom Henker persönlich in die Folterkammer geführt.“
Das Lachen auf Kohlbrenners Gesicht gefror – und das nicht nur wegen der Kälte.
„Sag nicht, dass die Leute dann auch noch quasi gefoltert werden?“
„Je nachdem was gewünscht wird. Meistens wird eine Foltersituation mit einem Schauspieler fingiert.“
„Und danach gibt es wahrscheinlich eine Henkersmahlzeit?“, mutmaßte Kohlbrenner.
„Richtig“, stimmte Charlotte zu.
„Geschmacklos!“, meinte Kohlbrenner angewidert. „Hat der Mann keine moralischen Bedenken?“
„Er nicht und offensichtlich seine Kunden auch nicht. Es wird wohl sehr oft nachgefragt“
„Und gegen dieses Projekt setzt sich die Bürgerinitiative

ein?“
„Bis gestern mit dieser Frau an der Spitze“, nickte Charlotte und wies auf die Tote. „Wie ist sie gestorben?“
„Sie hat eine große Wunde am Hals und ist aller Wahrscheinlichkeit nach verblutet. Sie wurde mit einer kaputten Weinflasche verletzt und hat noch kurze Zeit gelebt. Das Blut an ihren Händen deutet darauf hin, dass sie noch versucht hatte, die Blutung zu stoppen.“
„Kannst du etwas über die Tatzeit sagen?“
„Ich schätze gegen Mitternacht. Genauer kann ich es momentan nicht bestimmen. Es hängt vor der Außentemperatur ab und davon, wie lange das Opfer nach der Verwundung noch gelebt hat. Ich lasse sie gleich in die Rechtsmedizin bringen, dann weiß ich mehr.“
„Gut, danke. Melde dich, wenn du was Neues weißt.“
„Aber gerne doch. Bis später bei der Obduktion“, feixte Jens Kohlbrenner und schlenderte in Richtung seines Wagens davon.
Charlotte schluckte. Das war einer der unangenehmsten Momente ihres Jobs. Sie als ermittelnde Kommissarin musste zusammen mit einem Kollegen von der Spurensicherung und einer Vertretung der Staatsanwaltschaft bei der Obduktion dabei sein. Manchmal konnte sie sich drücken, konnte ihren Chef breitschlagen, aber in den meisten Fällen war doch sie diejenige, die zusehen musste, wie die bedauernswerten Opfer in ihre Einzelteile zerlegt wurden.
Trotz dieser Aussichten blickte sie Kohlbrenner dankbar hinterher. Wie oft hörte man von unkooperativen, arroganten oder unkommunikativen Rechtsmedizinern, denen man jedes Detail aus der Nase ziehen musste, die sich ständig den Bauch pinseln ließen und ihre Befindlichkeiten ausgiebig auslebten. Was war sie doch vom Schicksal begünstigt, dass seit einem Jahr dieser smarte, sympathische und obendrein auch noch fähige und engagierte Arzt den vakanten Posten bei der Erlanger Rechtsmedizin übernommen hatte.

Charlotte kniete sich zu der Toten hinab und blickte in das kalkweiße, verzerrte Gesicht. Auf den Wimpern und Augenbrauen hatte sich eine dünne Eisschicht gebildet.
Charlotte musste unwillkürlich an die Gletschermumie Ötzi denken. Der arme Kerl lag 5000 Jahre länger tiefgefroren im Eis, als diese Frau hier, müsste allerdings ähnlich gelitten haben, wie sie. Auch er wurde gewaltsam aus dem Leben gerissen und ist vermutlich auch nicht gleich an seiner Verletzung gestorben. Im Gegensatz zu diesem Fall wird man wohl nicht mehr in der Lage sein, den Täter zu ermitteln, geschweige denn, ihn zur Rechenschaft zu ziehen.
„Guten Morgen, Frau Gerlach."
Abrupt wurde sie von der brummelnden Stimme eines kräftigen jungen Mannes aus ihren Gedanken gerissen und schreckte hoch.
„Ah, guten Morgen, Herr Klein", antwortete Charlotte und versuchte, nicht genervt zu klingen.
Na prima! Ihr Chef blieb zuhause und schickte ihr stattdessen Torsten Klein, den sogenannten Umläufer, wie die Umlaufpraktikanten im Präsidium gerne genannt wurden. Polizeihauptmeister Klein hatte die Ausbildung zum mittleren Polizeidienst absolviert und strebte nun den gehobenen Dienst an. Im Zuge dessen musste er ein 10-wöchiges Praktikum bei der Mordkommission absolvieren – das Umlaufpraktikum. Kommissar Peter hat ihn vertrauensvoll in die Hände seiner jungen Mitarbeiterin Charlotte Gerlach gegeben, die in seinen Augen über genügend weibliches Einfühlungsvermögen und fachliche Kompetenz verfügte, um dem hochmotivierten aber leider nur mäßig begabten jungen Mann einen optimalen Einstieg in eine vielversprechende Karriere bei der Kriminalpolizei zu ermöglichen.
So oder ähnlich hatte sich ihr Chef ausgedrückt, als er ihr vergangene Woche den vollbärtigen, etwas gemütlichen Mann vorstellte, der zu ihrem Leidwesen meistens mit beiden Beinen auf der Leitung stand.

Torsten Klein war Mitte 20, gut gebaut und hatte seine Laufbahn in einer kleinen Dienststelle in der Oberpfalz begonnen. Das erklärte auch seine geringen Erfahrungen. Er hatte nach eigenen Angaben bisher noch keinen Toten gesehen, geschweige denn an einer Mordermittlung teilgenommen. Er war zweifelsohne nett und aufgeschlossen, interessiert und engagiert, ob er allerdings das Zeug zum Ermittler hatte, würde sich noch herausstellen. Charlotte hatte sich vorgenommen, geduldig und verständnisvoll mit ihm umzugehen, ihn nicht zu überfordern und ihm eine annähernd so gute Vorgesetzte zu sein, wie Attila es für sie gewesen war. Bisher war dieses Vorhaben noch sehr anstrengend.
„Na, hat Sie unser Chef auch zu nachtschlafender Zeit aus dem Bett geholt?"
Torsten Klein lächelte etwas gequält.
„Naja, was will man machen? Wir hätten uns ja auch einen bequemen Bürojob aussuchen können, was?"
„Da haben Sie recht", stimmte Charlotte aus tiefstem Herzen zu. „Jetzt müssen wir da durch."
Sie führte ihn zu der Toten.
„Sie hieß Kerstin Tietze, 40 Jahre, wurde mit einer zerbrochenen Flasche schwer am Hals verletzt. Vermutlich ist sie verblutet."
Sie blickte den jungen Mann an, der mit schneeweißem Gesicht und unbewegter Miene auf den toten Körper hinabstarrte.
„Herr Klein?"
Er würgte, hielt die Hand vor den Mund und rannte in Richtung Südstadtpark davon. Kurz darauf kam er wieder und nahm dankbar das Taschentuch, das ihm Charlotte anbot.
„Es tut mir leid, aber ich habe noch nie...", stotterte er verschämt.
„Machen Sie sich nichts daraus", munterte ihn Charlotte auf. „Das ging uns am Anfang allen so."

„Frau Gerlach“, rief plötzlich ein Mitarbeiter der Spurensicherung vom anderen Ende des Tunnels. Er hielt einen Plastikbeutel mit einer kaputten Flasche in der Hand.
Charlotte lief dem Mann entgegen. „Ist das die Tatwaffe?“
„Sieht so aus. Das Glas ist voller Blutspritzer. Das Labor wird feststellen, ob es das Blut des Opfers ist.“
„Danke, Kollege.“
„Da ist noch etwas.“
„Ja?“
„Es handelt sich um einen ziemlich teuren Wein. Ich frage mich, wer eine solche Flasche hier entsorgt hat? Üblicherweise findet man hier nur Flaschen mit Billigwein oder gar nur Tetra-Paks. Ich sehe mir die Fingerabdrücke an. Vielleicht finden wir ja etwas Verwertbares?“

„Wie geht es jetzt weiter?“, fragte Torsten Klein vorsichtig. Er zitterte am ganzen Körper, hüpfte vor Kälte auf und ab und blies sich ununterbrochen warme Luft in seine blaugefrorenen Hände. An seiner eiskalten, roten Nase hing ein Wassertropfen, der so aussah, als wolle er sich jeden Moment in einen beachtlichen Eiszapfen verwandeln.
Charlotte seufzte. Wie konnte man auch bei Minusgraden lediglich mit einer dünnen Jeansjacke und Turnschuhen bekleidet an einen Tatort kommen?
„Vielleicht sollten Sie für die Zukunft in eine ordentliche Daunenjacke, gefütterte Stiefel und eine warme Mütze investieren? Sie sehen ja aus, als würden Sie jeden Moment am Boden festfrieren.“
„Das fühlt sich auch so an, glauben Sie mir“, schlotterte Klein zustimmend.
„Kommen Sie, wir fahren ins Präsidium“, sagte sie und zog sich die Mütze vom Kopf. „Nehmen Sie die so lange, ich habe ja noch meine Kapuze.“
Grinsend beobachtete sie, wie sich der junge Mann die wunderbar angewärmte pinkfarbene Mütze über seine knallroten Ohren zog.

„Das tut gut“, nuschelte er dankbar.
Kurze Zeit später saßen sie im Auto, die Sitzheizung auf Höchststufe, das Gebläse auf Maximum. Torsten Klein hielt seine eingefrorenen Hände hilfesuchend an die kleinen Schlitze, aus denen nach und nach warme Luft strömte.
„Es sieht eigentlich gar nicht so schlecht aus“, meinte Charlotte, als sie den Eindruck hatte, ihr Beifahrer sei wieder so weit aufgetaut, dass er zu einem Gespräch bereit war.
„Wir haben die Identität des Opfers, die Brieftasche und sogar die Tatwaffe. In anderen Fällen mussten wir zu Beginn einer Ermittlung mit deutlich weniger auskommen.“
„Hmmm“, brummelte Klein noch etwas abwesend.
Die kurze Fahrt bis zum Jakobsplatz hatte leider nicht ausgereicht, ihn durch und durch zu wärmen.
Charlotte parkte den Wagen im Hof des Präsidiums.
„Kommen Sie, die letzten paar Meter schaffen Sie noch“, lachte sie, als sie das unglückliche Gesicht Kleins sah. „Vielleicht wäre es besser, im Präsidium die Mütze abzunehmen.“

# 6

Am späten Vormittag fuhr Charlotte erneut mit ihrem Praktikanten auf dem Beifahrersitz durch Nürnberg. Sie waren auf dem Weg zu Kerstin Tietzes Wohnung, im Stadtteil Ziegelstein. Einerseits war sie froh darüber, dass sich ihr Chef erneut dafür entschieden hatte, im Büro zu bleiben, andererseits hätte sie gerne einen erfahreneren Kollegen dabeigehabt, als den jungen Umläufer. Bei der Durchsuchung der Wohnung eines Opfers war oft jedes noch so kleine Detail wichtig – vorausgesetzt man erkannte es als ein Solches. Wenn sie das Gefühl hatte, etwas übersehen zu haben, würde sich der Herr Kriminalhauptkommissar Peter wohl bequemen müssen, seinen luxuriösen Bürostuhl für ein paar Stunden zu verlassen. Charlotte schob den Gedanken an ihren Chef beiseite und konzentrierte sich wieder auf den Fall.

Offenbar lebte Frau Tietze alleine und hatte außer einem Bruder in Australien keine Verwandten mehr.

Charlotte musste immer schlucken, wenn sie sich vorstellte, wie entwurzelt und heimatlos man sich fühlen musste, ohne all die bucklige Verwandtschaft. Ohne all die nervigen Tanten, gelangweilten Onkel, besserwisserischen Cousinen, erfolgreichen Cousins, ohne den beschützenden großen und den manchmal anstrengenden kleinen Bruder und vor allem ohne die große Schwester, der man schon (fast) immer (fast) alles anvertraut hatte.

So ganz alleine?

Sie nahm sich wieder einmal vor, mindestens drei Kinder zu bekommen, oder mehr. Sie wusste allerdings noch nicht, wie sie es Tim beibringen sollte. Er war von den Vorteilen als Einzelkind überzeugt.

Im Präsidium hatte Charlotte ihrem Chef Bericht erstattet und sich ein erstes Bild vom Leben des Opfers gemacht. Kerstin Tietze stammte aus Fürth und arbeitete als Gärtnerin in einem kleinen Betrieb neben dem Südfriedhof. Sie engagierte sich im Sportverein und hatte vor zwei Monaten die Bürgerinitiative *Eck muss weg* ins Leben gerufen. Die Aktivitäten der Bürgerinitiative schienen zum Teil massiv zu sein. Sie waren sehr präsent in der Presse. Bis zu dreimal in der Woche erschien ein Artikel darüber in der Tageszeitung. Auch das Lokalfernsehen hatte bereits über Frau Tietze und ihre Mitstreiter berichtet.
Ob ihr dieses Engagement zum Verhängnis geworden war?
„Was genau suchen wir in der Wohnung?“, fragte Torsten Klein, während er sich wieder die Hände an der Heizung wärmte.
„Hinweise darauf, wer Kerstin Tietze war, wen sie gekannt hat, wie sie gelebt hat, einfach alles, was uns zu einem möglichen Motiv beziehungsweise zum Täter führen könnte“, erklärte Charlotte geduldig, als sie in den Heroldsberger Weg einbogen. Die schmale Straße lag in einem ruhigen Wohngebiet mit kleinen Häusern aus den 60er Jahren und hübschen Gärten. Eine Idylle mit U-Bahnanschluss, was viele Anwohner dieses Stadtteils bewogen haben dürfte, hierher zu ziehen.
Charlotte parkte vor einem kleinen Häuschen, das von einem auffallend aufwändig angelegten Garten umgeben war. Hier erkannte man eindeutig die Handschrift einer Gärtnerin, die ihren Beruf mit Leidenschaft ausgeübt haben dürfte.
An der Haustür hing ein Kranz aus Tannenzweigen, auf den Fensterbrettern standen bunte Blumenkästen mit Erikastöcken. Alles machte einen friedlichen, harmonischen und gepflegten Eindruck. Charlotte zog den Schlüssel aus der Tasche, den sie am Morgen in der Manteltasche der Toten gefunden hatten und steckte ihn ins Schloss. Wie jedes Mal, wenn sie die Wohnung eines Opfers betrat, erfasste sie auch heute ein unangenehmes Gefühl, eine

Mischung aus Trauer, Scham und Respekt. Trauer deshalb, weil die Besitzerin der Wohnung nie mehr nach Hause zurückkehren, nie mehr die Tür aufsperren, oder die Einkäufe in die Küche bringen würde. Sie würde nicht mehr auf dem Sofa sitzen, sich nicht mehr um Garten und Zimmerpflanzen kümmern.
Auf der anderen Seite schämte sich Charlotte, in die Privatsphäre einer fremden Person einzudringen, scheute sich nach wie vor, in den privatesten Unterlagen zu stöbern, das Innerste nach außen zu kehren.
Das kleine Haus hatte insgesamt nicht mehr als vielleicht 80 qm Wohnfläche, aufgeteilt auf ein Wohnzimmer, eine Küche und eine kleine Toilette im Erdgeschoss und zwei kleine Schlafräume und ein Bad im ersten Stock. Auch hier war alles gepflegt, sauber, ordentlich und geschmackvoll eingerichtet. Der alte, geölte Fußboden und die Vollholzmöbel strahlten die Art von Behaglichkeit aus, die Charlotte liebte. Sie konnte den modernen Wohnungen aus Glas, Edelstahl und Beton mit den weißen, kalten Möbeln nichts abgewinnen. Einen Moment lang ertappte sie sich bei dem Gedanken, wie es wäre, selbst in diesem schnuckeligen, heimeligen Häuschen zu wohnen, doch das Wissen, dass die Besitzerin einem Gewaltverbrechen zum Opfer gefallen war, ließ den Traum schnell zerplatzen.
„Lassen Sie uns zunächst im Wohnzimmerschrank nachsehen“, half sie ihrem unsicheren Assistenten auf die Sprünge. „Wir suchen nach Kontoauszügen, Rechnungen, Fotos und allem, wovon Sie denken, es könnte wichtig sein. Bitte achten Sie auch auf einen Terminkalender. Sie hatte keinen bei sich.“
„Dann mal los“, nickte Torsten Klein eifrig, setzte sich auf den Boden und öffnete die erste von vier Schubladen.
Sie arbeiteten schweigend. Allein das Rascheln von Papier, das Klappern der Ordner und ein gelegentlicher Seufzer waren zu hören.
Nach einer guten Stunde hatten sie den ersten Schrank

durchgearbeitet.
„Die Dame war wirklich ordentlich", bemerkte Charlotte anerkennend und streckte sich ausgiebig. „Davon könnte ich mir eine Scheibe abschneiden."
Sie legte verschiedene Unterlagen auf den Esstisch und ließ sich auf einen Stuhl fallen. „Haben Sie etwas gefunden?"
„Ich weiß nicht so recht", antwortete Torsten Klein und zeigte auf einen Stapel Kontoauszüge. „Frau Tietze hatte regelmäßige Zahlungseingänge und die üblichen Abbuchungen für Strom, Gas, Telefon und so weiter. Außerdem Ratenzahlungen für die Finanzierung des Hauses. Es schien ihr Eigenes gewesen zu sein."
„Gab es irgendwelche unklaren Kontobewegungen?", hakte Charlotte nach und fragte sich, ob sie wohl auch mit 40 Jahren stolze Hausbesitzerin sein würde.
„Nein, nichts Auffälliges, soweit ich das beurteilen kann. Und bei Ihnen?"
„Ich habe Zeugnisse gefunden, Beurteilungen und Bewerbungen. Nach Meinung der Lehrer und Ausbilder war sie eine unauffällige, fleißige und zuverlässige Mitarbeiterin. Ich konnte keine Beanstandungen finden. Fast ein bisschen unheimlich normal, finden Sie nicht?"
Klein zuckte mit den Schultern. „Aber wer sollte dann ein Interesse daran gehabt haben, sie umzubringen?"
Vermutlich war er selbst auch ein so unauffälliger Mensch, dem es unangenehm war, im Mittelpunkt zu stehen.
„Dafür sind wir hier, Herr Kollege. Ich bin mir sicher, wir finden etwas, das im Leben dieser perfekten und unscheinbaren Frau doch nicht so perfekt war. Lassen Sie uns nach Fotos suchen."
Die beiden Beamten durchsuchten die restlichen Schränke und Kommoden und fanden etliche Fotoalben mit Urlaubsfotos. Die meisten Reisen gingen in die Berge. Frau Tietze schien leidenschaftlich gerne gewandert zu sein. Die Bilder zeigten sie gemeinsam mit verschiedenen anderen Frauen zum Teil im Hochgebirge mit Kletterausrüstung, vor

saftigen Weiden oder braungebrannt und glücklich vor einer Hütte mit schneebedeckten Gipfeln im Hintergrund.
„Wir sollten versuchen herauszufinden, wer diese Damen sind, die Frau Tietze auf ihren Klettertouren begleitet haben. Vielleicht können die uns weiterhelfen?“, meinte Charlotte etwas frustriert. Sie durchwühlten jetzt bereits seit über drei Stunden das Leben der Frau, ohne auch nur den geringsten Hinweis auf ein mögliches Motiv gefunden zu haben.
Keine Geldschiebereien, keine Drogen, keine fragwürdigen Bekanntschaften oder illegale Aktivitäten. Am heutigen Sonntagmorgen schien Deutschlands unbescholtenste Bürgerin umgebracht worden zu sein.
Charlotte spürte, dass sie langsam ungeduldig wurde, genervt, dünnhäutig. Das konnte eigentlich nur eines bedeuten:
Hunger!
Sie hatte langsam aber sicher Hunger – und nicht zu knapp! Wenn sie nicht binnen kürzester Zeit etwas zu Essen bekam, würde sich ihre Laune zusehends verschlechtern, was den meisten Leuten, die zu dieser Zeit mit ihr zu tun hatten, schlecht bekäme.
„Das hat alles keinen Sinn mehr“, brummte sie und klappte schwungvoll das Album zu, das mit weiteren Bildern vor grandioser Alpenkulisse gefüllt war. „Ich brauche etwas zu essen, und zwar schnell!“
Torsten Klein blickte sie erschrocken an. So hatte er die Kommissarin bisher noch nie erlebt. Sollte sie doch nicht die stets geduldige und ausgeglichene Person sein, für die er sie bisher gehalten hatte?
„Kommen Sie, wir gehen was Essen“, lenkte Charlotte versöhnlich ein und packte die Alben in eine der mitgebrachten Klappboxen.
Plötzlich rutschte ein Foto auf den Boden. Torsten Klein hob es auf, überrascht über die Tatsache, dass es in Tietzes vorbildlich geführtem Fotoarchiv auch lose Exemplare gab.
„Sehen Sie sich das an, Frau Gerlach“, sagte er erstaunt. „Ich

vermute, dieses Bild könnte das sein, wonach wir gesucht haben?“
Charlotte nahm den Abzug entgegen und starrte auf die beiden Menschen, die darauf zu sehen waren. Sie waren eng umschlungen und schmachteten sich gegenseitig verliebt an. Im Hintergrund sah man einen breiten Strand und das blaue Meer. Dieses Bild war augenscheinlich nicht bei einer Wanderung mit einer Freundin entstanden!
„Ach, war unsere Frau Gärtnerin doch nicht so brav, wie es zunächst den Anschein hatte, was?“, schmunzelte sie und klopfte Klein anerkennend auf die Schulter. „Gute Arbeit, Herr Kollege!“

Kurze Zeit später standen die beiden am Stehtisch eines Bratwurststandes am Hauptmarkt und ließen sich bereits das zweite Bratwurstbrötchen schmecken.
Genießerisch schleckte sich Torsten Klein den Senf aus den Mundwinkeln.
„Das war wirklich eine fabelhafte Idee!“, schwärmte er. „Ich glaube, ich habe noch nie in meinem Leben so leckere Würstchen gegessen.“
„Vielleicht hatten Sie auch schon lange nicht mehr einen solchen Hunger“, lachte Charlotte nicht minder glücklich und warf ihre Serviette in den bereitgestellten Mülleimer.
„Wollt ihr noch eins?“, tönte eine fröhliche Stimme mit auffallend friesischem Dialekt aus dem Inneren der Bratwurstküche.
„Nein, danke, Gerti, zwei sind genug für´s erste“, winkte Charlotte ab. Auch ihr Kollege schien satt zu sein und schüttelte mit vollen Backen den Kopf.
Bratwurst-Gerti war seit gefühlten 100 Jahren eine Institution am Nürnberger Hauptmarkt. Sie war mit ihrer kleinen Bratwurstküche der Dreh- und Angelpunkt des Marktes. Sie wusste alles, sah alles, erfuhr alles und behielt auch manches für sich. Sie beobachtete, wer den goldenen Ring am Schönen Brunnen wie oft und in welche Richtung

drehte, wer auf dem Christkindlesmarkt wie viel Glühwein trank und wie viele Touristen das Männleinlaufen fotografierten. Gerti war immer da und hatte immer ein offenes Ohr für ihre Kunden. Charlotte konnte sich kaum erinnern, das Fenster gegenüber des Schönen Brunnens jemals geschlossen gesehen zu haben. Sie hatte auch noch nie von jemand anderem als Gerti persönlich ihre *Drei im Weckla* bekommen. Die Sechzigjährige gehörte genauso zu der Stadt, wie all die historischen Sehenswürdigkeiten, die es in Nürnberg zuhauf zu bestaunen gab.
Charlotte und viele ihrer Kollegen kamen regelmäßig hier vorbei, teils um die knusprigen, würzigen Würstchen zu genießen, teils um Gerti die eine oder andere Information zu entlocken.
Gerti kam eigentlich aus Ostfriesland, war aber vor fast 40 Jahren ihrer großen Liebe, die interessanterweise aus Niederbayern stammte, ins Frankenland gefolgt. Ob die Liebe noch immer groß war, wusste keiner. So redselig Gerti auch war, was ihr Privatleben betraf, hüllte sie sich zum Leidwesen ihrer Kunden in völliges Schweigen.
Da konnte man nur spekulieren.
Charlotte wollte eben die Gelegenheit nutzen, die Bratwurstwirtin nach ihren Beobachtungen zu Kerstin Tietze und den Aktivitäten der Bürgerinitiative zu befragen, als ein Mann in zerschlissenem Mantel, kaputten Schuhen und einer löchrigen Pelzmütze an das Fenster trat.
„Moin, Willi!“, rief Gerti freundlich. „Reichlich kalt heute, was?“ Sie reichte dem Mann ein Brötchen. „Lass es dir schmecken.“
„Danke, Gerti, du bist eine Gute“, antwortete er mit heiserer Stimme und nahm das Brötchen dankbar in seine dick behandschuhten Hände.
Charlotte konnte den gammeligen Geruch wahrnehmen, der von dem ungewaschenen Körper neben ihr ausging. Der Mann sah auf den ersten Blick aus, als sei er mindestens 70, dachte man sich aber die Schmutzschicht und den

stoppeligen Bart weg, schien er erst so um die 50 zu sein. Was war dem armen Kerl wohl passiert, dass er sich nicht, wie alle anderen auch, ein Bratwurstbrötchen kaufen konnte, sondern offensichtlich auf die Güte und Großzügigkeit seiner Mitmenschen angewiesen war?
Charlottes Handy klingelte.
„Ja, Matthias?", nuschelte sie in den Apparat und schluckte den allerletzten Rest des Brötchens hinunter. Matthias war die gute Seele der Mordkommission. Er war Anfang Vierzig und saß seit seinem Motorradunfall vor fast zehn Jahren im Rollstuhl. Seither war er für die Recherchearbeiten im Büro zuständig und machte seine Sache wirklich sehr gut.
Charlotte nickte und brummte ab und zu ein *aha* oder ein *hmmm* in das Gerät. Als Torsten Klein sie fragend ansah, hielt sie die Hand auf das Gerät und flüsterte:
„Sie haben den Festnetzanschluss von Tietze untersucht."
„Und?"
Sie mahnte ihn zur Ruhe und drehte sich um.
„Ha! Das habe ich mir gedacht!", rief sie plötzlich triumphierend. „Wir haben in ihrer Wohnung ein Foto mit den beiden gefunden. Danke dir! Bis bald!"
„Was hat er gesagt?", fragte Klein aufgeregt.
Charlotte grinste ihn breit an.
„Die Kollegen haben die Telefonverbindungn untersucht", wiederholte sie und machte eine dramaturgische Pause.
„Jetzt erzählen Sie schon!", drängte Klein.
„Es gab kaum ausgehende Gespräche, fast nur eingehende."
„Toll, und weiter?"
Charlotte genoss es sichtlich, den jungen Mann so lange wie möglich auf die Folter zu spannen.
„Es war fast immer die gleiche Nummer."
„Und welche? Jetzt lassen Sie sich doch nicht alles aus der Nase ziehen. War es der Mann vom Foto?"
„Es war der Mann vom Foto. Es war Friedhelm Eck!"

## 7

*Es tut gut, so gut, so verdammt gut.*
*Endlich hat die Gerechtigkeit gesiegt, endlich bist du still.*
*Warum musstest du auch wieder damit anfangen? Hattest du mich noch nicht genug gequält?*
*Du hast mich bis in meine Träume verfolgt, mir den Schlaf geraubt, mein Leben zerstört.*
*Du hast mich schwach gemacht, mich zermürbt. Ich hatte nie eine Chance.*
*Dabei kanntest du mich gar nicht. Warum hast du ausgerechnet mich ausgesucht für deine Boshaftigkeit, deine Respektlosigkeit und Grausamkeit?*
*Ich war ein leichtes Opfer, habe zu wenig Widerstand geleistet.*
*Du dachtest, mit dem aus der Psychiatrie kannst du machen, was du willst.*
*Ja, ich war zu schwach für dich, konnte dir nichts entgegensetzen, habe mich zu deinem Spielball machen lassen.*
*Wie konntest du nur so gefühlskalt sein, wissentlich und mit voller Absicht mein Seelenleben systematisch vernichten? Solange die Macht ausspielen, mich frustrieren, bloßstellen, demütigen, bis mein Selbstwertgefühl schlichtweg verschwunden war? Bis ich mich selbst nicht mehr gespürt habe, eins ums andere Mal daran gedacht habe, mein jämmerliches Leben zu beenden?*
*Was habe ich dir getan? Nichts! Gar nichts! Bis gestern!*
*Du hast es verdient.*
*Ich habe dich natürlich sofort erkannt, auch nach all den Jahren.*
*Ich habe nichts vergessen, nichts verziehen.*

*All der Hass auf dich war in meinen Gedanken und meinem Herzen konserviert für den Moment der Rache. Jede Faser meines Körpers war noch verletzt, die Wunden lange nicht verheilt. Diese Zeit der Demütigung würde ich niemals vergessen. Ich wusste, dass der Tag käme, an dem ich stark genug war, zurückzuschlagen.*
*Ich habe Pläne geschmiedet, mir immer wieder vorgestellt, wie es wäre, wenn du in meiner Gewalt wärst. Wann ich zurückschlagen könnte, mich rächen.*
*Aber ich hatte nie den Mut.*
*Jetzt liegst du irgendwo, kalt, leblos, tot, und ich spüre, wie meine Wunden ganz langsam beginnen, sich zu schließen. Die Erinnerung an deinen blutenden Körper legt sich wie ein heilender Film über meine geschundene Seele, so warm, so weich, so gut.*

# 8

Die fahle Novembersonne kämpfte sich mühsam durch die dicke Hochnebeldecke und tauchte das geräumige Wohnzimmer des alt-ehrwürdigen Hauses in mildes Licht. Durch die riesige, nach Süden gerichtete Glasfront konnte man das kahle Ufer der Pegnitz erkennen, die leise plätschernd vorbeifloss. Der parkähnliche, von zwei Gärtnern stets topgepflegte Garten lag ebenso friedlich in der spätherbstlichen Idylle wie das leere Becken des neu angelegten Pools. Die wenigen, verstreut herumliegenden braunen Blätter der gewaltigen Eichen würden spätestens morgen früh verschwunden sein. Darauf legten die Besitzer des feudalen Anwesens großen Wert.
Auch das sonntägliche Kaffeetrinken um Punkt 16.00 Uhr gehörte zu den Ritualen, die im Hause Eck unter keinen Umständen vernachlässigt werden durften.
Der edle, barocke Tisch mit den geschwungenen Beinen, der im gläsernen Erker des Raumes stand, war bereits mit kostbarem Porzellan gedeckt und einem wunderschönen Strauß roter Rosen geschmückt. In der Mitte stand ein aufwändig handbemalter Teller, auf dem zwei köstlich aussehende Schnitten Sahnetorte lagen – erst wenige Minuten zuvor frisch vom Konditor geliefert.
Alles war bereit.
Angelika Eck warf noch einen letzten kurzen Blick in den Spiegel. Die Schminke war perfekt, die frisch gefärbten Haare kunstvoll auftoupiert. Die letzte OP hatte die lästigen Falten um Mund und Augen entfernt.
Das edle, hautenge Designerkostüm saß maßgeschneidert und betonte ihre schlanke Figur. Fett absaugen war bei ihr noch nie nötig gewesen, sie hatte lediglich beim Umfang

ihrer Brüste etwas nachhelfen müssen.
Sie lächelte zufrieden, sah sie doch in ihren Augen aus, wie Mitte dreißig, über zwanzig Jahre jünger! Das war auch gut so, hatte sie doch ein halbes Vermögen in ihren Körper investiert.
Das Klappern der dünnen Absätze ihrer Pumps auf dem Parkett durchbrach die Stille, als Angelika Eck gemessenen Schrittes auf den Kaffeetisch zuging.
Missbilligend warf sie einen Blick auf die antike Standuhr, die ihr verriet, dass sich ihr Mann erneut verspätet hatte. Er wusste doch, wie viel Wert sie auf Pünktlichkeit legte. Vermutlich wollte er sie wieder provozieren, doch den Gefallen tat sie ihm nicht.
Mit unbewegter Miene griff sie zur Kaffeekanne, als Friedhelm Eck in der Tür erschien.
Er trug statt des von ihr gewünschten Anzugs seinen Jogginganzug und Turnschuhe.
„Entschuldige, Liebes, ich habe mich eine ganze Minute verspätet“, flötete er übertrieben fröhlich, stürmte an den Tisch, hauchte seiner Gattin einen angedeuteten Kuss auf die Wange und setzte sich schwungvoll.
Angelika kniff die Lippen zusammen.
Es war klar, dass er ausgerechnet jetzt joggen gehen würde, jetzt am Sonntagnachmittag zur Kaffeezeit. Er hätte den ganzen Vormittag Zeit gehabt, hatte sich aber sicher genau den Zeitpunkt ausgesucht, der seine Frau am meisten ärgerte.
Sie sagte nichts, goss sich und ihrem Mann Kaffee ein und legte jedem ein Stück Torte auf den Teller.
Schweigend schaufelte Friedhelm die Sahnetorte in den Mund, während seine Frau mit kerzengeradem Rücken dasaß und sich in Zeitlupentempo kaum mehr als eine Gabelspitze auf einmal zwischen ihre dunkelroten Lippen schob.
Wann hatte das angefangen?
Wann hatten sie aufgehört, miteinander zu reden und

stattdessen damit begonnen, sich zu provozieren und gerade das zu tun, was den anderen am meisten störte?
Wann hatten sie aufgehört, einander zu lieben, den Respekt und jegliche Achtung voreinander verloren?
Waren sie nicht einst ein Traumpaar gewesen? Unzertrennlich?
Verliebt und glücklich?
Jetzt gingen sie sich aus dem Weg, interessierten sich nicht mehr dafür, wie es dem anderen ging, hielten lediglich nach außen hin die Fassade einer heilen Welt aufrecht.
Wie hatte das passieren können?
Gab es noch ein Zurück? Oder war ihre Ehe bereits verloren?
Doch trotz ihrer Diskrepanzen würde eine Scheidung nie infrage kommen – er brauchte für seinen Job und seine politischen Aktivitäten im Stadtrat eine attraktive Frau an seiner Seite und zumindest den Eindruck einer funktionierenden Ehe.
Sie brauchte sein Geld und das glamouröse Leben als Millionärsgattin. Dafür musste sie seine regelmäßigen Affären ertragen, was sie immer schwerer aushalten konnte.
Auch wenn Friedhelm für sie verloren war – ihn in den Armen einer anderen zu wissen, raubte ihr den Verstand. Sie brannte vor Eifersucht und Hass auf ihren Mann, der ihre Beziehung so leichtfertig aufs Spiel setzte, und auf die jeweilige Kontrahentin, die sich schamlos in ihre Ehe drängte.
Angelika Eck war zu einer eiskalten, berechnenden Person geworden. Jegliches positive Lebensgefühl war verschwunden. Sie hatte vergessen, wie sich Freude, Ausgelassenheit und Glück anfühlten.
„Geli?“, hörte sie die tiefe Stimme Friedhelms, die sie einst erotisch und aufregend empfunden hatte.
„Nenn mich nicht so“, zischte sie angewidert zurück. „Ich heiße Angelique, das weißt du genau!“
Friedhelm lachte herablassend. „Angelique, dass ich nicht

lache! Du bist 55 und kein Teenager mehr. Du hattest genug Zeit, dich an deinen Namen zu gewöhnen, Angelika!“
„Du sagst es – ich bin alt genug mir den Namen zu wählen, den ich tragen möchte. Würdest du das bitte endlich respektieren?“ Sie funkelte ihn hasserfüllt an. „Wolltest du nicht joggen gehen, oder weshalb trägst du diesen lächerlichen Aufzug?“
Friedhelm sprang auf und knallte seine Serviette auf den Teller.
„Das mache ich auch. Alles ist besser, als ständig deinen eiskalten Blick ertragen zu müssen.“
Wutentbrannt stürmte er nach draußen und stieß an der Haustür beinahe mit zwei jungen Leuten zusammen, die eben in Begriff waren, zu klingeln.
„Herr Eck?“, fragte die Frau freundlich. „Wollten Sie gerade laufen gehen?“
„Ja, das hatte ich eigentlich vor“, antwortete Eck ungeduldig. „Sie möchten sicher zu meiner Frau?“
„Nein, wir würden zunächst gerne mit Ihnen sprechen.“
Charlotte zog ihren Dienstausweis aus der Tasche und stellte sich vor. „Mein Name ist Charlotte Gerlach von der Kripo Nürnberg, und das ist mein Kollege Klein. Dürfen wir einen Moment hereinkommen, es ist doch recht frisch hier draußen.“
Verblüfft ließ Friedhelm die Beamten eintreten. Einen Moment zögerte Charlotte, ob sie angesichts des glänzend weißen Fliesenbodens die Schuhe ausziehen sollte, entschied sich aber dagegen. Es gab mit Sicherheit mindestens eine Putzfrau, die sich zeitnah der wenigen Schmutzpartikel annehmen würde, die möglicherweise im Laufe des Gesprächs aus den Rillen ihrer Stiefel bröseln würden.
„Wer ist es denn?“, tönte eine Frauenstimme aus einem der angrenzenden Räume.
„Besuch für mich, Darling!“, antwortete der Hausherr eine Spur zu lässig, lächelte die Polizisten an und deutete auf die breite, geschwungene Treppe.

„Bitte sehr, folgen Sie mir in die Bibliothek“, meinte er charmant und ließ sich, ganz der weltgewandte Politiker, keinerlei Unsicherheit oder gar Besorgnis anmerken. Es hatte den Anschein, als gehe die Kriminalpolizei regelmäßig in diesem Haus ein und aus.
Charlotte wunderte sich kein bisschen darüber, dass ihr Gespräch in der Bibliothek und nicht etwa im Wohnzimmer oder gar in der Küche stattfand. Leute dieses Standes verfügten immer über einen Raum mit einigen Büchern, der dann ganz wichtig Bibliothek genannt wurde.
Tatsächlich befanden sich in besagtem Raum auch nicht mehr Bücher, als in ihrem Arbeitszimmer. Sie schmunzelte in sich hinein und setzte sich auf einen der wuchtigen, schwarzen Ledersessel.
„Darf ich Ihnen etwas anbieten?“, begann Eck das Gespräch. *Er beginnt mit small-talk, um die Kontrolle über das Gespräch zu behalten,* fuhr es Charlotte durch den Kopf. Erst vor kurzem hatte sie einen Kurs über Strategien in der Gesprächsführung besucht und war begeistert darüber, wie oft sie diese Erkenntnisse im Alltag anwenden konnte. Sie würde ihr Gegenüber zunächst in Sicherheit wiegen, ihm die naive, junge Anfängerin vorgaukeln.
„Gerne, wenn Sie vielleicht ein Glas Wasser hätten?“, antwortete sie freundlich.
„Für mich nichts, danke“, murmelte Torsten Klein etwas unsicher.
Friedhelm Eck öffnete eine Tür des dunklen und mit Sicherheit antiken Schrankes, hinter der eine großräumige, verglaste, gut gefüllte Bar zum Vorschein kam. Er stellte eine Flasche mit einer bernsteinfarbenen Flüssigkeit, eine Karaffe Wasser und drei Gläser auf ein kleines Tablett und stellte es auf einen teuer aussehenden Beistelltisch mit aufwändigen Intarsien.
„Was führt Sie zu mir?“, fragte er lächelnd, nachdem er genüsslich an seinem Glas genippt und es sich ebenfalls auf einem der gemütlichen Sessel bequem gemacht hatte.

„Es geht um Frau Kerstin Tietze“, antwortete Charlotte langsam und beobachtete dabei aufmerksam Ecks Gesichtsausdruck. Abgesehen von einem kleinen Zucken des rechten Augenlids blieb seine Miene unbeweglich.
„Tietze?“, wiederholte er. „Ist das nicht die Dame von dieser lächerlichen Bürgerinitiative, die sich gegen mein neues Projekt einsetzt?“
„Sie kennen sich also?“, hakte Charlotte nach, ohne sich von Ecks überheblichem Gehabe beeindrucken zu lassen.
„Frau Kommissarin“, gab er wohlwollend zurück, „es ist immer gut, seine Feinde zu kennen. Ich denke, Sie wissen, wovon ich spreche?“
„Feinde?“, Charlotte tat überrascht. „War Frau Tietze nicht vielmehr eine Freundin?“
Friedhelm Eck lachte kurz auf und konnte dabei ein langsam aufkommendes Unwohlsein nicht ganz verbergen.
„Wie darf ich das verstehen?“
„So, wie ich es gesagt habe“, lächelte Charlotte nun ihrerseits selbstbewusst zurück und zog einen Trumpf aus der Tasche. „Wir haben Grund zu der Annahme, dass Sie ein Verhältnis mit Frau Tietze hatten. Ist das richtig?“
Es war wirklich verlockend, diesen Mann in die entsprechende Schublade zu stecken, in der bereits viele andere Menschen saßen, die arrogant, hochnäsig, und herablassend waren, für die Geld keine Rolle spielte, die notfalls über Leichen gingen, um ihre Ziele durchzusetzen. Doch Charlotte war Profi genug, sich dieser Verlockung zu entziehen. Sie mahnte sich zur Vorsicht und dachte an die Worte ihres ehemaligen Chefs Attila, dem es immer wichtig war, sich kein vorschnelles Urteil zu bilden.
„Sammle Fakten und Beweise und lasse dich nicht zu sehr von deinen Gefühlen leiten“, hatte er ihr ans Herz gelegt.
Friedhelm Eck holte tief Luft. Sein Lächeln gefror, doch noch bevor er etwas erwidern konnte, klingelte es an der Haustür.
„Bitte entschuldigen Sie mich“, knurrte er ungehalten, froh,

der Situation in diesem Moment entfliehen zu können.
Charlotte warf ihrem Assistenten einen vielsagenden Blick zu, als sie von unten die Stimme ihres Chefs hörte.
„Friedhelm! Wie geht es dir? Na, du bist ja sportlich unterwegs!“
„Grüß dich, Tilman, was verschafft mir die Ehre? Deine überaus charmante, junge Mitarbeiterin und ihr Kollege sind gerade hier, aber das weißt du ja vermutlich bereits?“
Die beiden Herren kamen die Treppe hoch und betraten die Bibliothek.
„Darf ich dir einen Drink anbieten? Bei der Kälte kann man etwas innerliche Wärme gut vertragen?“, bot Eck dem Kommissar an, doch dieser winkte ab.
„Danke, Friedhelm, ich weiß dein Angebot zu schätzen, zumal ich weiß, welch köstliche Schätze in deiner Bar schlummern, aber ich bin im Dienst. Frau Gerlach, kann ich Sie bitte unter vier Augen sprechen?“
Charlotte erhob sich und folgte ihrem Chef vor die Tür.
Sie konnte sich bereits denken, was sie gleich zu hören bekommen würde, war doch Friedhelm Eck offensichtlich ein sehr guter Bekannter des Kommissars, der es unbedingt verdiente, mit dem Chef persönlich zu sprechen.
„Wie kommen Sie dazu, Herrn Eck zu verhören?“, zischte Kommissar Peter leise und bestätigte damit Charlottes Befürchtung. „Ich hätte etwas mehr Diskretion von Ihnen erwartet.“
„Aber Herr Peter, von Verhör kann doch gar keine Rede sein. Wir haben uns nur etwas unterhalten“, antwortete Charlotte mit einem Anflug von Ironie, nicht gewillt, sich einschüchtern zu lassen.
Seit dem Weggang Attilas kämpfte sie nun mit diesem Schnösel um ihren Platz im Präsidium, focht in regelmäßigen Abständen kleinere Machtkämpfe aus und versuchte pausenlos, sich zu behaupten.
Peters Anfeindungen waren nicht wirklich schlimm, nicht wirklich existentiell, kosteten aber Energie, die ihr dann

manchmal für die Ermittlungsarbeit fehlte. Sie konnte sich nicht erklären, warum dieser Mann sie nicht einfach akzeptierte, ihr nicht einfach den Respekt zollte, den sie verdiente? Immerhin war sie keine 20 mehr, hatte bereits Erfahrungen mit diversen Mordfällen gesammelt.
Sie konnte sich nicht erinnern, ob und wann sie den Kommissar je provoziert, geärgert oder herausgefordert hätte. Nach ihrer eigenen Einschätzung hatte sie ein sehr unkompliziertes *user-interface*, wie der IT-Fachmann sich ausdrücken würde. Alle Leute, mit denen sie zu tun hatte, bescheinigten ihr ein unkompliziertes, offenes und freundliches Wesen, das nur selten irgendwo aneckte. Nur wenn sie das Gefühl hatte, ungerecht behandelt zu werden, konnte sie wirklich unangenehm werden.
Charlotte hatte sich schon des Öfteren mit Attila darüber unterhalten. Er hatte ihr geraten, ruhig zu bleiben, den Chef reden zu lassen und sich keinesfalls unterkriegen zu lassen.

„Sie wissen, was ich meine! Was soll Herr Eck schon mit dem Fall zu tun haben?“, setzte der Kommissar nach.
Charlotte zog die Augenbrauen nach oben.
„Ob er etwas damit zu tun hat, weiß ich noch nicht, aber er hatte wahrscheinlich ein Verhältnis mit dem Opfer. Das rechtfertigt in meinen Augen ein Gespräch mit ihm, finden Sie nicht?“
„Wir haben lediglich ein Foto und einige Anrufe auf Tietzes Telefon. Das ist noch lange keine Affäre. Halten Sie sich bitte an die Fakten, Frau Gerlach!“
„Herr Peter“, erklärte Charlotte geduldig. „Ich war soeben dabei herauszubekommen, ob es eine Affäre gab, als sie unser Gespräch unterbrochen haben. Vielleicht bekommen Sie ja diesbezüglich mehr Informationen, immerhin scheinen Sie sich gut zu kennen?“
Da spürte sie ihr Handy in der Hosentasche vibrieren.
„Einen Moment, bitte“, lächelte sie und nahm das Gespräch an.

„In Ordnung, wir kommen“, antwortete sie nach wenigen Augenblicken und steckte den Apparat wieder ein.
„Das war Dr. Kohlbrenner. Er beginnt gleich mit der Obduktion. Ich nehme an, Sie möchten nicht dabei sein?“
„Nein“, raunte Kommissar Peter. „Machen Sie das und nehmen Sie den Umläufer mit.“

# 9

„Denken Sie, Eck hatte wirklich eine Affäre mit der Sprecherin der Bürgerinitiative, die sich so massiv gegen sein Projekt engagiert hatte?“, fragte Torsten Klein vorsichtig, nachdem die beiden seit zehn Minuten schweigend unterwegs waren.
„Ich weiß es nicht“, seufzte Charlotte müde. Es war ein langer, anstrengender Tag nach einer sehr kurzen Nacht gewesen. Die Auseinandersetzung mit Kommissar Peter hatte ihr noch den Rest gegeben. Sie wollte eigentlich nur noch nach Hause ins Bett. Stattdessen waren sie unterwegs zum Krematorium am Westfriedhof, wo die Obduktionen der Rechtsmedizin durchgeführt wurden.
Statt irgendeiner kitschigen Schmonzette im Fernsehen würde sie die Eingeweide einer Toten sehen dürfen. Aber was sein muss, muss sein.
„Ich denke schon. Er hat irgendwie verunsichert gewirkt“, meinte Klein nachdenklich.
Charlotte warf ihm einen überraschten Blick zu.
„Das ist Ihnen aufgefallen? Respekt!“
Klein wurde verlegen und freute sich sichtlich über das Lob.
„Ja, also, schon, sein Auge hat etwas gezuckt und er hat begonnen zu schwitzen.“
„Ja, das habe ich auch bemerkt“, stimmte Charlotte beeindruckt zu. Sollte der junge Mann doch das Zeug zum Ermittler haben?
„Vermutlich sind die beiden schon länger zusammen“, mutmaßte Klein, „schon bevor er diese geschmacklosen Aktionen im Lochgefängnis konzipiert hat.“
„Gut möglich. Vielleicht gab der offenkundige Zwist den beiden noch einen Extra-Kick? Ich fürchte, unser Chef wird

diesbezüglich nicht weiter nachfragen, und Eck kann sich bequem aus der Affäre ziehen."
„Dann müssen wir uns den Herrn noch einmal zur Brust nehmen", sagte Torsten Klein so selbstbewusst, dass Charlotte lachen musste, und die Müdigkeit verflogen war.
„Das sollten wir tun."

Wenig später erreichten sie das Krematorium und stellten den Wagen ab. Es war dunkel und kalt, ein kräftiger Wind fegte einen Schwall brauner Blätter über die gekiesten Wege. Charlotte zog sich die Kapuze über den Kopf und eilte zum Eingang. Sie hatte hier immer den Gestank nach verbrannten Körpern in der Nase, auch wenn die Öfen kalt waren. Der Geruch schien sich in die Mauern gefressen zu haben. Vielleicht bildete sie sich das aber auch nur ein.
Torsten Klein zögerte.
Er war noch nie hier gewesen.
Sein Selbstbewusstsein bröckelte. Charlotte lächelte ihn aufmunternd an.
„Kommen Sie, das gehört auch zu unserem Job."
Sie führte ihn den Gang entlang in Richtung des Raumes, in dem die Leiche von Kerstin Tietze lag.
„Guten Abend, schöne Frau!", rief eine schnarrende Stimme hinter ihr. Sie drehte sich um und erkannte Heiner Hofstetter, eine kleine, hutzelige Gestalt in einem viel zu großen grünen Kittel und dünnen, abstehenden Haaren. Hofstetter war der Präparator, also derjenige, der die Körper öffnete und nach der Arbeit des Rechtsmediziners wieder schloss und herrichtete.
„Guten Abend, Heiner", begrüßte ihn Charlotte herzlich. Sie mochte diesen fröhlichen, älteren Mann, dem nichts die gute Laune verderben konnte. Er ging Charlotte gerade bis zum Kinn, war spindeldürr, blass und unrasiert. Sein besonderes Markenzeichen war ein weißer Hocker, den er stets mit sich herumtrug, weil er einfach zu klein war, um ohne dieses Hilfsmittel all das zu erreichen, was er für seine Arbeit

benötigte.
„Schön, dich wieder einmal zu sehen, mein Kind“, meinte er, streckte sich und tätschelte mit seiner knochigen Hand Charlottes Wange. „Kommt mit, ihr jungen Leute, der Herr Doktor wartet schon.“
Torsten Klein blickte Charlotte fragend an, doch diese zuckte nur grinsend mit den Schultern.
Das war Heiner, und das war gut so!

„Sind alle da? Können wir? Ich denke, wir wollen doch alle zumindest noch einen winzigen Rest unseres Sonntags zuhause genießen, was?“
Jens Kohlbrenner gab Heiner ein Zeichen anzufangen, während er Charlotte zu sich winkte.
„Außer den vermutlich tödlichen Verletzungen am Hals habe ich keine äußeren Auffälligkeiten an dem Körper entdecken können“, erläuterte er und streckte Charlotte ein Stück Papier entgegen. „Neben ihrer Brieftasche, dem Schlüsselbund und einem Päckchen Taschentücher hatte sie noch diesen Zettel in der Manteltasche. Ob er eine Bedeutung hat, musst du entscheiden.“
Das Papier war zerknittert und fleckig, als habe es bereits eine Weile auf dem schmutzigen, feuchten Boden gelegen. Mit krakeligen Großbuchstaben stand da:

GRÜSSE VOM MEISTER FRANZ

## 10

Am Montagmorgen kurz vor acht Uhr betrat Charlotte ihr Büro. Ihr Kopf brummte. Sie hatte nicht besonders gut geschlafen. Das ging ihr immer so, wenn sie einen neuen Fall zu bearbeiten hatte. All die Daten und Fakten, die Eindrücke und Bilder schwirrten in ihrem Gehirn umher und hinterließen einen undeutlichen, zähen Brei an diffusen Informationen.
„Kaffee?“, hörte sie die fröhliche Stimme Torsten Kleins, dessen Nasenspitze vorsichtig durch den Türspalt lugte. Als nächstes wurde eine Tüte vom Bäcker nebenan sichtbar.
„Hörnchen?“
Charlotte musste trotz Müdigkeit lachen. „Das klingt doch verlockend. Da sage ich nicht nein.“
„Was haben wir?“, presste sie kurz darauf mit vollem Mund hervor.
Torsten Klein wischte sich die Krümel aus dem Mundwinkel und öffnete einen Aktendeckel.
„Der Bericht von der Spurensicherung ist da“, schmatzte er und reichte Charlotte ein Papier.
„Was steht denn drin?“ Sie kämpfte gerade mit dem letzten Rest des Gebäckstücks und war nicht in der Lage, den Bericht selbst zur Hand zu nehmen.
Klein überflog den Text. „An der Tatwaffe waren tatsächlich die Fingerabdrücke von Frau Tietze. Dann hatte sie womöglich den Wein dabei und ist später mit der Flasche umgebracht worden. Ziemlich makaber! Außerdem haben die Kollegen Wollfasern von handelsüblichen Handschuhen gefunden – auf der Leiche und der Flasche. An der gekachelten Wand am Fundort waren Blutspritzer, die darauf hinweisen, dass der Fundort auch der Tatort war.“

„Was ist mit dem Tuch, mit dem sie zugedeckt war?“
„Das stammte vermutlich aus einem Altkleidersack. In der Nähe des Fundortes steht ein übervoller Container und daneben etliche Säcke, die zum Teil aufgerissen waren.“
Charlotte stöhnte. „Dann helfen uns auch irgendwelche Fingerabdrücke nicht weiter. Richtig?“
„Richtig“, bestätigte Klein ihre Vermutung. „Das Tuch war ungewaschen mit jeder Menge Flecken und Spuren drauf. Der Kollege vom Erkennungsdienst meint, wenn er es darauf anlegen würde, könnte er noch DNA vom Raubritter Eppelein darauf sicherstellen.“
„DNA vom Raubritter Eppelein!“, prustete Charlotte laut los. „Der Mann hat Humor!“
Torsten Klein sah etwas verwirrt aus. „Wer ist denn dieser Eppelein?“
Charlotte japste und schnappte nach Luft. „Sagen Sie nur, Sie kennen nicht die Heldentaten des Raubritters Eppelein von Gailingen?“
Der junge Mann senkte verschämt den Kopf. „Nein, sollte ich?“
„Aber unbedingt! Zumindest sollten Sie die Geschichte kennen, wie die Nürnberger ihn hängen wollten, und er sich mit einem gewagten Sprung auf seinem Pferd in den Burggraben gerettet hat. Auf der Mauer kann man angeblich noch den Hufabdruck sehen.“
„Vielleicht sollte ich einmal eine Stadtführung mitmachen?“, überlegte Torsten Klein.
„Tun Sie das – gleich nachdem wir den Täter hinter Gitter gebracht haben. Was gibt es noch in dem Bericht?“
„Das war es eigentlich. Haben sich inzwischen Zeugen gemeldet?“
Noch am Sonntag war ein Aufruf an die Presse gegangen, in der die Bevölkerung um Mithilfe gebeten wurde. Üblicherweise liefen in einem solchen Fall die Telefone heiß, heute war es jedoch verhältnismäßig ruhig, was an der Tatzeit liegen mochte. An einem frostigen Sonntagmorgen

waren wohl nur wenige Leute wach.
„Ein älterer Herr war mit seinem Hund draußen und will einen Mann gesehen haben, den er aber nicht näher beschreiben konnte. Außerdem stellte sich heraus, dass er nicht im Karl-Bröger-Tunnel, sondern im Celtistunnel unterwegs war“, berichtete Charlotte. „Die Kollegen gehen jedem Hinweis nach.“
Sie stand auf und ging gedankenversunken im Büro auf und ab.
„Was könnte sich am Sonntagmorgen abgespielt haben? Warum war Frau Tietze überhaupt in diesem Tunnel unterwegs? Woher kam sie? Wohin wollte sie?“
Torsten Klein zuckte mit den Schultern.
„Warum auch immer geht sie durch den Tunnel und trifft dort auf den Täter. Es kommt zum Streit, er verletzt sie am Hals, lässt sie liegen, sie verblutet.“
„Warum kommt es zum Streit? Will er Geld? Belästigt er sie?“
„Die wichtigste Frage ist doch – haben sie sich gekannt? Hat er ihr regelrecht aufgelauert oder war es Zufall, dass sie sich getroffen haben? Woher wusste er, dass sie genau um diese Zeit dort vorbei kommt?“
Auch Torsten Klein hielt es nicht mehr auf seinem Stuhl. „Für mich sieht es nach einem missglückten Raubüberfall aus, der eine unbeabsichtigt tragische Wendung genommen hat. Der Täter will Geld, sie wehrt sich, er zerbricht eine Flasche. Den Rest kennen wir.“
„Kennen wir eben nicht“, widersprach Charlotte. „Wenn es so gewesen war, warum hatte sie dann ihre Geldbörse noch einstecken? Warum sucht der Täter in einem Altkleidersack nach einem Tuch und deckt sie zu? Und hat der Zettel mit diesem Meister Franz eine Bedeutung?“
Klein lehnte sich ans Fensterbrett und blickte sie fragend an.
„Im Grunde genommen wissen wir gar nichts.“
„Deshalb sollten wir versuchen, diese Frau näher kennenzulernen“, beschloss Charlotte. „Wir fahren in die

Gärtnerei und sprechen mit ihren Kollegen. Anschließend würde ein Gespräch mit ihren Nachbarn nicht schaden."
„Dann mal los!", meinte Torsten Klein und schnappte sich schwungvoll seine Jacke von der Garderobe.

Der morgendliche Berufsverkehr hatte sich schon gelichtet, die Schüler und Arbeitnehmer waren wohl dort angekommen, wo sie zumindest den Vormittag verbringen würden.
Es nieselte leicht, ab und zu war auch eine verirrte Schneeflocke dabei. Die Wolken hingen tief, es würde den ganzen Tag lang nicht richtig hell werden. Und doch waren es noch über vier Wochen bis zum kürzesten Tag, bis zur Wintersonnenwende.
Die Gegend rund um den Rangierbahnhof war ähnlich trist wie das Wetter. Endlose Gleisanlagen, nüchterne Gewerbegebäude, schmucklose Mietshäuser.
Sie erreichten den Südfriedhof, ein riesiges, mit einer bemoosten Mauer umfasstes und knorrigen alten Bäumen bewachsenes Areal. Gegenüber der Friedhofsmauer buhlten viele kleine und größere Blumenläden und Gärtnereien um Kundschaft. Alte Frauen auf klapprigen Fahrrädern mit Gießkannen am Lenker waren ebenso unterwegs, wie geschäftige Gärtner oder verschiedene Trauergesellschaften.
So ein Friedhof war doch ein eigener Mikrokosmos, dachte sich Charlotte, als sie den Dienstwagen auf dem Parkplatz vor dem Haupteingang abstellten. Bestimmt waren hier zahllose einsame Seelen unterwegs, die ihre Tage zwischen denen verbrachten, die bereits ihren Frieden gefunden hatten. Vielleicht würde sich die eine oder andere gerne neben ihren Liebsten legen und die Mühsal des Lebens hinter sich lassen?
Charlotte war froh, nicht auf den Friedhof, sondern in einen der bunten Blumenläden gehen zu können, die trotz Grabschmuck noch das im wahrsten Sinne des Wortes blühende Leben verkörperten.

Das zarte Gebimmel mehrerer winziger Glöckchen erklang, als sie die Tür zum Verkaufsraum öffnete. Der feucht-warme, schwere Duft nach üppigen Blumen und Pflanzen raubte Charlotte beinahe den Atem. Augenblicklich brach ihr der Schweiß aus. Sie fühlte sich, als stünde sie im Regenwald kurz nach dem mittäglichen Regenguss. Es würde sie nicht weiter überraschen, wenn sich jeden Moment ein geflecktes Chamäleon, eine armdicke Würgeschlange oder ein blauer Pfeilgiftfrosch auf sie herablassen würde. Irgendwie war ihr die Atmosphäre in diesen Gärtnereien immer etwas unheimlich. Sie hatte ständig das Gefühl, Heerscharen von Ungeziefer krabbelten ihr unter den Pullover oder verkrochen sich in ihrem Haar.
„Guten Tag. Kann ich Ihnen helfen?“, fragte eine freundliche, ältere Dame mit grauem kurzgeschnittenem Haar und einer grünen Schürze. Ihr Gesicht war braun gebrannt, sie hatte fröhliche Lachfältchen um Mund und Augen.
Gerade bei Leuten, die so glücklich und unbeschwert wirkten, fiel es Charlotte besonders schwer, die Nachricht vom Tod eines Bekannten oder Verwandten zu überbringen. Sie atmete tief ein.
„Hallo, mein Name ist Gerlach.“ Sie zeigte ihren Ausweis. „Kripo Nürnberg. Das ist mein Kollege Klein.“
Die Frau erschrak. „Ist etwas passiert?“
„Wir würden gerne mit dem Inhaber des Ladens sprechen.“
„Der Laden gehört mir, worum geht es denn?“, fragte sie zunehmend nervös.
„Es geht um eine Mitarbeiterin von Ihnen. Haben Sie heute noch keine Zeitung gelesen, Frau...?“
„Mattes, mein Name ist Mattes. Nein, ich lese nicht regelmäßig Zeitung. Verraten Sie mir, was los ist?“
„Frau Kerstin Tietze wurde in der Nacht zum Sonntag tot aufgefunden“, erklärte Charlotte ruhig. „Sie wurde ermordet.“
Die Reaktion der Frau verblüffte sie.

Statt der erwarteten Trauer und Fassungslosigkeit zuckte Frau Mattes nur ungerührt mit der Schulter. „Das musste ja eines Tages so kommen. Ehrlich gesagt überrascht mich das nicht“, meinte sie mit unbewegter Miene. „Sie wundern sich sicherlich, dass ich nicht in Tränen ausbreche“, setzte sie hinzu, als sie Charlottes ungläubigen Gesichtsausdruck sah.
„Allerdings!“, gab diese zu. „Mit so etwas habe ich nicht gerechnet.“
„Verstehen Sie mich nicht falsch. Frau Tietze war eine fähige Gärtnerin, fleißig und effizient. Menschlich gesehen war sie aber ein Eisblock, eine falsche Schlange, die nur auf ihren Vorteil aus war, die über Leichen ging.“ Sie zuckte mit der Schulter. „Vielleicht ist dieses Bild in dem Zusammenhang etwas unpassend, es drückt aber genau die Art aus, wie Kerstin mit den Leuten umgegangen ist. Immer auf ihren Vorteil bedacht, immer rücksichtslos und kaltschnäuzig. Ich kann mir nicht vorstellen, dass sie viele Freunde hatte.“
„Seit wann arbeitete sie für Sie?“
Frau Mattes legte die Stirn in Falten.
„Seit etwa drei Monaten. Sie hatte perfekte Referenzen, und ich suchte dringend eine Gärtnerin. Hätte ich gewusst, wie anstrengend der Umgang mit ihr werden würde, hätte ich mich nicht für sie entschieden. Was ist denn passiert?“
„Sie wurde schwer verletzt und ist verblutet.“
„Das wünsche ich niemandem, nicht einmal ihr.“
„Gab es Streit?“
„Nein, offenen Streit gab es nie. Es war eher ihre herablassende, verletzende Art, die im Team für schlechte Stimmung sorgte.“
„Können Sie die schlechte Stimmung näher beschreiben?“
„Sie war rücksichtslos. Nehmen war für sie immer seliger als Geben. Sie nutzte die anderen für ihre Zwecke aus, kritisierte sie, wo sie konnte, nahm sich viel heraus. Sie war ein wirklich unangenehmer Mensch.“
„Wissen Sie etwas von ihrem Privatleben? Hatte sie eine

Beziehung?“
Frau Mattes schüttelte den Kopf.
„Nicht dass ich wüsste. Sie erzählte nie etwas Privates. So, wie ich sie einschätze, war sie sicherlich die Geliebte eines reichen, älteren Mannes.“ Sie wurde rot im Gesicht. „Bitte entschuldigen Sie, aber das ist reine Spekulation.“
Charlotte staunte über die Menschenkenntnis der Frau und bedauerte sie dafür, dass sie mit einem offenbar so unkollegialen und egozentrischen Menschen hatte zusammenarbeiten müssen.
Aber das war ja nun vorbei.
„Wo waren Sie am Samstagabend zwischen 23.00 Uhr und Mitternacht?“
„Es ist klar, dass Sie das fragen müssen, nach all dem, was ich Ihnen über Kerstin erzählt habe. Ich war das ganze Wochenende bei meiner Schwester in Bamberg. Warten Sie, ich schreibe Ihnen die Telefonnummer auf.“
Sie verschwand in einem Raum hinter der Kasse und kam wenig später mit einem kleinen Zettel zurück.
„Danke für Ihre Ehrlichkeit, Frau Mattes. Wir brauchen noch eine Liste der anderen Mitarbeiter. Können Sie uns die Auflistung per Mail zukommen lassen?“ Charlotte reichte der Frau ihre Karte und verabschiedete sich.

„Was halten Sie von der Frau?“, fragte Torsten Klein auf dem Rückweg zum Auto.
„Sympathisch und ehrlich, oder eine gute Schauspielerin. Wenn sie recht hat, war Frau Tietze eine wirklich unangenehme Zeitgenossin.“
„Halten Sie es für möglich, dass Frau Mattes oder einer der Mitarbeiter etwas mit dem Tod Tietzes zu tun haben könnte?“
„Wenn sie alle so gute Alibis haben, werden wir unseren Täter anderswo suchen müssen, fürchte ich, aber das müssen wir erst noch überprüfen. Sollte Tietze wirklich so schwierig gewesen sein, hat sie sich vermutlich auch anderswo Feinde

gemacht. Das macht die Ermittlungen nicht unbedingt leichter."
Sie setzten sich frierend in den Wagen.
„Ich fürchte wir werden von den Nachbarn ähnliche Geschichten hören", mutmaßte Charlotte und startete den Motor.

Und richtig. Alle Nachbarn, mit denen die beiden Polizisten gesprochen hatten, waren einhellig der Meinung, dass es kein Vergnügen gewesen war, neben dieser Person zu wohnen. Sie nahm keine Pakete für Nachbarn an, beschwerte sich wegen jeder Kleinigkeit, beteiligte sich an keiner Nachbarschaftsfeier und grüßte nie.
Charlotte musste sich selbst eingestehen, sich einiger dieser Sünden selbst auch schon schuldig gemacht zu haben, man denke nur an das wöchentliche Straßenkehren oder den Schneeräumdienst. Unterm Strich bestätigten die Aussagen jedoch das, was Frau Mattes über den Charakter Kerstin Tietzes gesagt hatte.

Am späten Nachmittag hatten Charlotte und Torsten Klein alle Aussagen schriftlich fixiert und die Ergebnisse zusammengefasst. Motive gab es genug. Verdächtige auch. Allerdings schien es, als hätten alle ein wasserdichtes Alibi vorzuweisen. Vielleicht lag das Motiv doch in ihrer Arbeit bei der Bürgerinitiative. Hier ging es um mehr, als nur ungekehrte Straßen oder nicht angenommene Pakete.

# 11

Der rote Backsteinbau stammte aus dem ausgehenden 19. Jahrhundert und war die Direktionsvilla des alten Schlachthofes gewesen, der Anfang des neuen Jahrtausends geschlossen wurde. Seither trug das ehrwürdige Gebäude den Namen Villa Leon und beherbergte neben einem Kulturzentrum und einer Stadtteilbibliothek auch ein kleines Café. Hier trafen sich jeden Mittwochabend die Mitglieder der Bürgerinitiative *Eck muss weg* – so auch heute.
Es war das erste Treffen seit dem Tod ihrer Sprecherin und Initiatorin Kerstin Tietze. Dementsprechend gedrückt war die Stimmung.
Anton Brugger hängte mit traurigem Gesicht seinen Mantel an die Garderobe und trat auf die schweigende Gruppe zu.
„Guten Abend“, begann er schüchtern. Immerhin kannte er niemanden aus der Runde. Neue Kontakte zu knüpfen fiel ihm schon immer schwer.
Eine ältere Frau mit langem, grauem Haar und einer weiten, bunt gebatikten Bluse sah ihn offen und freundlich an.
„Hallo, guten Abend“, begrüßte sie ihn überschwänglich. „Ich bin Wolfrun, setz dich doch zu uns! Was führt dich hierher?“
Anton zögerte. Sein eher introvertierter Charakter war mit allzu großer Offenheit zunächst überfordert, fürchtete er doch, eine ähnliche Präsenz an den Tag legen zu müssen.
„Danke“, murmelte er und setzte sich mit hochrotem Kopf auf den letzten freien Platz, zum Glück nicht direkt neben der offenherzigen Dame mit dem bemerkenswerten Namen.
Alle Augen waren erwartungsvoll auf ihn gerichtet.
„Mein Name ist Brugger, Anton Brugger. Ich würde mich gerne Ihrer Initiative anschließen.“

„Willkommen bei uns, Anton“, sagte Wolfrun herzlich, beugte sich über den Tisch und tätschelte Antons kalte Hand. „Wir können jeden Unterstützer gut gebrauchen“, sie senkte die Stimme. „Vor allem seit Kerstin...“ Tränen rannen ihr über die Wangen. Mit zitternden Fingern zog sie ein Taschentuch hervor und wischte sich über die ungeschminkten Augen. „Es ist so fürchterlich!“, schluchzte sie.
„Ja, ich habe davon gehört“, stimmte Anton mit belegter Stimme zu. „Wissen Sie, was mit Frau Tietze genau passiert ist?“
„Sie wurde mit einer kaputten Glasflasche verletzt und ist verblutet“, erklärte Wolfrun tonlos.
„Denken Sie, es hatte etwas mit ihren Aktivitäten zu tun? Immerhin ist die Bürgerinitiative sehr präsent in den Medien. Ich kann mir nicht vorstellen, dass das Herrn Eck auf Dauer gefällt.“
Wolfrun starrte ihn ungläubig an. „Glaubst du etwa, Herr Eck hat Kerstin um Mitternacht aufgelauert, um ihr mit einer Flasche den Hals zu zerschneiden?“
„Nein, aber...“
„Dann hat er wohl einen gedungenen Auftragsmörder engagiert?“
Anton senkte den Kopf und schwieg.
„Bitte entschuldige, Anton, ich wollte dich nicht verletzen“, lenkte Wolfrun ein. „Wir sind alle noch ziemlich durcheinander wegen der ganzen Sache. Du hast natürlich recht. Jeder von uns hatte zunächst den Gedanken, Kerstins kompromissloses Vorgehen gegen Eck könne der Grund für die brutale Tat gewesen sein, aber solange die Polizei nichts Diesbezügliches findet, müssen wir davon ausgehen, dass er unschuldig ist.“
„War die Polizei auch schon bei Ihnen?“, fragte Anton und sah auch die anderen an.
Wieder war es Wolfrun, die das Wort ergriff.
„Ja, wir wurden alle bereits befragt. Ich kam mir vor, wie in

einem Krimi im Fernsehen, wie eine Verdächtige. Seit wann kanntest du Kerstin?“
Er nahm seinen Mut zusammen und erzählte, dass er vergangenen Samstag Teilnehmer einer Veranstaltung im Lochgefängnis war.
Die Leute am Tisch starrten ihn entsetzt an, manche Blicke waren sogar regelrecht feindselig.
„Wie kommst du dazu an einer solchen geschmacklosen Aktion teilzunehmen?“, fragte ein Mann um die 60, der ihm gegenüber saß.
„Lassen Sie mich doch ausreden“, bat Anton eingeschüchtert. „Ich wusste nichts davon. Mein Chef hatte die Veranstaltung gebucht und uns damit überrascht.“
„Wie ging es Dir?“, fragte eine kleine unauffällige junge Frau mit glattem, aschblondem Haar.
Anton schluckte. „Es war fürchterlich. Eck scheut keine Kosten und Mühen, dieses grausige Kapitel des Mittelalters so authentisch wie möglich zu inszenieren, mit all seinen Gerüchen, Geräuschen und Grausamkeiten. Obwohl ich wusste, dass es inszeniert war, fühlte es sich an, wie echt.“ Er schüttelte sich. „Entsetzlich!“
Auch den Zuhörern lief bei Antons Beschreibung ein Schauer über den Rücken, bis die Wut wieder die Oberhand gewann.
„Umso dringender müssen wir etwas dagegen unternehmen!“, rief Wolfrun laut und ließ ihre Faust auf den Tisch krachen.

„So, die Damen und Herren wollen etwas dagegen unternehmen!“, donnerte plötzlich eine tiefe Stimme, die Anton eine Gänsehaut über den Rücken jagte. Ein riesiger, breitschultriger Mann mit Glatze und wulstigen Lippen hatte den Raum betreten. „Ich denke, Sie haben schon genug unternommen! Hören Sie endlich auf mit Ihren lächerlichen Aktionen und widmen Sie sich lieber Ihren Kreuzworträtseln oder gehen Sie zum Yoga!“

Jetzt erkannte Anton Kai Siebert, den Mann, der im Lochgefängnis den Henker spielte.
Wolfrun erhob sich langsam und fixierte Sieberts stechenden Blick mit ihren hellblauen Augen.
„Solange Sie die Würde der Menschen mit Füßen treten, solange werden wir gegen Sie kämpfen. Finden Sie sich endlich damit ab und suchen Sie sich einen anderen Job, oder gibt es für Leute wie Sie keine adäquaten Angebote?“
Die beiden starrten sich so hasserfüllt an, dass man das Gefühl hatte, jeden Augenblick würden Blitze zwischen ihnen hin und her geschickt werden.
Anton hielt den Atem an.
„Haben Sie etwas mit Kerstin Tietzes Tod zu tun?“
Die Blitze zuckten weiter.
„Und wenn? Passen Sie auf, dass Sie nicht die Nächste sind!“

# 12

Es duftete nach frisch gemahlenem Kaffee und köstlichen Keksen. In der kleinen Espresso-Bar am Nürnberger Trödelmarkt war an diesem frühen Donnerstagmorgen schon einiges los. Männer in Anzügen, Frauen in schicken Kostümen, Rentner mit Hunden, alle genehmigten sich einen schnellen Espresso und einen kross gebackenen Keks bevor sie sich in ihr Tagwerk begaben. Manche von ihnen würden gegen Mittag noch einmal wiederkommen, um ihre Mittagspause im gemütlichen Ambiente des winzigen Cafés ausklingen zu lassen. Sie konnten sich kaum noch an die trostlose Zeit erinnern, als sie ohne dieses Highlight des Tages, ohne diese Oase der Ruhe und Entspannung ihren Alltag meistern mussten.
Das *Café Al Fiume* war seit über zwei Jahren eine echte Bereicherung der Innenstadt und trug wesentlich zum Wohlbefinden der Berufstätigen, der Stadtbummler und Touristen bei.
Dies war vor allem den beiden Besitzern zu verdanken, die mit Herzblut und Leidenschaft bei der Sache waren.
Attila war ganz in seinem Element, als Charlotte an den Tresen trat. Er war gerade mit leuchtenden Augen dabei, einem jungen Mann die Vorzüge einer neuen Sorte Espressobohnen zu erläutern. Seine Frau Mariella holte unterdessen ein Blech Cantuccini aus dem Ofen und legte Attilas Kunden gleich eines davon auf ein Tellerchen.
„Buongiorno, Charlotte", begrüßte sie die Kommissarin fröhlich. „Willst du gleich eines probieren?"
Charlotte nickte dankbar.
„Danke Mariella, das ist genau der richtige Einstieg in einen vielversprechenden Arbeitstag."

Vorsichtig pflückte sie sich eines der dampfenden Gebäckstücke vom heißen Blech und schnupperte genießerisch.
„Wie machst du das nur?“, schwärmte sie bewundernd. „Das riecht so, als sei man im Himmel.“
Mariella lachte. „Dann pass auf, dass dir keine Flügel wachsen!“
„Na, hat sich unsere Hauptkommissarin etwa in einen Engel verwandelt?“, scherzte Attila und stellte einen Espresso vor Charlotte ab. „Probiere mal, das ist ein Traum!“
Unterdessen hatte sich der kleine Raum geleert, und Charlotte setzte sich seufzend auf einen der Barhocker.
„Das mit dem vielversprechenden Arbeitstag war ein Scherz, oder?“, vermutete Attila und hatte vollkommen recht.
„Es geht nichts voran in unserem Lochgefängnis-Fall“, jammerte Charlotte. Wenn sie mit Attila und Mariella alleine war, traute sie sich, aus dem Nähkästchen zu plaudern.
„Wir haben mit Ecks Mitarbeitern gesprochen, die Mitglieder der Bürgerinitiative befragt, in Tietzes Leben gewühlt, alles erfolglos.“
„Und Eck selbst? Hast du nicht Hinweise darauf, dass er eine Affäre mit dem Opfer hatte?“
Charlotte verzog das Gesicht. „Das ist Chefsache! Eck und er sind wohl seelenverwandt, kennen sich aus dem Sandkasten, sind schon gemeinsam durch dick und dünn gegangen, oder haben einfach nur die gleichen politischen Interessen. So oder so – ich habe die Finger von diesem Heiligen zu lassen.“
„Glaubst du, das Motiv liegt wirklich in dem Streit um die Aktionen im Lochgefängnis?“, überlegte Attila. „Kannst du dir ernsthaft vorstellen, Eck bringt die Frau um, mit der er eine Affäre hat? Mit einer kaputten Flasche? In einem Fußgängertunnel in der Südstadt? Um Mitternacht?“
„Ich weiß, es klingt reichlich unwahrscheinlich, aber wir dürfen nichts ausschließen. Wir haben keinen anderen vernünftigen Ansatzpunkt.“

Attila lächelte. „Manchmal juckt es mich schon noch in den Fingern, hinauszugehen, Leute zu befragen, Wohnungen zu durchsuchen, Spuren zu verfolgen, der Wahrheit auf den Grund zu gehen. Viel öfter bin ich aber froh, dass ich mit all dem Mord und Totschlag nichts mehr zu tun habe, dass ich mich ganz meinem Kaffee, meinen Kunden und meiner Frau widmen kann."
Er gab Mariella einen Kuss und nahm sich ein Cantuccino.
„Du wirst sicher einen Hinweis finden, eine Spur, die es sich zu verfolgen lohnt. Höre auf dein Gefühl und halte die Augen offen."
Da klingelte Charlottes Handy.
„Mein Chef", meinte sie mit einem kurzen Blick auf das Display. „Vielleicht hat er den entscheidenden Hinweis für mich?"
Sie zwinkerte Attila an, grüßte und nahm im Hinausgehen das Gespräch an.
„Frau Gerlach, wir haben ein neues Opfer im Reichswald!"

Die Kälte der vergangenen Tage war nasskaltem und stürmischem Wetter gewichen. Als Charlotte den Wagen an einem schmalen Waldweg in der Nähe des Tiergartens abstellte, trieb eine kräftige Bö einen Schwall trockener Blätter meterhoch durch die Luft. Mit Kapuze auf dem Kopf und eingezogenen Schultern stapfte sie den matschigen Weg entlang auf den Krankenwagen zu, der mit abgeschalteter Sirene und Blaulicht zwischen den Bäumen stand.
Torsten Klein, inzwischen mit festen Stiefeln, Outdoorhose und Daunenjacke bestens ausgerüstet, folgte ihr.
„Wo ist die Leiche?", fragte Charlotte einen der Mitarbeiter der Spurensicherung.
„Es gibt keine", war die überraschende Antwort. Der Mann deutete auf den Rettungswagen und heftete weiter seinen Blick auf den Boden, in der Hoffnung, verwertbare Spuren zu finden.
Fragend blickte sich Charlotte zu Torsten Klein um und

zuckte mit den Schultern.
Keine Leiche? Warum war dann die Mordkommission verständigt worden?
„Guten Morgen, Gerlach, Kripo Nürnberg“, stellte sie sich dem Notarzt vor. Auf der Krankentrage lag ein schmächtiger, älterer Mann mit blassem, eingefallenem Gesicht und geschlossenen Augen.
„Was ist passiert?“
Der Notarzt packte gerade das Blutdruckmessgerät ein und deckte den zitternden Mann mit einer weiteren Decke zu.
„Eine Spaziergängerin hat ihn vor einer halben Stunde hier gefunden“, erklärte er ernst. „Er hing am Baum.“
„Am Baum?“, wiederholte Charlotte verständnislos.
„Man hatte ihn betäubt, die Hände gefesselt und ihn mit einem Seil aufgezogen.“
„Aufgezogen?“
„Ja, an den gefesselten Händen aufgehängt, wie einen Sack. Danach hat man ihm einen 20 kg schweren Stein an die Füße gebunden und ihn hängen lassen.“
Charlotte blieb der Mund offen stehen. Sie schluckte.
„Das ist ja grauenvoll!“, stammelte sie.
„Dabei hatte der Mann noch Glück.“
Charlotte sah den Arzt verständnislos an.
„Naja, im Mittelalter hat man den Leuten die Hände hinter dem Rücken gefesselt und sie dann an einer Leiter aufgezogen.“
Charlotte wurde blass.
„Bei dieser Prozedur sollten die Schultergelenke auskugeln und...“
„Bitte ersparen Sie mir die Details“, unterbrach ihn Charlotte. „Wie geht es ihm?“ Mitleidig sah sie den alten Mann an. Er schien zu schlafen.
„Ich habe ihm etwas zur Beruhigung gegeben. Er ist stark unterkühlt und seine Gelenke sind massiv gedehnt. Er muss sofort in die Klinik.“
„Danke“, antwortete Charlotte leise und ging kopfschüttelnd

zu den Kollegen, die rund um den Baum nach Spuren suchten.
„Ist das der Stein?“ fragte sie und deutete auf einen Brocken, an dem noch Reste eines Seiles hingen.
Markus Metz, der Leiter des Erkennungsdienstes, nickte.
„Ja, ich weiß nicht, wie lange der arme Kerl da hing, aber es muss die Hölle gewesen sein. Wie früher in der Folterkammer. Das haben wir bei ihm gefunden.“
Er reichte ihr einen zerknitterten Zettel, der bereits in einem beschrifteten Plastikbeutel steckte.

GRÜSSE VOM MEISTER FRANZ

Charlotte stutzte. „Das gibt es doch nicht“, stieß sie hervor und reichte Torsten Klein den Beutel.
„Wie bei Frau Tietze“, setzte er nicht minder überrascht hinzu.
„Wer ist der Mann?“, fragte Charlotte, doch Markus Metz schüttelte den Kopf.
„Wir wissen nicht, wer er ist. Er war vermutlich joggen und hatte nur einen Hausschlüssel bei sich. Wir konnten auch noch nicht mit ihm sprechen.“
„Habt ihr sonst noch etwas gefunden? Irgendwelche Spuren, die möglicherweise auch bei Kerstin Tietze gefunden wurden?“
„Es waren diverse Fasern an seiner Kleidung. Allerdings hatten wir nicht viel Zeit, den Mann gründlich zu untersuchen. Du hast ja gesehen, wie schlecht es ihm ging. Auch auf Tietzes Mantel waren verschiedene Wollfasern, die möglicherweise von Handschuhen stammen könnten.“ Er grinste schief. „Ist aber bei dem Wetter auch nicht weiter verwunderlich.“
„Wer hat ihn gefunden?“
„Eine Frau Michel, die mit Ihrem Hund spazieren war. Sie ist noch sehr verstört.“
„Wo ist sie?“

„Die Kollegin kümmert sich um sie“, antwortete Markus Metz und deutete auf einen Streifenwagen.
„Danke, Markus. Sag Bescheid, wenn du etwas für uns hast.“
Auf dem Beifahrersitz des Streifenwagens saß eine kleine, magere, alte Frau mit faltigem, kalkweißem Gesicht und einem Becher Tee in den runzeligen Händen. Sie trug einen braunen Hut mit einer beachtlich großen Feder und einen ebenso braunen Lodenmantel, der ihr bis zu den schmalen Fesseln hinabreichte. Irritierenderweise steckten ihre Füße in modernen, blauen Turnschuhen. Im Fußraum des Wagens hockte ein winziger, weißer Hund, der sich eng an die Beine seines Frauchens geschmiegt hatte.
„Frau Michel?“ Charlotte kniete sich zu der Frau hinab. „Guten Morgen, mein Name ist Charlotte Gerlach von der Kripo Nürnberg und das ist mein Kollege Klein.“
Die alte Dame blickte auf. „Kann ich nach Hause gehen?“
„Es wird nicht lange dauern“, versicherte Charlotte und machte sich auf ein anstrengendes Gespräch gefasst. „Sie haben den Mann gefunden?“
„Ich gehe jeden Tag mit meiner Bella in den Wald, wissen Sie? Sie braucht die Bewegung genauso dringend wie ich. Im Alter muss man aufpassen, dass man nicht einrostet.“
Frau Michel blickte Charlotte aus müden, eigenartig milchigen Augen an. „Aber davon wissen Sie noch nichts, junge Frau. Alle wollen alt werden, aber alt zu sein ist kein Vergnügen.“
„Das glaube ich Ihnen. Darf ich fragen, wie alt Sie sind?“, fragte Charlotte aus ehrlichem Interesse.
„Ich wurde im vergangenen Jahr 93, stellen Sie sich das vor!“
„Das ist wirklich bemerkenswert“, staunte Charlotte. „Toll, dass Sie noch so aktiv sein können.“
„Meine Bella und ich, wir beide brauchen uns gegenseitig.“ Sie beugte sich zu dem kleinen Hund hinab und streichelte ihm liebevoll über das weiche Fell. Die beiden wirkten

wirklich wie eine Einheit, die fest zusammengehörte. Der eine war ohne den anderen nicht denkbar.
„Was ist heute Morgen passiert, Frau Michel?“, versuchte Charlotte erneut ihr Glück.
„Alles war wie immer. Wir haben alle Leute getroffen, wie jeden Tag. Nur ihn nicht.“
„Kennen Sie ihn?“
„Nein. Wir haben noch nie miteinander gesprochen. Er grüßt freundlich und läuft vorbei. Wer hat nur so etwas Schreckliches mit ihm gemacht?“
„Das wollen wir so schnell wie möglich herausfinden, und dazu brauchen wir Ihre Hilfe. Wo treffen Sie den Mann sonst immer?“
„Am Waldrand, ganz in der Nähe meines Hauses“, antwortete die Greisin. Entgegen aller Vermutungen schien sie geistig noch fit zu sein.
„Und heute?“
„Er war nicht da. Ich dachte, er habe sich vielleicht verspätet oder sei krank.“
„Aber?“
„Dann, als ich hier vorbeikam, hörte ich seine Rufe.“ Sie tupfte sich mit einem Taschentuch die Augenwinkel. „Es klang fürchterlich. Fast wie ein verletztes Tier. Entsetzlich!“
„Und wie haben Sie die Polizei alarmiert?“
Frau Michel blickte die Polizistin erstaunt an.
„Na, mit meinem Handy natürlich! Wie hätten Sie es denn gemacht? Es gibt doch fast keine Telefonzellen mehr.“
Charlotte pfiff anerkennend durch die Zähne.
„Sie haben ein Handy?“
„Was denken Sie denn? Ich bin vielleicht alt, aber ich bin nicht dumm. Meine Urenkel haben mir ein Seniorenhandy besorgt und mir gezeigt, wie man damit umgeht. Schließlich darf man sich den Errungenschaften der modernen Technik gegenüber nicht verschließen. Wissen Sie, eine meiner Enkelinnen lebt mit ihrer Familie in Kanada. Seit einem Jahr kommunizieren wir vor allem per Skype. Das ist wesentlich

günstiger als das Telefon“, fügte sie stolz hinzu.
„Da gebe ich Ihnen vollkommen recht. Ist Ihnen jemand aufgefallen, der sonst nicht zu dieser Zeit unterwegs ist?“
Frau Michel dachte nach.
„Es gibt schon einige Leute, die ich regelmäßig zur gleichen Zeit treffe, es sind aber auch immer wieder welche dabei, die ich nicht kenne.“
„Haben Sie heute Morgen jemanden gesehen, der sonst nicht da ist?“, fragte Charlotte hoffnungsvoll, doch die alte Dame schüttelte den Kopf.
„Nein, heute war keiner zu viel da, sondern eher einer zu wenig“, antwortete sie und blickte bedauernd in Richtung des Notarztwagens, der gerade langsam den Waldweg entlang fuhr.
„Ist Ihnen sonst etwas aufgefallen? War etwas anders als sonst? Haben Sie irgendetwas gehört?“
„Außer den Rufen des Herrn am Baum ist mir nichts aufgefallen.“
„Danke, Frau Michel. Ich gebe Ihnen meine Telefonnummer. Bitte melden Sie sich, wenn Ihnen noch etwas einfällt.“

„Was soll der Spruch mit dem Meister Franz?“, überlegte Charlotte laut, als sie mit Torsten Klein wieder zurück zu ihrem Wagen ging. „Haben Sie eine Ahnung, wer das sein könnte?“
„Ehrlich gesagt könnte das jeder sein. Franz ist ein gängiger Name. Vielleicht handelt es sich um einen Handwerksmeister? Es macht wohl wenig Sinn, alle Meister Mittelfrankens zu überprüfen, die Franz mit Vornamen heißen, oder?“
„Warum nicht? Das wäre ein Anfang“, antwortete Charlotte ernst.
„Wirklich? Gut, dann lasse ich mir von der Handwerkskammer...“
„Herr Klein!“ unterbrach ihn Charlotte grinsend. „Das war

ein Scherz! Bevor wir das tun, versuchen wir erst etwas anderes.
„Nämlich?“
„Irgendwie scheint das Mittelalter in beiden Fällen eine Rolle zu spielen. Erst die Proteste zur Henkersmahlzeit im Lochgefängnis, dann ein Mann, der offenbar mit einer mittelalterlichen Foltermethode gequält wurde.“
„Aber die kaputte Flasche passt nicht ins Bild“, gab Klein zu bedenken. „Sind Sie sicher, dass die beiden Fälle zusammengehören?“
„Natürlich! Von dem Zettel stand nichts in der Presse, es kann also kein Nachahmungstäter gewesen sein. Abgesehen von dieser Nachricht und meiner Mittelalter-Vermutung gibt es keine Parallelen. Da gebe ich Ihnen recht. Mein Freund ist Lehrer für Deutsch und Geschichte. Ich denke, er kann uns helfen. Jetzt fahren wir aber erst einmal ins Südklinikum und sehen, ob das Opfer vernehmungsfähig ist.“

In den Gängen des Klinikums herrschte der typische Geruch nach Desinfektionsmitteln, weißen Kitteln und Krankheit. Natürlich konnte man froh sein, hier in Deutschland eine so optimale medizinische Versorgung zu haben, besser war es jedoch allemal, man musste sich erst gar nicht versorgen lassen.
Vielleicht mit einer Ausnahme, schoss es Charlotte durch den Kopf, als eine blasse, junge Frau im Bademantel stolz und glücklich ihr Neugeborenes in einem gläsernen Wägelchen vor sich her schob.
Vielleicht würde auch sie in wenigen Jahren...
„Kann ich Ihnen helfen?“, fragte eine große, blonde Ärztin freundlich. „Suchen Sie vielleicht die Entbindungsstation?“
Charlotte wurde rot, während Torsten Klein verlegen grinste.
„Nein, wir sind von der Kriminalpolizei“, stotterte sie und zeigte ihren Ausweis. „Wo finden wir den Mann, der vor einer halben Stunde eingeliefert wurde?“
„Bitte entschuldigen Sie, ich wollte Ihnen nicht zu nahe

treten“, meinte die Ärztin lächelnd. „Sie haben Glück. Ich bin zufällig für den Verletzten zuständig. Folgen Sie mir, ich bringe sie hin. Unser Haus ist doch recht weitläufig und wenn man sich nicht auskennt,...“
„... landet man versehentlich im Kreißsaal“, vervollständigte Charlotte den Satz und zwinkerte der Ärztin zu. Sie hatte sich wieder gefangen und freute sich darüber, nicht alleine durch die Gänge irren zu müssen.
„Herr Hafensteiner ist jetzt ansprechbar. Er war stark unterkühlt und ist noch sehr geschwächt.“
„Sie haben mit ihm gesprochen?“, wunderte sich Charlotte.
„Ja, nach der Untersuchung kam er zu sich. So etwas habe ich noch nie erlebt.“ Die Ärztin war fassungslos. „Wer tut einem anderen Menschen so etwas an. Das sind ja Zustände wie im Mittelalter.“
Die beiden Polizisten sahen sich an. Schon wieder kam jemand in Zusammenhang mit dem Fall auf dieses Zeitalter zu sprechen. Gleich nach dem Gespräch mit dem Opfer würden sie sich dringend mit einem Historiker unterhalten müssen.

Sie hatten das Zimmer erreicht. Vor der Tür saß ein Kollege in Uniform. Charlotte wies sich aus und betrat den Raum. Die Jalousie war halb herabgelassen. Die Gestalt in dem frischen, weiß bezogenen Bett sah klein und zerbrechlich aus. Auf der Zudecke lagen zwei dünne Arme, in einem steckte eine Kanüle, deren Schlauch zu einer Flasche führte, die an einem Gestell neben dem Bett hing.
„Guten Tag, Herr Hafensteiner.“ Charlotte zog leise einen Stuhl heran. „Ich bin Charlotte Gerlach von der Kriminalpolizei. Können Sie mich verstehen?“
Isidor Hafensteiner öffnete ganz langsam die Augen. Er sah unendlich müde aus. „Was ist passiert?“
Einige Minuten lang geschah nichts. Charlotte hatte das Gefühl, der Mann musste seine Stimme, die Erinnerung, sein ganzes Bewusstsein erst von weither zurückholen. Da

schloss er wieder die Augen. Die Kommissarin befürchtete, er sei wieder eingeschlafen, doch plötzlich riss er die Augen wieder auf, hob mühsam den Kopf und öffnete langsam die ausgetrockneten Lippen.
„Er kam von hinten“, krächzte er. „Ich war joggen, wie jeden Tag um sechs Uhr früh. Plötzlich war er da. Er hielt mir einen Lappen vor die Nase. Mir wurde schwarz vor Augen. Als ich wieder erwachte, hing ich da. Die Schmerzen waren unerträglich. Ich dachte, es zerreißt mich.“
Erschöpft ließ er sich wieder zurück in das Kissen fallen und deutete auf einen Becher auf dem Nachtkästchen.
Charlotte nahm den Becher, stütze den Kopf des Mannes etwas und ließ ihn trinken.
„Danke. Finden Sie denjenigen, der mir das angetan hat?“
Hafensteiners Augen blickten Charlotte hilfesuchend an. „Bitte!“
„Wir werden alles tun, dass der Täter gefasst wird“, versprach sie. „Wir brauchen allerdings noch mehr Informationen von Ihnen.“
Isidor Hafensteiner war eingeschlafen.
„Er steht unter dem Einfluss starker Medikamente“, erklärte die Ärztin, als sie herein kam. „Er hat Schmerzen in allen Gelenken. Lassen Sie ihm noch ein paar Tage Zeit sich zu erholen.“
„Haben Sie Kontakt zu seinen Angehörigen aufgenommen?“
„Ja, seine Frau ist unterwegs. Sie müsste eigentlich schon hier sein.“
In diesem Moment betrat eine kleine, dicke Frau mit kurzen schwarzen Locken und hochrotem Gesicht schwer atmend den Raum.
„Isidor, mein Lieber!“, rief sie und stürzte auf den Schlafenden zu. Die Ärztin zog sie behutsam vom Bett weg.
„Frau Hafensteiner, schön, dass Sie so schnell kommen konnten. Ihrem Mann geht es den Umständen entsprechend gut. Er ist eben eingeschlafen. Vielleicht stellen Sie einfach die Tasche ab und gehen mit uns einen Kaffee trinken?“

Charlotte blickte die Ärztin dankbar und anerkennend an. Sie war froh, wenn sie bei der Betreuung der Angehörigen nicht alleine war.
Im Foyer der Klinik gab es ein großzügiges Café. Sie setzten sich an einen freien Tisch und bestellten Kaffee für alle. „Mein Name ist Frau Dr. Dresen", stellte sich die Ärztin vor, „und das ist Frau Gerlach und Herr Klein von der Polizei. Die beiden wollen denjenigen finden, der Ihrem Mann das angetan hat."
„Ich habe ihm immer gesagt, er soll nicht in der Dunkelheit in den Wald gehen", schluchzte die kleine Frau, „aber er wollte nicht auf mich hören. Er hat immer gesagt, wer soll schon einem alten Mann was antun. Er brauchte seine Bewegung. Immer wieder versuchte er, mich zu überreden, mitzugehen, aber, sehen Sie mich an! Ich kann das nicht. Meine Gelenke sind kaputt, ich habe keine Kondition, mir fällt schon das normale Laufen so schwer. Ich glaube, ich brauche bald eine neue Hüfte. Ob es dann besser wird, können nicht einmal die Ärzte mit Gewissheit sagen."
„Frau Hafensteiner", unterbrach Charlotte den Redeschwall der Frau. „Ich kann sehr gut verstehen, dass Sie geschockt und durcheinander sind, aber vielleicht können Sie uns trotz allem einige Fragen beantworten?"
Frau Hafensteiner nickte und schnäuzte sich noch einmal geräuschvoll in ein Taschentuch.
„Wer wusste denn davon, dass Ihr Mann regelmäßig joggen ging?", fragte Charlotte behutsam.
Die Frau sah sie erschrocken an.
„Meinen Sie, jemand hat ihn beobachtet und ihm absichtlich aufgelauert?"
„Fällt Ihnen jemand ein?", wiederholte Charlotte ausweichend. Es war meist eine gehörige Portion Fingerspitzengefühl nötig, um von Angehörigen wichtige Informationen zu bekommen, ohne ihnen zu nahe zu treten oder Ängste zu schüren.
„Wer soll denn meinem Isidor etwas Böses wollen? Er hat

doch Niemandem etwas getan!“
„Ist ihr Mann noch berufstätig?“
Charlotte versuchte, durch möglichst unverfängliche Fragen Zugang zu der Frau zu bekommen.
„Nein, er war über 40 Jahre lang Bäckermeister. Seit fünf Jahren ist er im verdienten Ruhestand, aber er steht trotzdem immer noch so früh auf. Wissen Sie, wenn 40 Jahre lang jede Nacht spätestens um drei Uhr zu Ende war, kann man nicht einfach auf Knopfdruck länger schlafen. Er frühstückt immer um halb Vier, liest die Zeitung, geht laufen und bringt mir dann frische Brötchen mit.“
„Das klingt doch toll“, gab Charlotte zu und fragte sich, wann Ihr Freund Tim zum letzten Mal Brötchen geholt hatte. Sie würde ihn gleich heute Abend darauf ansprechen.
„Er ist ein so lieber Mann“, murmelte Frau Hafensteiner leise in sich hinein.
„Kennen Sie eine Frau Kerstin Tietze?“, wagte sich Charlotte nun auf dünnes Eis.
Frau Hafensteiners Augen weiteten sich.
„Das ist doch die arme Frau, die vergangenes Wochenende in der Südstadt gefunden wurde? Es ist schrecklich! Warum fragen Sie mich das? Glauben Sie, dass der gleiche Täter...?“
„Ich meine zunächst gar nichts“, versuchte die Kommissarin die aufgebrachte Frau zu beruhigen. „Wir sammeln nur so viele Informationen wie möglich, um uns ein Bild von den Geschehnissen machen zu können. Kannten Sie Frau Tietze persönlich?“
„Nein, nur das, was in den Zeitungen stand, aber was soll diese Frau...?“
„Vielen Dank, Frau Hafensteiner“, Charlotte merkte, dass sich das Gespräch nur noch im Kreis drehte. „Wir melden uns bei Ihnen, wenn wir noch Fragen haben. Wenn Ihnen noch etwas Wichtiges einfällt, rufen Sie uns an. Hier ist meine Karte. Sagen Sie Ihrem Mann noch gute Besserung. Auf Wiedersehen.“

# 13

*Es war so leicht.*
*Hätte ich gewusst, wie leicht es ist, hätte ich vielleicht schon früher damit begonnen, dir und all den anderen das zukommen zu lassen, was ihr verdient habt.*
*Hattest du Schmerzen?*
*Natürlich hattest du Schmerzen. Als du wieder zu dir gekommen bist, hast du geschrien und gejammert, um Gnade gewinselt, geheult wie ein kleines Kind. Ich habe gewartet, dich aus meinem Versteck heraus beobachtet.*
*Glaube nicht, dass es mir Spaß gemacht hat, dich zu quälen. Dass ich etwa Freude oder Genugtuung dabei empfunden habe, dich leiden zu sehen.*
*Aber es musste sein.*
*Du hast mir keine andere Wahl gelassen.*
*Ich bin sicher, du hattest damals auch keine andere Wahl, du musstest mich verleumden, musstest mir das Leben schwer machen, mir Dinge unterstellen, die ich niemals getan hatte, mich demütigen und bloßstellen.*
*Es gab wahrscheinlich keine Alternative für deine Boshaftigkeit.*

*Ich frage mich nur, warum du dir für all deine zermürbenden Aktionen ausgerechnet mich ausgesucht hast?*
*Ich habe dir nichts getan, bin mir keiner Schuld bewusst.*
*War ich nicht immer ehrlich, fleißig und motiviert?*
*Habe ich nicht immer das getan, was du von mir verlangt hast?*
*Warum wurde ich dann Ziel von Spott, Hohn und Ungerechtigkeit?*

*All die Jahre habe ich mitgespielt, mich geduckt, alles mit mir machen lassen, den Mund gehalten.*
*Es wäre auch noch lange so geblieben, wenn nicht...*

*Ich habe sie wiedergesehen. SIE, die mich auch benutzt hat, wie einen Fußabtreter, die auf meiner Seele herumgetrampelt ist, wie du.*
*Sie hat einen Fehler gemacht.*
*Jetzt kann sie nie wieder Fehler machen, nie wieder die Seelen von Menschen zerstören, nie wieder ihre Macht ausspielen.*
*Das ist endgültig vorbei.*
*Sie ist tot.*
*Du lebst noch und ich hoffe, du bist gewarnt!*

*Du hast mich nicht gesehen, weißt vielleicht nicht, wer dich an diesen Baum gehängt hat wie einen Sack Mehl.*
*Vielleicht wünsche ich mir sogar, dass du bleibende Schäden davonträgst?*
*Du sollst dich den Rest deines kümmerlichen Lebens daran erinnern, dass man niemals das Recht hat, sich über andere zu stellen, sich zum Richter aufzuschwingen, andere zu unterdrücken.*
*Du bekommst alles zurück!*

# 14

Kriminalhauptkommissar Tilman Peter setzte eine besorgte Miene auf, nachdem ihm Charlotte von den Vorkommnissen im Reichswald berichtet hatte. Nachdenklich betrachtete er die beiden Zettel vor sich auf dem Schreibtisch.

GRÜSSE VOM MEISTER FRANZ

„Wer soll dieser Meister Franz sein?“, fragte er gedankenverloren. „Und was hat der Bäckermeister mit Frau Tietze zu tun?“
Charlotte zuckte mit den Schultern. „Das haben wir uns auch schon gefragt. Der Notarzt hat gemeint, man habe im Mittelalter die Delinquenten auf diese Art und Weise gefoltert.“
Peter blickte auf.
„Schon wieder das Mittelalter. Frau Tietze war doch die Sprecherin dieser Bürgerinitiative.“
„Stimmt. Die Frau des heutigen Opfers hat allerdings behauptet, Frau Tietze nicht persönlich gekannt zu haben.“
„Das muss ja nicht zwangsläufig so sein.“ Er strich sich über den kurzgeschnittenen Bart.
„Haben Sie bei Herrn Eck etwas Interessantes erfahren?“, fragte Charlotte vorsichtig. Sie hatte nicht vor, das Thema Eck unter den Tisch fallen zu lassen, nur weil er mit ihrem Chef gut bekannt war.
Kommissar Peter sah sie skeptisch an. „Nichts, was zur Klärung des Falles beitragen würde“, antwortete er entschieden, doch Charlotte ließ sich nicht so leicht abspeisen.
„Herr Peter, unsere Ermittlungen haben ergeben, dass Herr

Eck möglicherweise eine Affäre mit dem ersten Opfer hatte. Ich bin der Meinung, wir sollten dem dringend nachgehen."
Peter holte tief Luft.
„Frau Gerlach, Ihren kriminalistischen Spürsinn in Ehren, aber Sie glauben doch nicht ernsthaft, es handelt sich hier um ein Eifersuchtsdrama? Abgesehen davon passt der gefolterte Bäckermeister nicht ins Bild. Seien Sie versichert, ich werde allen relevanten Hinweisen nachgehen. Sollte ich dabei Ihre Unterstützung benötigen, werde ich es Sie wissen lassen. Und jetzt würde ich vorschlagen, Sie versuchen herauszubekommen, wer dieser ominöse Meister Franz ist, denn er ist ja offensichtlich das Verbindungsglied zwischen den beiden Fällen. Guten Tag!"

In ihrem Büro angekommen, öffnete Charlotte das Fenster und lehnte sich in die feuchtkalte Novemberluft hinaus. Dieser Mann war wirklich eine Strafe, dachte sie frustriert. Durch sein arrogantes Gehabe blockierte er eins ums andere Mal die Ermittlungen.
Es war zum Aus-der-Haut-fahren.
Wütend stieß sie einen lauten Fluch aus und bemerkte nicht, dass Torsten Klein das Büro betreten hatte.
„Was ist denn passiert?", fragte er leise.
Charlotte fuhr erschrocken herum und stieß sich dabei schmerzhaft den Kopf am Fensterrahmen an.
„Au, haben Sie mich erschreckt!", rief sie ungehalten und presste die Hand an ihre Schläfe.
„Das tut mir leid. Haben Sie sich verletzt?", gab er verunsichert zurück.
„Nein, es geht schon wieder", lenkte Charlotte versöhnlich ein. Schließlich konnte der junge Mann nichts dafür, dass sie selbst eben vom Chef abgekanzelt worden war.
„Ich habe uns etwas vom Bäcker mitgebracht", meinte Klein und stellte eine beachtlich große Papiertüte auf den Schreibtisch. „Wir sollten uns stärken, bevor wir uns mit diversen gruseligen Foltermethoden befassen. Was halten

Sie davon?“
Er zwinkerte ihr verschwörerisch zu und türmte reichlich Kuchen, Torten und Feingebäck zwischen wackeligen Aktenbergen auf.
Trotz Frust und schmerzendem Kopf musste Charlotte schmunzeln. In diesem Praktikanten steckte wohl doch mehr als der erste Eindruck hatte vermuten lassen.
„Sie sind ein Goldstück. Das ist jetzt genau das Richtige.“
Glücklich komplettierte er das zweite Frühstück mit zwei Bechern Coffee-to-go.
Nach einigen Minuten schweigenden Kauens, Bröselns und Schlürfens konnte Torsten Klein seine Neugier nicht mehr zügeln.
„Waf ift denn beim Fef raufgekommen?“, nuschelte er nahezu unverständlich mit vollem Mund.
„Gar nichts“, gab Charlotte zu, als sie den Rest des köstlichen Krapfens mit einem Schluck Kaffee hinunter gespült hatte. „Er hat mir wieder einmal klar gemacht, dass er der Chef ist.“
In ihrer Stimme schwang ein gehöriges Maß an Resignation mit.
Torsten Klein schüttelte bedauernd den Kopf.
„Ich weiß, es klingt vielleicht komisch, aber ich meine es genau so.“
„Wie denn?“
„Er sollte endlich damit aufhören, Sie wie eine Anfängerin zu behandeln. Sie leisten hervorragende Arbeit, die endlich gewürdigt werden muss! Ich an seiner Stelle wäre froh und dankbar dafür, eine so engagierte und motivierte Mitarbeiterin im Team zu haben.“
Er lief rot an, nahm sich ein weiteres Gebäckstück und biss herzhaft hinein.
Sein leidenschaftliches Plädoyer rührte Charlotte. Sie freute sich, lächelte ihn an und arbeitete ebenfalls daran, die Gesamtzahl der Köstlichkeiten auf ihrem Schreibtisch zu reduzieren.

„Wann kommt denn Ihr Freund?“, fragte Klein, nachdem er kurz darauf die leeren Bäckertüten entsorgt hatte.
„Er hat bis 13.00 Uhr Unterricht am Martin-Beheim Gymnasium. Ich denke, er könnte es bis 14.00 Uhr schaffen. In der Zwischenzeit können wir uns noch einmal die Vernehmungsprotokolle von Friedhelm Ecks Mitarbeitern vornehmen“, schlug sie vor, wischte die Krümel vom Tisch und wühlte mehrere grüne Mappen hervor.
„Wonach suchen wir?“, erkundigte sich Torsten Klein.
„Welche Beziehung haben die einzelnen Leute zum Mittelalter? Hat jemand Geschichte studiert? Hat vielleicht einer Kontakt zu unserem Bäckermeister? Ich hoffe, dass es Herrn Hafensteiner bald besser geht und wir ihn befragen können. Es gibt so viele lose Enden. Am rätselhaftesten ist mir der Zusammenhang zwischen beiden Fällen. Warum wurde Frau Tietze getötet und Herr Hafensteiner nicht? Wollte der Täter, dass wir ihn rechtzeitig finden? An die Arbeit, Kollege.“
Die beiden vergruben sich in Bergen von Unterlagen. Außer dem Rascheln von Papier und ab und zu einem Seufzen waren keine Geräusche zu hören.
Nach etwa zwei Stunden rieb sich Charlotte den schmerzenden Nacken und sah auf die Uhr.
„Es ist schon fast zwei!“, rief sie überrascht aus. „Wir sollten schnell was Essen gehen, bevor Tim kommt. Meine Krapfen sind längst verdaut.“
Torsten Klein schloss den Aktendeckel. „Das hört sich verlockend an.“
Auf dem Weg zur Kantine ließ sich Charlotte die vielen Informationen durch den Kopf gehen, die sie in den vergangenen zwei Stunden gelesen hatte.
Man könnte allen und keinem einen Mord zutrauen. Jeder hätte Nachteile, würden die Aktionen im Lochgefängnis eingestellt werden müssen.
Bei Herrn Eck selbst wäre es wohl mehr ein Image-, denn ein finanzieller Verlust. Er betrieb so viele Restaurants, dass

ihn die Schließung eines einzigen Betriebes nicht wirklich tangieren würde. Anders sah es bei seinem Kompagnon aus – dem Henker-Schauspieler Kai Siebert.
Die Überprüfung seiner Finanzen hatte ergeben, dass er erheblich verschuldet war. Er war seinerzeit mit einem ansehnlichen Geldbetrag in das Projekt eingestiegen und darauf angewiesen auch Gewinne einzustreichen.
„Worüber denken Sie nach?“, fragte Torsten Klein, als sie sich mit ihren Tabletts an einen freien Tisch gesetzt hatten.
„Mir geht dieser Siebert nicht aus dem Kopf. Abgesehen davon, dass ich ihn bei unserem ersten Gespräch nicht wirklich sympathisch fand, sagt mir mein Gefühl, dass es sich lohnt, noch einmal mit ihm zu sprechen. Attila sagte mir immer, ich solle auf mein Bauchgefühl hören.“
Sie seufzte frustriert. Mit Attila an ihrer Seite wäre sie sicherlich schon ein ganzes Stück weitergekommen. Sie hätten gemeinsam alle Indizien, Hinweise und Aussagen durchgesprochen und...
„Was sagt Ihnen denn Ihr Bauchgefühl?“, hakte Torsten Klein interessiert nach.
Charlotte sah ihrem Praktikanten tief in die Augen.
„Ich spreche hier über mein Gefühl, meine Intuition und nicht über Fakten und Tatsachen. Es ist in unserem Job enorm wichtig, die beiden Sichtweisen bewusst voneinander zu trennen. Trotzdem sind beide wichtig. Es wäre fatal, eines von beiden zu vernachlässigen.“
„Dann lassen Sie doch mal ihren Bauch sprechen.“
„Der Mann war mir nicht ganz geheuer“, begann sie. „Er ist, wie sagt man heute so elegant, in eine finanzielle Schieflage geraten. Das Projekt muss laufen, sonst ist er ruiniert. Sein Lebenslauf ist alles andere als geradlinig. Er hat viele verschiedene Dinge begonnen und nicht beendet, hat Vieles ausprobiert und wieder hingeworfen. Es existiert auch eine ansehnliche Liste illegaler Aktivitäten in unserer Datenbank. Er stand schon so manches Mal im Visier der Ermittlungen, sei es wegen Betrugs, Steuerhinterziehung, Drogenhandel

oder Körperverletzung. Außerdem hat er einige Semester Geschichte studiert.“
„Gut“, meinte Klein und biss mit großem Appetit in sein Pizzastück. „Das waren die Fakten. Jetzt bitte das Gefühl, den Verdacht, die Vermutungen.“
„Ich würde ihm genügend kriminelle Energie zutrauen, seine lästige Widersacherin gewaltsam aus dem Weg geschafft zu haben. Sein Alibi ist mehr als dürftig. Er hat nur Vorteile davon, wenn sich keine Kerstin Tietze mehr so aggressiv gegen das Projekt stellt. Außerdem glaube ich, er genießt seine Rolle als Henker, als grausamer Richter gegen das Verbrechen.“
„Klingt überzeugend. Und wie passt Isidor Hafensteiner in das Konzept?“
Charlotte schnitt eine Grimasse.
„Treffer, versenkt! Wir haben bisher keine Hinweise darauf, dass sich die beiden gekannt haben.“
„Ich glaube, Sie haben eine SMS bekommen“, Torsten Klein stupste sie am Arm und deutete auf ihr Handy, das vor ihr auf dem Tisch lag. Es vibrierte und drohte herunterzufallen.
„Oh, schade“, rief sie aus, als sie die Nachricht auf dem Display gelesen hatte. „Tim verspätet sich. Er wurde noch aufgehalten. Vor 16.00 Uhr schafft er es wohl nicht.“
Noch bevor sie das Gerät auf den Tisch zurücklegen konnte, vibrierte es erneut.
„Gerlach“, meldete sie sich. „In Ordnung, wir kommen.“
Sie griff nach ihrer Jacke und den Autoschlüsseln.
„Wir fahren wieder in die Klinik, Herr Hafensteiner ist ansprechbar.“

Der alte Mann saß aufrecht, von riesigen weißen Kissen gestützt im Bett. Vor ihm stand ein Tablett mit einem Schälchen Suppe. Angesichts der beige-braunen Flüssigkeit in dem etwas abgeschlagenen weißen Schüsselchen war Charlotte froh um die Pizza aus der Kantine in ihrem Magen, deren tomatigen Nachgeschmack sie immer noch auf ihrer

Zunge spürte.
„Guten Tag, Herr Hafensteiner“, begrüßte sie ihn. „Wie geht es Ihnen? Sie sehen schon viel besser aus, als heute Morgen.“
Isidor Hafensteiner blickte sie mit klaren Augen an.
„Ja, es geht mir viel besser. Die Schmerzmittel wirken und ich konnte ein paar Stunden gut schlafen. Die Ärzte sagen, ich kann voraussichtlich in zwei Tagen wieder nach Hause.“
„Das freut mich“, gab Charlotte lächelnd zurück. „Darf ich Ihnen noch einige Fragen stellen?“
Der alte Mann nickte, schob die Schüssel mit der Suppe beiseite und verzog das Gesicht. „Es ist doch wirklich erstaunlich, was einem hier vorgesetzt wird“, meinte er und bestätigte damit Charlottes Vermutung bezüglich der Qualität des Essens.
„Schön, dass Sie Ihren Humor wiedergefunden haben“, bemerkte Charlotte und stellte das Tablett zur Seite.
„Wir haben mit der alten Dame gesprochen, die Sie gefunden hat.“
„Ja, ich bin ja so froh, dass sie mit ihrem Hündchen vorbeikam. Zu dieser frühen Stunde sind nämlich noch nicht so viele Leute im Reichswald unterwegs. Ich hatte schreckliche Angst, stundenlang so hängen zu müssen.“
„Das kann ich gut verstehen. Können Sie mir noch einmal genau schildern, was passiert ist?“, bat Charlotte. Sie zog einen der Stühle heran und setzte sich.
„Wie gesagt, ich war joggen, wie jeden Tag.“
„Laufen Sie jeden Tag die gleiche Strecke?“
„Ja, da kenne ich mich aus und weiß, wie lange es dauert.“
„Ist Ihnen heute oder in den letzten Tagen irgendetwas aufgefallen? Haben Sie jemanden bemerkt, verdächtige Geräusche gehört?“
Isidor Hafensteiner überlegte kurz.
„Nein, es war alles wie immer. Ich bin beim Laufen meist in Gedanken versunken, überlege, was ich den Tag über alles tun will, und was am vergangenen Tag so los war. Ich

beobachte nicht, was um mich herum passiert“, setzte er entschuldigend hinzu.
„Was geschah dann?“
„Plötzlich kam ein Mann von hinten und hielt mir einen Lappen an die Nase, der mit einer scharfen Flüssigkeit getränkt war. Irgendein Betäubungsmittel schätze ich. Daraufhin habe ich das Bewusstsein verloren. Als ich wieder zu mir kam, hing ich schon am Baum und hatte entsetzliche Schmerzen.“
„Haben Sie jemanden bemerkt, als Sie wach wurden?“
„Nein, ich war alleine und habe um Hilfe gerufen, bis die freundliche alte Dame kam und die Polizei verständigte.“
„Wie lange hat das ungefähr gedauert?“
„Schwer zu sagen. Es kam mir vor wie eine Ewigkeit. Wahrscheinlich war es nicht länger als eine halbe Stunde – die längste halbe Stunde meines Lebens.“
Langsam trank er einen Schluck Wasser aus seinem Glas.
Er wirkte erschöpft.
„Haben Sie eine Idee, wer Ihnen das angetan haben könnte?“
Traurig schüttelte er den Kopf.
„Ich war schon immer ein rechtschaffener Mensch, habe fleißig gearbeitet und mir meinen Ruhestand redlich verdient.“
„Kennen Sie Kerstin Tietze?“
Er blickte sie fragend an.
„Das ist doch die Frau, die am Wochenende tot in der Südstadt gefunden wurde?“
„Kannten Sie sich?“, wiederholte Charlotte.
„Warum ist das wichtig? Nein, ich kannte sie nicht persönlich. Was soll diese Frage?“
„Es tut mir sehr leid, aber ich kann Ihnen leider nichts darüber sagen. Ist Ihnen ein Herr Kai Siebert bekannt?“
„Wer soll das sein? Ist er der Täter? Nun reden Sie schon. Ich habe ein Recht darauf, das zu erfahren!“
„Bitte, Herr Hafensteiner, es ist wichtig für die Ermittlungen, dass Sie mir sagen, ob Ihnen der Name

bekannt vorkommt. Vertrauen Sie mir."
Charlotte befürchtete, keine Informationen aus dem aufgebrachten Mann mehr herauszubekommen, doch es schien, als habe sie den richtigen Ton gefunden.
„Nein, ich habe den Namen noch nie gehört. Frau Kommissarin, da treibt ein Wahnsinniger im Reichswald sein Unwesen, der sich über x-beliebige Leute hermacht und sie quält."
Charlotte suchte nach den richtigen Worten.
„Bitte verstehen Sie mich nicht falsch, aber in den allermeisten Fällen sucht sich der Täter das Opfer gezielt aus, will sich vielleicht für etwas rächen."
Der alte Mann blickte die Polizistin empört an.
„Was wollen Sie damit sagen? Wofür sollte sich jemand an mir rächen wollen?"
„Das weiß ich nicht, es muss ja auch nicht so gewesen sein. Es ist nur eines von mehreren möglichen Motiven."
„Was wäre ein anderes?", fragte Hafensteiner kurz angebunden.
„Wir gehen davon aus, der Täter hat Sie über längere Zeit beobachtet, Ihre Gewohnheiten, die Zeiten und die Wegstrecke, die Sie jeden Morgen nehmen", erklärte Charlotte geduldig. „Dann hat er Ihnen gezielt aufgelauert. Die Tat muss von langer Hand geplant gewesen sein. Das macht niemand aus einer fixen Idee heraus. Sie wurden mit Äther betäubt, einer Substanz, die man nicht an jeder Ecke kaufen kann. Der Täter war vermutlich gut vorbereitet, hat sich gezielt Sie als Opfer ausgesucht, die passende Zeit und den passenden Ort ausgewählt. Er muss gewusst haben, dass zu dieser Zeit üblicherweise keine anderen Leute dort unterwegs sind. Er kennt Sie, Herr Hafensteiner."
Der alte Mann sah erschüttert auf. „Sie meinen, er könnte es noch einmal versuchen?"
„Ich weiß es nicht. Wir sind erst am Anfang der Ermittlungen", erklärte Charlotte vorsichtig. „Deshalb muss ich Sie auch dringend bitten, nichts von den Ereignissen an

die Presse weiterzugeben. Es ist sehr wichtig, dass die Öffentlichkeit nicht beunruhigt wird."
Herr Hafensteiner nickte schwach, ließ sich erschöpft in seine Kissen sinken und schloss müde die Augen.
„Eine letzte Frage noch. Wir haben eine Nachricht bei Ihnen gefunden, in der von einem *Meister Franz* die Rede ist. Können Sie sich vorstellen, wer damit gemeint ist?"
„Ich kenne keinen Meister Franz."
Die Stimme des Mannes war jetzt kaum noch zu verstehen.
„Gute Besserung Herr Hafensteiner", wünschte Charlotte und verließ nachdenklich das Krankenzimmer.

# 15

Es wurde langsam dunkel. Feuchtkalte Luft kroch durch die Ritzen des Autos, die Heizung lief auf Hochtouren, dabei war es gerade einmal 16.15 Uhr.
Mit Bedauern dachte Charlotte daran, dass der Winter noch nicht einmal begonnen hatte. Sie ließ sich zwar vom Novembergrau nicht ganz die Stimmung vermiesen, konnte aber nicht leugnen, dass ihr die Aussicht darauf, erst frühestens in vier Monaten wieder auf ihrem Balkon frühstücken zu können, doch gelegentlich aufs Gemüt schlug. Die Tatsache, dass in Nürnberg jemand unterwegs war, der alte Männer an Bäumen aufzog, trug nicht gerade zur Aufhellung ihrer Stimmung bei.
Sie seufzte. Bisher hatte sie es jedes Jahr geschafft, diese Zeit ohne massive Depressionen zu überstehen. Es würde ihr auch diesmal gelingen, davon war sie überzeugt.
Ein Blick auf den Beifahrersitz zeigte ihr, dass die Ermittlungen und das trübe Wetter auch bei ihrem Umläufer Spuren hinterlassen hatte. Er hing mit geschlossenen Augen in seinem Sitz und war augenscheinlich eingeschlafen.
Anfang der Woche hatte sie noch innerlich gestöhnt, bei einer Mordermittlung einen jungen, unerfahrenen Kollegen dabei zu haben, der ihr aller Voraussicht nach keine Hilfe sein, sondern im Gegenteil sogar noch eine zusätzliche Belastung für Sie bedeuten würde.
Überraschenderweise genoss sie mittlerweile die Zusammenarbeit mit ihm, war froh, ihn statt ihres ewig nörgelnden Chefs an ihrer Seite zu haben. Es war doch immer wieder gut, sich offen auf Neuerungen einzulassen und sie nicht gleich zu blockieren.
Inzwischen hatten sie das Präsidium erreicht. Charlotte

parkte den Wagen in der Tiefgarage. Sie war müde, voll von Eindrücken, Ergebnissen, Aussagen. Es war an der Zeit, alle Daten zu ordnen, zu sortieren, die Relevanten von den Unwichtigen zu trennen, erste Bilanz zu ziehen.
Auf der anderen Seite brauchte sie dringend Informationen zum Mittelalter und zu *Meister Franz.* Und sie brauchte Bewegung an der frischen Luft. Vielleicht ließe sich beides bei einem Spaziergang zur Wöhrder Wiese verbinden. Tim würde sich bestimmt überreden lassen.
Torsten Klein war fest eingeschlafen. Sein Kopf war nach hinten gekippt, aus einem Mundwinkel tropfte Spucke und hatte bereits einen kleinen feuchten Fleck auf seiner Schulter hinterlassen.
Er schnarchte leise.
Charlotte schmunzelte. Wäre sie 15 Jahre jünger gewesen, hätte sie womöglich ein Foto von dieser friedlichen, aber dennoch für den Betroffenen reichlich peinlichen Szene gemacht, um es im geeigneten Moment im Freundeskreis herumzuzeigen.
Sie war aber nun mal Anfang 30 und aktuell die Vorgesetzte des Schlafenden. Abgesehen davon hatte sie nicht einmal eine Kamera, geschweige denn ein Handy, das in der Lage gewesen wäre, Fotos zu schießen.
Glück gehabt, Herr Klein!
Sie rüttelte ihn vorsichtig. „Aufwachen, Feierabend“, säuselte sie.
Ruckartig schnellte er hoch.
„Was, wo bin ich?“, stammelte er schlaftrunken.
„Wir sind im Präsidium. Sie können nach Hause gehen. Wir machen Schluss für heute“, verkündete Charlotte lächelnd.
Torsten Klein fuhr sich verschämt über den Mund, nachdem er realisiert hatte, dass er eingeschlafen war.
„Tut mir leid“, stotterte er, aber Charlotte klopfte ihm auf die Schulter.
„Ich hätte auch gerne ein kleines Nickerchen gemacht, das hätte mir sicher gut getan!“

Er streckte sich, gähnte noch einmal ausgiebig und schälte sich aus dem Auto.
„Was ist mit Ihrem Freund und den Infos über das Mittelalter?“
„Das lasse ich mir bei einem kleinen Spaziergang erzählen. Ich berichte Ihnen morgen davon. Einen schönen Feierabend.“
„Danke, Ihnen auch.“
Torsten Klein schulterte seinen Rucksack und machte sich auf den Weg zum Ausgang.
„Herr Klein!“, rief ihm Charlotte noch hinterher.
„Ja?“
„Sie machen Ihre Sache richtig gut! Ich bin sicher, Sie werden ein guter Ermittler!“
Torsten Klein wurde dunkelrot vor Verlegenheit.
„Danke. Und Sie sind eine gute Chefin!“
Jetzt war es Charlotte, deren Gesicht eine leichte Röte überzog.
„Bis morgen!“

Tim Brettschneider saß bereits mit einer Tasse Kaffee in Charlottes Büro.
„Hallo, Schatz“, begrüßte sie ihn. „Bitte entschuldige, wir mussten noch eine Befragung im Südklinikum durchführen. Wartest du schon lange?“
„Lange genug, um mir einen Kaffee zu holen und den Schultag gedanklich hinter mir zu lassen, also genau fünf Minuten.“
Das war eine der Eigenschaften, die Charlotte an ihrem Freund so liebte. Er war einfach unkompliziert, optimistisch, fröhlich, zuverlässig, engagiert und niemals nachtragend. Bei so vielen positiven Eigenschaften fiel es leicht, darüber hinwegzusehen, dass er nicht sonderlich ordentlich war, manchmal etwas unstrukturiert und verträumt.
Charlotte und er waren seit über drei Jahren zusammen und hatten bisher (fast) jede Minute genossen. Sie ergänzten sich

sehr gut, hatten genügend Gemeinsamkeiten und trotzdem einige unterschiedliche Interessen.
Zu den Gemeinsamkeiten zählte die Begeisterung für ausgedehnte Spaziergänge bei jedem Wetter. In diesen Stunden konnten sich die beiden am besten austauschen. Ohne Ablenkung von außen, ohne die täglichen Pflichten, einfach nur zu zweit. Sie schmiedeten dabei Pläne für die Zukunft, besprachen die kommenden Tage, die Probleme im Beruf. Sie konnten sich hundertprozentig darauf verlassen, dass nichts von dem, was sie dem anderen erzählten, nach außen getragen wurde.

Der Wind fegte durch die Fußgängerzone. Alle Leute, die in Nürnbergs Einkaufsmeile unterwegs waren, versuchten so schnell wie möglich das nächste gut beheizte Geschäft zu erreichen.
Tim und Charlotte schlenderten unbeeindruckt von den Urgewalten der Natur vom Präsidium am Jakobsplatz aus durch die Breite Gasse bis zur Lorenzkirche und weiter bis zur Insel Schütt. Ohne darüber gesprochen zu haben, war beiden klar, dass sie die Wöhrder Wiese ansteuerten, die riesige Wiese zwischen Altstadt und Wöhrder See. Hier konnte man kilometerweit laufen, ohne eine Straße überqueren zu müssen, immer entlang der Pegnitz.
Sie erreichten die neue Mensa und nahmen die Brücke über den friedlich dahin strömenden Fluss bis zum sogenannten Kasemattentor, einem von zwei Toren, durch die im Mittelalter Fußgänger auch nach Schließung der großen Stadttore in die Stadt gelangen konnten.
Charlotte mochte diesen kleinen Tunnel unter der Stadtmauer mit seinen groben Sandsteinen und den dichten Spinnweben um die milchigen Lampen, die das Gewölbe in ein fahles Licht tauchten. Hier, unterhalb der breiten Ringstraße, führte ein schöner Rad- und Fußweg bis hinüber zur Großen Wiese, links und rechts gesäumt von mächtigen, uralten Bäumen.

Unter der Brücke hatte sich ein Obdachloser häuslich eingerichtet. Charlotte wusste, dass die Stellen unter der Brücke oft und gerne von Obdachlosen bewohnt wurden, hatte aber bisher noch nie genau darauf geachtet. Sie blieb stehen und entdeckte eine Liege mit verschiedenen Decken und Schlafsäcken, eine Bank mit bunten Kissen, einen wackeligen Campingtisch und ein notdürftig zusammengezimmertes Regal mit zwei Kochplatten. Alles sah irgendwie ordentlich aus, mit viel Liebe eingerichtet.
Es sah aus wie ein Zuhause.
Ein Stück Heimat ohne schützende Wände und wärmenden Ofen, ohne flauschigen Teppich und modernen Fernseher, ohne Fußbodenheizung und Wasserbett.
Charlotte ertappte sich dabei, wie sie mit offenem Mund glotzte, sich vorstellte, wie es sein müsste, hierher heim zu kommen, Sommer, wie Winter. Eine Gänsehaut lief ihr den Rücken hinab.
„Na, wollt ihr mich mal besuchen?", riss sie plötzlich eine kratzige Stimme aus ihren Gedanken. „Ich könnte euch ein paar Kekse anbieten."
Ein Mann in einem zerschlissenen Mantel und einer löchrigen Pelzkappe auf dem Kopf stand hinter ihnen. Er lachte und zeigte einige Zahnlücken in seinem Gebiss.
„Wohnen Sie hier?" Tim fasste sich als Erster. Auch er hatte das Ensemble fassungslos betrachtet.
„Kann man sagen. Klein und kalt, aber fein", antwortete der Mann, der Charlotte irgendwie bekannt vorkam. Er stellte seine Plastiktüten ab und kramte eine zerknautschte Packung Kekse hervor.
„Setzt euch! Ich würde mich freuen, wenn ihr mir eine Viertelstunde eurer kostbaren Zeit schenken würdet."
Er machte eine einladende Geste, räumte schnell das Tischchen leer und setzte sich auf einen der Campingstühle.
Tim und Charlotte sahen sich kurz an.
„So ein großzügiges Angebot können wir kaum ausschlagen", grinste Tim und nahm auf der Bank Platz, froh

um das Kissen, das die Kälte noch einige Minuten abhalten würde.
„Ich bin Tim und das ist Charlotte“, stellte er sich vor, unsicher, was er mit dem Mann reden sollte.
„Ich heiße Willi. Hier, nehmt euch Kekse. Ihr habt Glück, es gibt nicht oft solche Köstlichkeiten in diesem Hause.“
Charlotte griff in die Tüte. Plötzlich fiel ihr ein, wo sie den Mann schon einmal gesehen hatte.
„Waren Sie nicht vor ein paar Tagen bei Bratwurst-Gerti am Hauptmarkt?“, fragte sie Willi, der lauthals loslachte.
„Du bist gut, Mädchen“, japste er. „Ich bin jeden Tag bei der Gerti. Sie ist ein so großartiger Mensch, gibt mir ab und zu ein Brötchen. Manchmal darf ich auch bei ihr duschen oder mal eine Maschine Wäsche waschen. Da staunt ihr, was? Auch der Willi wäscht sich mal!“
„Wohnen Sie schon lange hier?“
„Lange genug, um zu wissen, wie es ist, jede Nacht in der Öffentlichkeit zu verbringen, wie es sich anfühlt, begafft zu werden, wie es ist, wenn Leute der Meinung sind, dass alles, was hier herumliegt, mitgenommen werden kann. Glaub mir, Kleine, lange genug.“
Er holte eine Flasche Bier aus seiner Tüte, öffnete sie und nahm einen kräftigen Schluck.
Nach einem beachtlichen Rülpser wischte er sich mit dem Ärmel über den Mund. „Sorry, dass ich euch kein Bier anbieten kann, aber ich brauche selbst alles.“
Tim erhob sich. Er fror.
„Danke für die Kekse. Ich muss mich bewegen, mir ist kalt. Ich fürchte, ich bin noch nicht so abgehärtet, wie Sie.“
„Das kann ich gut verstehen. Ich würde auch gehen, wenn ich wüsste, wohin. Danke, dass ihr geblieben seid.“
„Auf Wiedersehen, Willi“, sagte Charlotte herzlich und bemühte sich, das Mitleid aus ihrer Stimme herauszuhalten.
„Vielleicht sehen wir uns wieder einmal bei der Gerti?“
„Sicher! Macht es gut, ihr beiden.“
Tim und Charlotte gingen zitternd weiter Richtung Wöhrder

Wiese. Willi winkte ihnen kurz nach und begann anschließend pfeifend seine *Wohnung* in Ordnung zu bringen.

„Irgendwie bedrückend“, meinte Charlotte nach einigen Minuten.
„Es wirkt so, als habe er sich mit seinem Schicksal arrangiert“, antwortete Tim nachdenklich.
„Meinst du, man kann sich wirklich mit solch einem Schicksal arrangieren?“
„Keine Ahnung.“
Sie liefen schnell, um wieder warm zu werden. Als Charlotte langsam wieder Leben in ihren Füßen spürte, brachte sie das Thema zur Sprache, das sie eigentlich mit Tim besprechen wollte.
„Kennst du einen Meister Franz?“
„In welchem Zusammenhang?“, fragte Tim erstaunt und Charlotte erzählte ihm von den Zetteln, die sie bei beiden Opfern gefunden hatten.
„Vielleicht handelt es sich um Franz Schmidt?“, vermutete er.
„Wer soll das sein? Du sagst das so, als müsste ich den Herrn kennen?“
Tim legte seiner Freundin liebevoll den Arm um die Schultern. „Als eingefleischte Nürnbergerin könntest du den Herrn eigentlich schon kennen.“
„Jetzt mach es doch nicht so spannend“, gab Charlotte ungeduldig zurück.
„Franz Schmidt war hier in Nürnberg von 1577 bis 1617 Henker, auch als Scharfrichter oder Nachrichter bezeichnet. Er war der Sohn eines Bamberger Henkers und wurde im Alter von 21 Jahren zu einer Exekution nach Nürnberg geholt, weil der damalige Nürnberger Henker schon recht altersschwach war. Franz hatte den Kopf des Verurteilten mit einem so perfekten Hieb abgetrennt, dass ihn die Stadt Nürnberg nicht mehr gehen ließ und ihm bald einen

lebenslangen Arbeitsvertrag anbot."
„Warum dann Meister Franz?", fragte Charlotte und kramte Wissensfragmente aus den Tiefen ihres Gehirns hervor, von denen sie nicht mehr gewusst hatte, dass sie dort schlummerten. „War es nicht so, dass die Henker unehrlich waren und kein ehrliches Gewerbe lernen und damit auch keinen Meistertitel erwerben durften?"
„Respekt! Hast du im Heimat- und Sachkunde-Unterricht doch aufgepasst?"
Charlotte verpasste ihm einen liebevollen Stoß in die Seite.
„Du bist doof, jetzt sag schon!"
„Du hast vollkommen recht. Henker war kein ehrlicher Beruf, also gab es auch keinen offiziellen Meistertitel, aber bei Meister Franz war das anders. Er galt als Meister seines Faches, schlug die Köpfe immer mit dem ersten Schlag ab und setzte sich erstaunlicherweise auch oft für die Delinquenten ein."
„Inwiefern?", fragte Charlotte interessiert.
„Er war oft derjenige, der beim Rat der Stadt um Gnade gebeten hatte."
„Wurden die Leute dann freigelassen?"
„Nein, so weit ging die Gnade wohl nicht. Franz richtete am liebsten mit dem Schwert. Andere Hinrichtungsarten, wie beispielsweise Ertränken oder Rädern waren ihm oft zu grausam. Außerdem war das Wasser der Pegnitz damals auch nicht tiefer als jetzt und das Ertränken für Henker und Opfer eine Tortur. Die Verurteilten, meist Frauen, mussten von ihm so lange mit einer Stange unter Wasser gedrückt werden, bis..."
„Es reicht", rief Charlotte und schüttelte sich. „Ich kann es mir vorstellen."
„Tatsächlich hatte sich Meister Franz im Laufe der Jahre so viel Respekt verschafft, dass seinen Anträgen immer häufiger stattgegeben wurde. Am Ende seiner Amtszeit hat er nur noch mit dem Schwert gerichtet."
„Gruselig!"

„Ja, das Mittelalter war kein Kindergeburtstag. Viele verklären heutzutage die Zeit vor 500 Jahren. Ich bin heilfroh, heute leben zu dürfen."
„Ich auch, das kannst du mir glauben", stimmte Charlotte aus tiefstem Herzen zu. „War der Henker eigentlich auch für die Folter zuständig? Ich denke an unseren Mann im Baum."
„Der Henker hat gefoltert, Körperstrafen durchgeführt und hingerichtet."
Tim sah Charlotte ernst an.
„Ich denke, ihr habt es mit einem Mann zu tun, der sich als Nachfolger des Henkers Franz Schmidt sieht. Vermutlich war der Mann im Baum nicht das letzte Opfer."

# 16

Friedhelm Eck setzte sich auf die rustikale Bank im Gasthaus zum grünen Frosch. Die letzte Gruppe, das Team einer Zahnarztpraxis, war vor wenigen Minuten gegangen. Die Leute waren zufrieden, das Programm hatte ihnen gefallen.
Ein großer, schlanker Mann um die 20 betrat den Raum und setzte sich zu Eck an den Tisch, an dem bereits Kai Siebert und Alex Andrejewski, der Student, der den Gefolterten in der Daumenschraube spielte, Platz genommen hatten.
„Hallo, Max", begrüßte ihn Alex und klopfte ihm freundschaftlich auf die Schulter. „Setz dich zu mir!"
Die beiden kannten sich aus der Uni und arbeiteten seit Anfang des Jahres als Schauspieler im Lochgefängnis. Eck zahlte gut, die Arbeitszeiten waren akzeptabel, und der zeitliche Aufwand hielt sich in Grenzen. Dieser Job war allemal besser als bis tief in die Nacht hinein grölende Kneipengäste mit hochprozentigen Getränken zu versorgen.
Alex musste innerlich zugeben, dass ihm die ganze Szenerie irgendwie gefiel – das Entsetzten der Leute, wenn sie ihn schreiend in der Daumenschraube sahen, der Respekt vor der imposanten Erscheinung des Henkers, die Abscheu vor den Zuständen im *Loch*, wie das Gefängnis früher auch genannt wurde. All diese Gerüche, Geräusche, die Begrifflichkeiten, das perfekt inszenierte Eintauchen in ein düsteres Kapitel unserer Vergangenheit übte eine eigenartige, morbide Faszination auf ihn aus. Sicher war dies auch der ausschlaggebende Grund gewesen, diesen Job anzunehmen. Schließlich war es nicht jedermanns Sache, sein Geld mit Jammern, Schreien und Wehklagen zu verdienen.
Alex war überrascht, den Chef persönlich in der Runde

anzutreffen. Üblicherweise fand die wöchentliche Besprechung nur im Kreise der Schauspieler statt. Es wurden die Dienste eingeteilt, besprochen, welche Gruppen in der nächsten Woche welche Module gebucht hatten, und wer was zu spielen hatte.

Es gab neben der Szene mit der Daumenschraube noch eine Vielzahl anderer Foltersituationen, die im Mittelalter üblicherweise durchgeführt wurden, um Geständnisse zu erzwingen. Neben dem Daumen konnten beim sogenannten *clemmen* auch Fußknöchel und Wadenmuskeln auf das Heftigste zusammengepresst werden. Um die Tortur noch zu steigern wurden zusätzlich Holzkeile zwischen Bein und Schraube getrieben. Bei der Feuertortur wurde dem Delinquenten eine brennende Kerze unter die Achselhöhle gehalten, eine Methode, die einfach und außerordentlich wirksam war.

Trotz seiner Faszination für das Thema war es für Alex oft beängstigend, mit welcher Leidenschaft die Kunden die grausamsten Szenerien für eine Veranstaltung auswählten, die in den meisten Fällen ein lockerer, entspannter Betriebsausflug werden sollte. Er hatte immer häufiger den Eindruck, dass die Teilnehmer die ganze Aktion alles andere als entspannend und interessant empfanden. Viele von ihnen waren hinterher regelrecht verstört und durcheinander.

Ein Teil in ihm konnte auch die Leute der Bürgerinitiative verstehen, für die es geschmacklos und makaber war, mit solchen Themen Geld zu machen.

Seit diese nervige, resolute, energische Dame nicht mehr an der Spitze der Demonstranten stand, war nicht mehr viel passiert. Es waren natürlich tragische Umstände, die dazu geführt hatten. Alex hätte der Frau sicher nicht gleich einen gewaltsamen Tod gewünscht, aber die Tatsache, dass sie nun nicht mehr nach jeder Veranstaltung den Gästen auflauerte, entspannte die Arbeit des Teams enorm. Es hatte schon immer viel Energie gekostet, sich all der Kritik, dem Hohn und Spott auszusetzen, wenn man nach einer anstrengenden

Aktion nach Hause gehen wollte und ständig von diesen erbosten Leuten aufgehalten wurde.
Er hatte sich diese Angebote immerhin nicht selbst ausgedacht, er arbeitete einfach nur hier und besserte sein BAföG etwas auf.
Musste er sich dafür rechtfertigen?
Sicher nicht!
Die Trauer über den Tod der Frau hatte sich bei allen anderen aus dem Team ebenfalls in Grenzen gehalten. Im Grunde genommen war es eine Erleichterung für alle. „Alex!", rief Kai Siebert mit seiner donnernden Stimme. „Träumst du?"
„Was gibt es denn?", stotterte der junge Mann verlegen.
„Friedhelm will uns ein neues Element für unser Projekt vorstellen", rief Siebert ungehalten. „Konzentriere dich gefälligst, dafür wirst du bezahlt!"
Es war Alex zwar neu, dass die Wochenbesprechungen auch vergütet wurden, er war aber klug genug, diesen Gedanken nicht zu äußern und stattdessen eine interessierte Miene aufzusetzen.
„Unsere Aktionen laufen bestens", referierte Eck. „Unsere Kunden sind sehr zufrieden, empfehlen uns weiter und vereinbaren nicht selten gleich nach der Veranstaltung den nächsten Termin. Besser könnte es nicht sein."
Er blickte sich stolz um und genoss die bewundernden, wohlwollenden Blicke seiner Mitarbeiter.
„Das ist nicht zuletzt euer Verdienst."
Alex warf seinem Freund Max einen vielsagenden Blick zu. Wenn der Chef mit Lobeshymnen daherkam, führte er etwas im Schilde. Die beiden jungen Männer waren gespannt, was der überschäumenden Phantasie Friedhelm Ecks wieder entsprungen sein mochte.
„In den vergangenen Monaten habe ich festgestellt, dass die Kunden mit wachsender Begeisterung die Aktionen in der Folterkammer buchen."
Das war natürlich auch den Schauspielern nicht entgangen.

Kaum ein Kunde begnügte sich lediglich mit einer nüchternen Führung durch das Lochgefängnis mit anschließender Henkersmahlzeit. Sie verlangten immer grausamere Inszenierungen, mehr Quälerei und Schmerzen.
„Ich habe darüber nachgedacht, wie wir die Nachfrage an weiteren mittelalterlichen“, er lächelte süffisant, „Spezialitäten bedienen können.“
Alex überlegte, welche Foltermethoden sie noch darstellen sollten, war es doch so schon aufwändig genug, die bereits angebotenen Szenen lebensecht und trotzdem ungefährlich für ihn und seinen Kollegen durchzuführen.
„Wir werden die Folterkammer verlassen und einen Richtplatz einführen, ein Hochgericht!“, ließ Eck die Katze aus dem Sack.
Alex und Max blieb der Mund offen stehen.
„Wie bitte?“, hakte Alex verständnislos nach.
„Ja, liebe Kollegen, wir werden in Zukunft auch Hinrichtungen in unser Programm aufnehmen“, verkündete Eck mit unverhohlener Begeisterung.
„Aber wo soll das Ganze dann stattfinden?“ Alex konnte immer noch nicht fassen, was er da gehört hatte.
„Ich bin in Verhandlung mit den Besitzern des Augustinerhof-Areals. Ihr kennt doch den neuen Parkplatz neben dem Hauptmarkt, der vor kurzem fertiggestellt wurde? Wir könnten aller Voraussicht nach einen Teil des Geländes aufkaufen und dort ein Hochgericht bauen. Dann könnten wir genauso, wie es damals üblich war, die zum Tode Verurteilten in einem öffentlichen Schmähzug ein Stück durch die Stadt jagen und dann ganz professionell von Kai hinrichten lassen. Was haltet Ihr davon?“
Friedhelm Eck blickte triumphierend in die Runde und erwartete allen Ernstes Begeisterung.
Doch die blieb aus.
„Sie meinen im Ernst, wir sollen auch noch die Gehenkten spielen?“ Alex fehlten beinahe die Worte. „Uns in aller Öffentlichkeit aufknüpfen oder einen lebensecht

modellierten Kopf in die tobende Menge kullern lassen? Wollen Sie, dass wir uns in einem feuerfesten Anzug auf den Scheiterhaufen stellen oder uns strampelnd mit unsichtbarem Sauerstoffgerät in der Pegnitz ertränken lassen?"
Die freudige Erwartung war aus Ecks Gesicht gewichen. „Gibt es daran etwas auszusetzen?"
„Ihr müsst euch keine Sorgen um eure Gesundheit machen", übernahm nun Kai Siebert das Wort. „Wir werden euch mit der besten Technik ausstatten, die es gibt."
„Ach ja, es gibt wohl bereits einen Fachhandel für den täglichen Hinrichtungsbedarf, was?", bemerkte Alex zynisch, während ihn Max am Ärmel zupfte.
„Lass das, Alex", mahnte er leise.
Friedhelm Eck musterte den jungen Mann skeptisch.
„Hast du etwa Probleme damit?", wunderte er sich. „Ich dachte immer, es macht dir Spaß den Gequälten zu spielen, das Entsetzen der Leute zu beobachten. Warum stellst du dich jetzt so an? Strebst du nicht eine vielversprechende Schauspielkarriere an? Da wirst du noch ganz andere Rollen spielen müssen, als den armen Teufel, der für den Diebstahl eines Schweines hingerichtet wird."
„Das mit den Folterungen unten im Loch lasse ich mir eingehen, aber eine Hinrichtung in aller Öffentlichkeit vorzuspielen, geht in meinen Augen zu weit!"
Er war inzwischen aufgesprungen und funkelte Eck wütend an.
Kai Sieberts stahlharter Griff packte ihn an der Schulter und drückte ihn wieder zurück auf die Bank.
„Du wirst das tun, wofür du bezahlt wirst, Kleiner, ist das klar? Du weißt, dass dieser Job besser bezahlt ist, als alle anderen dämlichen Studentenjobs, die angeboten werden. Und ich weiß zufällig, wie klamm es mit deinen Finanzen steht. Du wirst es dir nicht leisten können, nein zu sagen."
„Was soll das, Siebert?" Alex hatte nicht vor, sich einschüchtern zu lassen. „Ich werde immer noch selbst darüber entscheiden, womit ich mein Geld verdienen will,

und ich glaube nicht, dass ich mich kaufen lasse!“
Kai Siebert drückte Alex` Oberarm zu, dass es schmerzte.
„Du wirst den Verurteilten spielen, das schwöre ich dir!“
Alex ertrug den Schmerz und starrte hasserfüllt in Sieberts stechend blaue Augen.
„Und wenn nicht?“
„Dann wirst du sehen, was passiert“, presste Siebert hervor.
„Du drohst mir?“ Alex befreite sich aus dem Griff ohne den Blick zu senken.
Die Atmosphäre im Raum war zum Schneiden.
Es knisterte regelrecht vor Spannung.
„Hast du Kerstin Tietze auch gedroht, bevor du zugeschlagen hast?“
„Du kleine Ratte!“, brüllte Kai Siebert und stürzte auf Alex zu, doch Friedhelm Eck hielt ihn zurück.
„Kai! Hör auf damit! Gib ihm etwas Zeit!“
Alex schnappte seinen Rucksack und stürmte zur Tür, die in diesem Moment geöffnet wurde.

„Guten Tag, die Herren. Wir kennen uns ja bereits. Mein Name ist Gerlach von der Kripo Nürnberg“, begrüßte sie eine junge Frau in Jeans und Daunenjacke. „Wollten Sie eben gehen?“, fragte sie an Alex gewandt.
„Ja, unsere Besprechung ist gerade zu Ende“, antwortete Alex mit unterdrücktem Zorn.
Charlotte spürte die angespannte Atmosphäre im Raum und beschloss, die Stimmung nicht eskalieren zu lassen. „Wenn Sie jetzt keine Zeit für ein weiteres klärendes Gespräch haben, würde ich mich freuen, mich heute Nachmittag gegen 16.00 Uhr im Präsidium mit Ihnen zu unterhalten.“
Sie überreichte ihm ihre Karte. „Hier finden Sie die Adresse. Bis später.“
Damit schloss sie die Tür hinter ihm und wandte sich den anderen Männern im Raum zu.
„Ich darf mich doch kurz zu Ihnen setzen?“, fragte sie mit einem Lächeln und nahm ebenfalls auf der Bank Platz.

„Worum ging es denn in Ihrem Disput?“
Sie hatte sich bereits nach dem Mord an Kerstin Tietze mit allen Anwesenden, mit Ausnahme von Friedhelm Eck, unterhalten, ihre Alibis überprüft, mögliche Motive abgefragt. Jeder war so verdächtig oder unverdächtig, wie der andere, keiner hatte ein wirklich wasserdichtes Alibi vorzuweisen, jeder profitierte von Tietzes Tod.
„Das tut nichts zur Sache“, antwortete Eck überaus freundlich. „Die jungen Leute sind oft so ungestüm.“
„Mich würde ehrlich gesagt der Grund für dieses, wie Sie es nennen, ungestüme Verhalten brennend interessieren.“
Charlotte stand der aufgesetzten Freundlichkeit des Gastronomen in Nichts nach. Mit diesen Leuten musste man in der Sprache reden, die sie verstanden.
„Wir haben die Abläufe unserer Projekte besprochen und Personaleinteilungen vorgenommen.“ Eck schob der Kommissarin ein Glas und eine Flasche Wasser über den Tisch. „Darf ich Ihnen ein Glas Wasser anbieten?“
„Danke, sehr aufmerksam“, flötete Charlotte und goss sich einen Schluck ein.
Dieses Taktieren, Beobachten, Agieren und Reagieren erinnerte sie an zwei Cowboys im Wilden Westen, die sich gegenüberstehen und darauf warten, dass der andere eine falsche Bewegung macht oder einen Augenblick lang unaufmerksam ist. In ihrem Fall würde zwar keiner eine Kugel in den Bauch bekommen, aber doch vielleicht einiges an Respekt verlieren.
„Kennt jemand von Ihnen einen Herrn Isidor Hafensteiner?“, fragte sie harmlos in die Runde.
„Wer soll das sein?“, hakte Kai Siebert nach. Er wirkte so, als sei er einerseits froh, nicht direkt im Visier der Polizistin zu stehen, andererseits fühlte er sich offensichtlich auch zu wenig beachtet.
„Kennen Sie ihn?“ Charlotte ignorierte die Frage und ließ ihm die Aufmerksamkeit zukommen, die er verlangte.
„In welchem Zusammenhang sollte ich diesen Mann

kennen?“ Kai Siebert wurde langsam ungeduldig. Was wollte diese Kommissarin schon wieder von ihm. Er war in seinem Leben schon so oft mit dem Arm des Gesetzes in Berührung gekommen, dass ihm jeder noch so kleine Kontakt zuwider war.
„Antworten Sie doch einfach auf meine Frage, Herr Siebert.“
„Nein, ich kenne keinen Herrn Hafelstein“, blaffte Siebert energischer zurück, als nötig.
„Hafensteiner“, verbesserte Charlotte ruhig. „Der Herr heißt Hafensteiner.“
„Deswegen kenne ich ihn trotzdem nicht. Können wir jetzt weitermachen?“
Sie stöhnte innerlich. Es war natürlich besonders schwierig, aus dem Verhalten eines Schauspielers irgendetwas heraus lesen zu wollen. Konnten sich schon Normalsterbliche oft sehr gut verstellen, so war es einem Schauspieler sicher möglich, der Polizei alles vorzuspielen was er wollte.
In diesem Fall vermittelte Kai Siebert zweifelsfrei den Eindruck, den Namen Hafensteiner noch nie gehört zu haben.
„Wie sieht es bei Ihnen aus, Herr Eck? Herr Michalski?“, versuchte Charlotte auch bei den anderen beiden ihr Glück, doch sie erntete nur Kopfschütteln.
Zugegebenermaßen hatte sie auch nichts anderes erwartet. Sie wollte sich schlichtweg wieder ins Gedächtnis der Herren rufen, die im Grunde genommen noch ihre Hauptverdächtigen waren.
„Und wie sieht es mit Franz Schmidt aus? Ist Ihnen der Name ein Begriff?“
„Warum stehlen Sie uns unsere Zeit mit diesen unsinnigen Fragen, Frau Gerlach?“, rief Friedhelm Eck erbost. „Blättern Sie doch mal im Telefonbuch, da finden Sie sicherlich genug Herren dieses Namens!“
„Ich denke nicht, dass ich diesen Franz Schmidt im Telefonbuch finde.“ Charlotte ließ sich nicht aus der Ruhe

bringen und beobachtete genau die Reaktionen der drei Männer.
„Ist das hier ein lustiges Rätsel?“, warf Kai Siebert ein.
„Sie können mir sicher die Lösung verraten?“
„Franz Schmidt war im ausgehenden Mittelalter 40 Jahre lang Henker in Nürnberg“, ließ sich nun erstmals die ungewöhnlich hohe Stimme von Max Michalski vernehmen. Schnell senkte er den hochroten Kopf, als der die Blicke der anderen beiden auf sich spürte.
„Gut! Ich nehme an, Sie kennen den Mann auch?“
Charlotte lächelte Eck und Siebert offen an, die ihrerseits genervt die Augen rollten.
„Worauf wollen Sie hinaus? Was sollen diese Fragen? Was wollen Sie von uns?“, stieß Siebert hervor.
Schlagartig wurde Charlotte ernst und erhob sich.
„Wir haben seit gestern ein zweites Opfer und gehen davon aus, dass es sich um denselben Täter handelt. Sie sind unsere Hauptverdächtigen, Sie haben nur Vorteile von Kerstin Tietzes Tod. Das werden mit Sicherheit nicht die letzten Fragen gewesen sein, die ich Ihnen gestellt habe, meine Herren. Herr Siebert, ich erwarte Sie morgen früh um 9.00 Uhr im Präsidium. Sie kommen bitte gegen 10.00 Uhr, Herr Michalski. Auf Wiedersehen!“

Mit erhöhtem Puls verließ Charlotte das Gasthaus zum Grünen Frosch und stürmte in die Rathaushalle. Diese Herrschaften waren so von sich eingenommen, bildeten sich ein, sie wären immun gegen die Ermittlungen der Polizei. Was den Mord an Tietze anging, waren sie alle verdächtig, doch wie passte Isidor Hafensteiner ins Bild? Kannten sie ihn wirklich nicht, oder spielten sie ihr etwas vor? Es wäre natürlich reichlich überraschend gewesen, hätte sich einer der Herren gemeldet und behauptet, er hätte besagtem Mann aufgelauert, ihn betäubt und anschließend mit einem Stein am Fuß an einem Baum im Reichswald aufgezogen.
Das hatte sie auch nicht erwartet.

Sie wollte die Männer nervös machen, Fehler provozieren, die Dynamik nutzen, die entstand, wenn mehrere Verdächtige zusammen befragt wurden. Morgen würde sie sie einzeln ins Gebet nehmen. Allerdings wusste sie noch nicht, wie sie mit Friedhelm Eck umgehen sollte. Sie würde es nicht vermeiden können, noch einmal mit ihrem Chef darüber zu sprechen.

In der Eingangshalle des Rathauses waren wieder mehrere Dutzend Leute mit Handzetteln und Plakaten versammelt. Auch Anton Brugger hatte sich der Gruppe angeschlossen. Noch etwas unsicher und schüchtern trug er ein Schild mit der Aufschrift

KEINE GASTRONOMIE IM LOCHGEFÄNGNIS!!

Als Charlotte vor einer halben Stunde das Gebäude betreten hatte, war sie zunächst verwundert gewesen, dass trotz des Todes der Sprecherin noch so viele Anhänger der Bürgerinitiative aktiv waren. Andererseits war es auch verständlich, hatte das fürchterliche Ereignis doch besondere Kräfte in der Gruppe mobilisiert.
Charlotte hatte Torsten Klein gebeten, sich in der Gruppe umzuhören, während sie selbst mit den Veranstaltern reden wollte.
„Frau Kommissarin!“, kreischte eine grauhaarige Dame in buntem Mantel und kam schwungvoll auf sie zu.
„Wann unternimmt die Polizei endlich etwas gegen diese geschmacklosen, grausigen und makabren Veranstaltungen? Warum sehen Sie tatenlos dabei zu?“
„Sie wissen doch, dass Herr Eck seine Angebote rechtlich abgesichert hat und wir daher keinerlei Handhabe gegen ihn haben, Frau Tischner. Das habe ich Ihnen doch bereits vor ein paar Tagen erklärt“, gab Charlotte zurück, bemüht, sich ihre Erschöpfung nicht anmerken zu lassen. Diese Frau kostete sie beinahe mehr Energie, als die drei Männer im

Henkerstübchen zusammen. Diese aufdringliche, penetrante und zum Teil freche Art strapazierte Charlottes Geduld bis zum Äußersten.
Wolfrun Tischner hatte die unangenehme Angewohnheit, im Gespräch immer näher zu kommen, manchmal so nah, dass man ihren widerlichen knoblauchgeschwängerten Atem riechen und das eine oder andere Spucketröpfchen im Gesicht spüren konnte.
Ekelhaft!
Charlotte wich langsam zurück, sah sich aus den Augenwinkeln nach einer Fluchtmöglichkeit um.
„Diese Großkopferten mit ihren teuren Anwälten in noch teureren Designeranzügen sollen sich nicht so aufblasen!", echauffierte sich die Dame. Ihr faltiges Gesicht bebte, ihre dunklen Augen blitzten zornig und um ihren leicht geschminkten Mund lag ein feiner Spuckefilm. Unter ihrem sicherlich selbstgefilzten Mantel aus reiner Bio-Schafwolle trug sie ein enges Kleid aus dem Eine-Welt-Laden, das, um die kostbaren Naturfasern nicht zu zerstören, offenbar noch niemals gewaschen wurde, wie der von ihm ausgehende strenge, säuerliche Geruch vermuten ließ.
So sehr sich Charlotte auch bemühte, sie schaffte es nicht ganz, ihre Vorurteile gegenüber dieser Person außen vor zu lassen. Wer schon Wolfrun hieß und solche Kleidung trug, ernährte sich bestimmt ausschließlich von pflanzlichen Bioprodukten aus kontrolliert ökologischem Anbau. Bereits zum Frühstück stand womöglich ein klebriger Frischkornbrei mit getrockneten, ungeschwefelten Aprikosen auf dem Tisch, zusammen mit einem Brennnessel-Hafergrastee. Aller Wahrscheinlichkeit nach hat noch nie ein tierisches Produkt, sei es Fleisch, Eier oder Milch, den Weg in diesen privilegierten Magen gefunden. Ob sich Wolfrun Tischner herabließ, allein die entsprechenden Worte in den Mund zu nehmen, war mehr als fraglich.
Genug spekuliert, Charlotte musste sich wieder um

Sachlichkeit bemühen.
So wie es aussah, hatte nun Frau Tischner die Aufgabe Tietzes in der Bürgerinitiative übernommen. Sie war unübersehbar die Wortführerin.
Da kam Charlotte ein Verdacht. Womöglich gehörte auch sie zu den Leuten, die Vorteile aus Tietzes Tod zogen.
Wollte sie nicht schon immer die Frontfrau des Projektes sein?
War sie etwa von Kerstin Tietze ausgebremst worden?
Hatte sie die lästige Konkurrentin beseitigt?
„Die Presse ist auch auf unserer Seite!“, fuhr Tischner unbeeindruckt fort. „Man kann so ein entsetzliches Angebot in unserer Stadt unmöglich dulden. Womit müssen wir denn als nächstes rechnen? Baut dieser menschenverachtende Eck bald noch einen Hinrichtungsplatz oder einen Scheiterhaufen?“
Charlotte wand sich mit einiger Mühe aus dem verbalen Klammergriff der überengagierten Aktivistin.
Auch wenn sie vielleicht privat ganz die Meinung Tischners vertrat, war sie doch als Polizistin hier, die sich streng an Gesetz und Ordnung zu halten hatte.
„Ich würde mich gerne noch einmal mit Ihnen unterhalten“, sagte sie, um die Frau zum Schweigen zu bringen. „Bitte kommen Sie doch in den nächsten Tagen noch einmal im Präsidium vorbei. Vielen Dank.“
In diesem Moment erschien Kai Sieberts beeindruckende Gestalt auf der Treppe. Er hatte sich seine Henkerskleidung angelegt, baute sich breitbeinig auf und brüllte mit dröhnender Stimme hinunter in die Menge:
„Verschwindet endlich! Ihr habt keine Chance! Wir werden uns diese Aktionen nicht länger gefallen lassen! Und jetzt raus!!“
„Hören Sie auf mit Ihrem albernen Henkersgehabe! Sie machen uns keine Angst!“
Wolfrun Tischners Stimme überschlug sich. Sie hatte sich an die Spitze der Gruppe gestellt und funkelte Siebert wütend

an.
„Wir sind keine kleinen Kinder, die Sie mit diesem lächerlichen Kostüm beeindrucken können! Wir werden noch sehen, wer hier den Kürzeren zieht!!"
Siebert lachte höhnisch und verschwand wieder die Treppe hinauf.
Charlotte hatte die Szene ungläubig beobachtet. Wenn sie ehrlich war, hatte ihr Sieberts Auftritt im ersten Moment eine Gänsehaut über den Rücken gejagt. Sie hatte ihn bisher noch nie in seiner Verkleidung gesehen und musste zugeben, dass er in ihren Augen den perfekten Henker darstellte.
Wolfrun Tischner war augenscheinlich unbeeindruckt von Sieberts Erscheinung, im Gegenteil. Sie feuerte ihre Mitstreiter noch an.
„Wir lassen uns nicht einschüchtern!!", kreischte sie heiser. „Wir machen weiter!! Eck muss weg!! Eck muss weg!!"

Charlotte gab Torsten Klein ein Zeichen und verschwand durch die schmale Ausgangstür nach draußen.
„Himmel, ist die anstrengend", entfuhr es ihr, als sie sicher sein konnte, dass sie kein Teilnehmer der Demonstration mehr hören konnte. „Das ist ja kaum auszuhalten."
„Wem sagen Sie das", stimmte ihr Torsten Klein aus tiefstem Herzen zu. Er wirkte etwas blass und müde.
„Das nächste Mal nehme ich es lieber mit allen Gastronomen dieser Welt auf, bevor ich mich noch einmal in die Fänge dieser Person begebe."
Charlotte lachte. „Abgemacht! Aber jetzt lassen wir mal alle Verdächtigen Verdächtige sein und essen eine oder zwei Bratwurstsemmeln, was halten Sie davon? Ich denke, in diesem sündigen Fleischtempel sind wir vor der Extrem-Veganerin sicher."

Die Sonne spitzte mit ein paar müden Strahlen durch den Novemberhimmel und beleuchtete den Hauptmarkt, auf dem bereits Heerscharen von Menschen mit dem Aufbau der

Buden für den Christkindlesmarkt beschäftigt waren, der in einer Woche beginnen würde. Dann würde es nicht mehr so einfach sein, sich bis zu Gertis Bratwürsten vorzukämpfen, dann müsste man sich erst an Tausenden von Besuchern aus der ganzen Welt vorbeiarbeiten, die mit ihren dampfenden Glühweinbechern und prall gefüllten Lebkuchentüten sämtliche Zugangswege blockieren würden.
Auch heute schlichen unzählige Touristen um die Absperrungen, in der Hoffnung, schon das eine oder andere Souvenir zu ergattern.
Zwischen all den Amerikanern und Japanern, den Stadtführern mit ihren Gruppen und Familien mit Kinderwagen entdeckte Charlotte auch wieder einen alten Bekannten: Willi, der Obdachlose von der Wöhrder Wiese saß auf den Stufen am Schönen Brunnen und biss herzhaft in sein Bratwurstbrötchen.
„Na, ist die Polizei hungrig vom Verbrecherjagen?“, rief Gerti bestens gelaunt hinter dem Tresen hervor.
„Wie immer, Gerti“, gab Charlotte zurück und war jetzt schon froh, sich und Torsten Klein diese Pause verordnet zu haben.
Als sie wenig später genüsslich in das knusprige Brötchen mit den kross gebratenen Würstchen biss, war die Welt für einen Augenblick wieder in Ordnung.
Doch dann hörte sie immer lauter werdende Rufe. Schlagartig war es vorbei mit dem Frieden.
„Eck muss weg!! Eck muss weg!!“, tönte es vielstimmig. Eine regelrechte Prozession von Leuten mit Schildern und Transparenten zog schreiend vom Rathaus in Richtung Hauptmarkt.
Besonders eine Stimme hob sich aus der Menge heraus. „Das ist ein Witz – die Polizei macht nix!!“, schrie Wolfrun Tischner, und alle anderen antworteten mit dem rhythmischen „Eck muss weg!!“
Bratwurst-Gerti schielte über den Rand ihrer fettverspritzten Brille hinweg.

„Eigentlich müsste man endlich was gegen diese grässliche Person unternehmen“, brummelte sie. „Das ist ja Nerv tötend!“
„Kennst du sie?“, presste Charlotte zwischen zwei Bissen hervor.
„Mittlerweile kennt sie jeder hier! Ist ja nicht zu überhören. Ich denke, sie ist froh, endlich unangefochtener Platzhirsch zu sein, jetzt, wo die bedauernswerte Kerstin ein so grausames Ende hatte nehmen müssen.“
Gerti schüttelte missbilligend den Kopf und wandte sich wieder ihren Würsten zu. Gekonnt packte sie gefühlte zwanzig Stück gleichzeitig auf ihre riesige Grillzange und drehte sie um. Es zischte laut, als das Fett auf die glühend heiße Holzkohle tropfte und Gerti nahezu vollständig in eine ansehnliche Qualmwolke hüllte. Augenblicklich breitete sich jener verlockende Duft aus, der so typisch für Nürnberg war und jedem Passanten in einem Umkreis von 50 Metern das Wasser im Munde zusammenlaufen ließ.
Charlotte riss die Augen auf.
„Du kanntest Frau Tietze?“, fragte sie vorsichtig. Gerti hatte immer wieder interessante Informationen, war allerdings nie bereit, ihre Aussagen im Präsidium ordnungsgemäß zu Protokoll zu geben. Nach etlichen vergeblichen Versuchen, hatten es Charlotte und ihre Kollegen aufgegeben. Trotzdem freuten sie sich über jede Art von Gerücht, Beobachtung oder Vermutung, denn Gerti entging so schnell nichts.
„Was glaubst du denn, Kindchen? Sie war fast jeden Tag bei mir, genauso, wie diese anstrengende, schrille Person, die sich hier jeden Tag zum Affen macht. Offensichtlich hat sie nichts Besseres zu tun!“
Gerti warf einen abschätzenden Blick auf Wolfrun Tischner, die mit ihren Gesinnungsgenossen besorgniserregend nah an Gertis Fenster herangekommen war.
„Wie meinst du das mit dem Platzhirsch?“
„Ich nehme an, du hast dieses Weib auch schon kennengelernt? Sie nimmt kein Blatt vor den Mund, posaunt

alles heraus, was Gott und die Welt nicht die Bohne interessiert."
„Zum Beispiel?"
„Sie hat hier oft genug erzählt, dass sie ja alles besser machen würde mit diesem Verein. Sie würde endlich zum Ziel kommen, würde den Druck auf Eck verstärken, andere Saiten aufziehen, die Politik in die Pflicht nehmen und all so einen Kram. Kerstin war ihr zu lasch, zu brav."
„Glaubst du, sie könnte mit Tietzes Tod etwas zu tun haben?", raunte Charlotte hinter vorgehaltener Hand, doch Gerti blieb ihr eine Antwort schuldig.
„Was darf es denn sein?", rief sie stattdessen laut in die Menge, die sich inzwischen vor ihrem Fenster gebildet hatte.
Charlotte verschluckte sich beinahe am letzten Rest ihres Brötchens, als Frau Tischner ans Fenster trat und laut und deutlich *dreimal drei* bestellte, was nichts anderes bedeutete, als drei Brötchen mit jeweils drei Würstchen.
Torsten Klein musste sich das Lachen verbeißen, während Charlotte meinte, vom Glauben abfallen zu müssen, als sie mit offenem Mund beobachtete, wie Wolfrun Tischner in rekordverdächtiger Geschwindigkeit drei Brötchen und neun Würstchen in ihrem vermeintlich veganen Magen verschwinden ließ.
„Sind diese Würstchen nicht ein Traum?", schwärmte Tischner begeistert. Sie wischte sich mit einer Serviette die Fetttröpfchen vom Kinn. „Ich komme hierher, so oft ich kann. Sie auch? Ist es Ihnen recht, wenn ich am Montag zu Ihnen komme? Am Wochenende bin ich ziemlich beschäftigt! Auf Wiedersehen, Frau Kommissarin!"

„Herr Klein", murmelte Charlotte, als sie auf dem Weg zurück ins Präsidium waren, „ich fürchte, wir haben eine weitere Person auf unserer Liste der Verdächtigen."

# 17

Kai Siebert erwachte langsam.
Er hatte rasende Schmerzen.
Sein Rücken schien in Flammen zu stehen.
Was war passiert? Er konnte sich nicht erinnern, wusste nicht, wo er war, spürte nur eine unendliche Qual an seinem Rücken.
Er versuchte, die Augen zu öffnen, doch die Lider waren schwer wie Blei.
Irgendetwas bohrte sich mörderisch in seine Handgelenke, schien sie regelrecht durchtrennen zu wollen.
Er verlor wieder für einige Minuten das Bewusstsein, erwachte erneut.
Es war kalt und trotzdem hatte er das Gefühl zu brennen.
Er konnte sich nicht bewegen, war gefesselt, sein Gesicht an einen Baumstamm gepresst.
Diesmal gelang es ihm, die Augen zu öffnen.
Als erstes sah er seinen Hund. Er lag neben ihm auf dem weichen Waldboden.
War er tot?
Nein, der Bauch des Tieres hob und senkte sich. Er schlief.
Aber warum war sein Hund eingeschlafen?
Und was war mit ihm selbst passiert?
Kai Siebert realisierte nur langsam, in welcher Situation er sich befand.
Er kniete mit nacktem Oberkörper zwischen dicken Wurzeln, den Bauch an den Baum gelehnt, mit den Armen den Stamm umfassend, die Hände mit Kabelbinder aneinander gefesselt.
Mühsam versuchte er, sich umzusehen, doch die höllischen Schmerzen am Rücken und im Kopf ließen ihn wieder

zurücksacken. Jeder Befreiungsversuch war zwecklos.
Jemand hatte ihn an einen Baum gefesselt und...
Was war nur mit ihm geschehen? Sein Rücken brannte, wie Feuer, so, als habe man ihn,... er konnte es nicht fassen,... als habe ihn jemand ausgepeitscht!
Glühende Verzweiflung kroch in ihm hoch.
Panik.
Nackte Angst.
Er versuchte zu schreien, doch jeder Laut blieb ihm in der Kehle stecken.
Bleib ruhig, mahnte er sich selbst. Denk nach! Wie konntest du in eine solche Lage geraten?
Er zitterte, konnte vor Kälte kaum denken.
Wie lange kniete er schon da?
Er war am frühen Morgen mit seinem Hund in den Wald gegangen, wie immer.
Dann war da diese Gestalt, die hinter einem Baum hervorgesprungen war und ihm einen stinkenden Lappen vor das Gesicht gepresst hatte.
Man hatte ihn betäubt.
An den Baum gefesselt.
Ausgepeitscht.

Charlotte sah auf die Uhr. 9.15 Uhr. Seit einer Viertelstunde wartete sie auf Kai Siebert.
Irgendwie wunderte es sie kein bisschen, dass der Mann auf sich warten ließ. Vermutlich würde er gar nicht kommen, bildete sich ein, mit der Polizei spielen zu können, hielt sich für den mächtigen Herrscher über Recht und Gesetz.
Vielleicht hatte er sich bereits so mit seiner Rolle identifiziert, dass es ihm schwer fiel zu realisieren, dass man inzwischen das Jahr 2009 und nicht mehr 1609 schrieb.
Ein reichlich unangenehmer Zeitgenosse!
Am vergangenen Nachmittag war verabredungsgemäß Alex Andrejewski aufgetaucht. Er hatte berichtet, welche Ideen Friedhelm Eck in Kürze umsetzen wollte. Hatte vom

geplanten Hochgericht auf dem Areal des Augustinerhofes erzählt und davon, wie er sich dagegen ausgesprochen hatte. Es war wirklich unfassbar!
Wie krank musste ein Hirn sein, das in der Lage war, solche makabre Ideen zu produzieren?
Der Streit um das Gelände des ehemaligen Augustinerklosters hatte in den vergangenen Jahrzehnten die Gemüter in der Bevölkerung erregt. Ähnlich, wie bei Ecks Lochgefängnis-Projekt, gab es auch damals immer wieder massive Proteste gegen die Neubebauung des zentral gelegenen Areals. Investoren wollten einen modernen Büro- und Gewerbekomplex errichten, deren Realisierung letztendlich am Protest der Bevölkerung scheiterte.
Und jetzt sollte die Stadt die Genehmigung für die Errichtung eines imaginären Richtplatzes erteilen? Das war in Charlottes Augen vollkommen unvorstellbar.
Der Student hatte ausgesagt, unter den gegebenen Umständen nicht mehr für Eck und Siebert arbeiten zu wollen und zugegeben, Angst vor Sanktionen zu haben.
Nach Sieberts Auftritt in der Rathaushalle konnte Charlotte den jungen Mann sehr gut verstehen.
„Wann kommt denn Ihr Henker endlich?“, fragte Hauptkommissar Peter mit einem ironischen Unterton. „Hat sich die heutige Hinrichtung etwas in die Länge gezogen, was?“ Er lachte über seinen eigenen Scherz, während Charlotte seinen Humor in diesem Zusammenhang ziemlich daneben fand.
Sie hatte ihren Chef auf den neuesten Stand der Ermittlungen gebracht und ihn gebeten, bei der Befragung Sieberts dabei zu sein. Ohne ihr Licht unter den Scheffel stellen zu wollen, war sie realistisch genug, um den Moment zu erkennen, wann es sinnvoll war, einen Kollegen einzuschalten. Sie war eine junge Polizistin Anfang dreißig. Viele Verdächtige oder Zeugen nahmen sie oft nicht ernst genug, was sie zwar wurmte, aber nicht aus der Fassung brachte. Es ging bei einer Mordermittlung nun mal nicht um

persönliche Befindlichkeiten, sondern darum, den effektivsten und effizientesten Weg zu finden, den Fall zu lösen.
Außerdem sah sie es nicht ein, dass es sich ihr Chef im Büro gemütlich machte und anschließend die Lorbeeren einkassierte. Er sollte ruhig auch mal etwas dafür tun!
Das konnte er aber heute Morgen leider nicht, weil Kai Siebert noch immer nicht da war. Auch telefonisch war er nicht erreichbar.
„Sagen Sie mir Bescheid, wenn er kommt“, meinte Peter mit einem überheblichen Grinsen und zog sich wieder in sein Büro zurück.
Noch bevor sich Charlotte über ihn ärgern konnte, klingelte ihr Telefon.
Sie nahm das Gespräch an und erbleichte.
„Herr Peter!“, rief sie ihrem Chef hinterher. „Kai Siebert wurde gefunden!“

„Was ist passiert?“, fragte Kommissar Peter, als sie auf dem Weg in die Südstadt waren.
„Es ist ein Notruf eingegangen. Ein Mann hat behauptet, Kai Siebert sei in einem Waldstück am Alten Kanal an einen Baum gefesselt und warte auf Hilfe“, berichtete Charlotte.
„Wer war der Anrufer?“
„Er hat seinen Namen nicht genannt und mit verstellter Stimme gesprochen.“
„Konnte schon festgestellt werden, von welchem Apparat aus der Anruf abgesetzt wurde?“
„Es war auf jeden Fall ein Handy. Die Kollegen sind gerade dabei herauszubekommen, auf wen der Anschluss zugelassen ist.“
„Es hört sich so an, als sei Siebert noch am Leben?“
„Das werden wir gleich sehen.“
Sie hatten die Gartenstadt erreicht und stellten den Wagen ab. Da die Ortsangabe des anonymen Anrufers sehr vage war, hatte Kommissar Peter die Hundestaffel angefordert.

Zwei Beamte mit Schäferhunden machten sich bereits auf den Weg.
Wenige Meter vom Parkplatz entfernt erreichten die Beamten das Ufer des Alten Kanals, der offiziell Ludwig-Main-Donau Kanal hieß.
Charlotte liebte diesen Ort, fuhr oft mit dem Fahrrad hierher oder unternahm gemeinsam mit Tim lange Spaziergänge. Oft hatte sie davon geträumt, hier zu wohnen, in einem der schnuckeligen Häuser, deren Gärten direkt an die mächtigen alten Bäume entlang des schmalen Wasserlaufs grenzten. Manchmal setzte sie sich auch einfach nur auf eine Bank, beobachtete die Enten im Wasser und bewunderte die üppig blühenden Seerosen.
Heute gab es weder Enten noch Seerosen.
Heute war offensichtlich das Verbrechen in die Idylle des Alten Kanals eingedrungen.
Die Beamten folgten den Hunden und durchkämmten das Gebiet weitläufig.
Nichts.
Hatte sie der anonyme Anrufer an der Nase herumgeführt? Sich mit der Polizei einen üblen Scherz erlaubt?
Ein lauter Klingelton ertönte.
„Was gibt es?“, keuchte Charlotte in ihr Handy, nachdem sie es umständlich aus den Tiefen ihrer Daunenjacke gekramt hatte.
Irritiert steckte sie kurz darauf den Apparat wieder ein.
„Die Kollegen haben herausgefunden, auf wen der Vertrag des Handys läuft, mit dem der Notruf abgesetzt wurde.“
„Und?“ Kommissar Peter blieb so abrupt stehen, dass ihn Torsten Klein von hinten anrempelte.
„Passen Sie doch auf, Sie Trampel!“, keifte Peter, während sich der Praktikant vielmals entschuldigte. Wäre es andersherum gewesen und Torsten Klein wäre plötzlich stehengeblieben, hätte er auch dafür eine Abfuhr kassiert, da war sich Charlotte ganz sicher.
„Verraten Sie uns heute noch, was der Kollege gesagt hat?“,

grantelte Peter.
„Der Vertrag läuft auf Kai Sieberts Namen“, meinte Charlotte kühl. Irgendwie bereute sie es jetzt schon, Kommissar Peter mit ins Boot geholt zu haben. Dieser Mann war ein echter Miesmacher, einer, der immer Haare in der Suppe fand. Und wenn nicht, dann warf er schnell welche hinein, Hauptsache es gab etwas zu meckern und zu lamentieren.
„Wie kann das sein?“, überlegte Peter verblüfft. Für einen Moment vergaß er ganz herumzukritisieren. „War der Anrufer Siebert selbst?“
„Das werden wir vermutlich bald wissen“, rief Charlotte und rannte unvermittelt los. „Die Hunde haben etwas gefunden!“
Der Anblick, der sich ihnen bot, war skurril und extrem grausam. Ein Mann mit tiefen, blutigen Striemen am Rücken kniete auf dem Boden und hatte seine Arme fest um einen Baumstamm geschlungen. Die Kabelbinder, mit denen die Hände aneinander gefesselt waren, hatten bereits blutige Einschnitte in den Handgelenken hinterlassen. Sein Kopf war zur Seite gekippt. Er schien ohnmächtig zu sein.
„Er lebt. Ein Notarzt ist bereits unterwegs, die Kollegen von der Spurensicherung auch“, informierte sie einer der Hundeführer.
„Danke“, war alles, was Kommissar Peter mit trockenem Mund herausbrachte. Er zog sein Handy aus der Tasche, fotografierte die Szenerie schnell von allen Seiten, klappte anschließend sein Taschenmesser auf und schnitt die Fesseln durch. Torsten Klein fing den leblosen Körper auf und ließ ihn vorsichtig bäuchlings auf die Wärmefolie gleiten, die Charlotte geistesgegenwärtig ausgebreitet hatte. Sie hatte es sich angewöhnt, immer ein Erste-Hilfe-Paket in ihrem Rucksack dabeizuhaben. Es hatte ihr schon oft gute Dienste geleistet.
Mit einer zweiten Folie deckte sie den Mann behutsam zu.
„Es ist Kai Siebert“, bestätigte Charlotte nach einem Blick in das kalte Gesicht mit den blaugefrorenen, aufgesprungenen

Lippen.
Langsam begann sich Kai Siebert zu bewegen. Er zitterte am ganzen Körper. Seine Zähne klapperten aufeinander. Er wimmerte vor Schmerzen.
„Wir sind hier, Herr Siebert“, sprach Charlotte mit ruhiger Stimme beruhigend auf den Mann ein, der neben all den körperlichen Schmerzen auch einen gewaltigen Schock erlitten haben musste.
„Es ist alles in Ordnung. Der Arzt kommt jeden Moment, dann werden Sie ins Krankenhaus gebracht.“
„Passt doch auf, dass ihr hier nicht alle Spuren zertrampelt, ihr Anfänger!“
Spätestens jetzt war klar, dass Markus Metz mit seiner Spurensicherung eingetroffen war. Auch der Krankenwagen und der Notarzt waren da.
Kai Siebert wurde auf die Krankentrage gehoben, was angesichts seiner Größe und seines Gewichtes kein Zuckerschlecken war.
„Hier liegt ein Hund!“, rief Markus Metz und sah sich das Tier genauer an. „Es sieht so aus, als sei er auch betäubt worden.“
„Betäubt?“, fragte Kommissar Peter nach und machte Anstalten, näher zu kommen, doch Markus Metz brüllte aus Leibeskräften.
„Nein!! Bleiben Sie, wo Sie sind! Machen Sie nicht noch mehr kaputt!“
Peter blieb wie angewurzelt stehen.
„Was heißt auch betäubt?“, fragte er stattdessen kleinlaut.
Metz hielt einen Beutel mit einem orangefarbenen Stück Stoff in die Höhe.
„Äther! Wie bei eurem letzten Opfer, den sie im Reichswald an einem Baum aufgezogen haben.“ Er grinste erfreut. „Nur dass wir diesmal den getränkten Lappen haben. Will jemand mal eine kurze Auszeit?“ Er fuchtelte mit dem Beutel in der Luft herum.
„Lassen Sie das, Metz. Machen Sie lieber mit Ihrer Arbeit

weiter!“ Kommissar Peter schüttelte missbilligend den Kopf. Er konnte diese Art von Scherzen nicht ausstehen, so wie er die meisten anderen Arten von Humor auch nicht mochte.
„Ist ja gut!“, Markus Metz spielte kurz den Beleidigten, hielt aber wenige Minuten später wieder eine kleine Plastiktüte hoch. „Hier ist ein Handy! Ich vermute, es gehört dem Opfer!“
Peter ignorierte sämtliche Warnungen des Erkennungsdienstlers und stürzte auf den Beutel mit dem Handy zu. Er drückte einige Knöpfe und sah Charlotte verwirrt an.
„Mit diesem Gerät wurde vor 45 Minuten der Notruf abgesetzt.“
„Dann kann Siebert unmöglich der Anrufer gewesen sein“, vermutete Charlotte mit einem Seitenblick auf den Rettungswagen. „Aber wer war es dann?“
„Ein Spaziergänger?“, Kommissar Peter glaubte selbst nicht daran.
Auch in Charlottes Ohren klang diese Variante reichlich unwahrscheinlich.
„Welcher Spaziergänger findet einen blutenden gefesselten Mann, durchsucht ihn nach einem Handy, um damit einen anonymen Notruf abzusetzen?“
„Dann kommt eigentlich nur einer in Frage...“
Torsten Klein schluckte. „Der Täter!“

Charlotte sah ihren Praktikanten ungläubig an.
„Wie entsetzlich ist das denn? Der Täter lauert dem Opfer auf, betäubt es mit Äther, zieht es aus, zerrt es zum Baum, fesselt es und peitscht es aus. Anschließend ruft er mit dem Handy des Opfers die Polizei. Warum?“
„Er wollte wohl verhindern, dass das Opfer an seinen Verletzungen stirbt“, spekulierte Torsten Klein.
„Ich kann es nicht glauben“, stöhnte Charlotte. „Noch vor einer Stunde war ich der Meinung, Siebert könnte unser Täter sein, könnte Kerstin Tietze tödlich verletzt und Herrn

Hafensteiner an einen Baum gehängt haben. Jetzt liegt er selbst schwer verletzt im Notarztwagen."
„Wie passt er zu den beiden ersten Opfern? Haben Sie inzwischen einen Zusammenhang zwischen Tietze und Hafensteiner gefunden?"
Kommissar Peter wirkte nervös und angespannt. Die Presse wollte endlich Ergebnisse, der Polizeichef machte Druck und seine Mitarbeiter tappten noch völlig im Dunkeln.
„Siebert hatte gestern eine Auseinandersetzung mit der neuen Sprecherin der Bürgerinitiative. Er hat ihr gedroht, falls sie ihre Aktivitäten nicht einstellen würde. Auch einer der beiden Studenten, die als Schauspieler im Lochgefängnis arbeiten, war gar nicht gut auf ihn zu sprechen."
„Worum ging es da?"
„Friedhelm Eck plant offenbar, in Kürze auch öffentliche Hinrichtungen zu inszenieren. Das geht dem Studenten dann auch zu weit."
„Sehen Sie hier ein mögliches Motiv?"
Charlotte zuckte mit den Schultern.
„Meiner Meinung nach müssen wir nach jemandem suchen, der mit allen drei Opfern eine Rechnung offen hatte. Es sieht nicht so aus, als sei einer der drei zufällig ausgewählt worden. Frau Tischner könnte sich an Siebert gerächt und Tietze als Konkurrentin beseitigt haben, aber was ist mit unserem Bäckermeister. Den will niemand gekannt haben."
„Ich halte es für reichlich unwahrscheinlich, dass eine Frau die Täterin ist", gab Klein zu bedenken. „Siebert ist ein wuchtiger Mann, den man nicht ohne weiteres an einen Baum fesseln kann. Auch um einen kleineren, leichteren Mann, wie Isidor Hafensteiner an einem Ast aufzuziehen, braucht man Kraft."
„Frau Kommissarin!", rief der Notarzt aus dem Rettungswagen. „Herr Siebert möchte Sie sprechen!"
Charlotte kletterte in den Wagen und setzte sich neben Kai Sieberts zitternde Gestalt.
„Wie geht es Ihnen?", fragte sie leise.

„Der Arzt hat mit etwas gegen die Schmerzen gegeben“, hauchte der Mann schwach.
Von der respekteinflößenden Gestalt, die gestern auf der Treppe in der Rathaushalle gestanden und mit donnernder Stimme die Demonstranten eingeschüchtert hatte, war nichts mehr übrig. Vor ihr lag ein blasser Mann mit eingefallenem Gesicht und strähnigem Haar. Er sah mitleiderregend und schwach aus, nahezu zerbrechlich.
Ob der Täter das erreichen wollte?
Wollte er Sieberts Macht brechen?
Ihn schwach und verletzlich sehen? Hilflos und klein?
Charlotte blickte sich unwillkürlich um. Womöglich war hier irgendwo eine Kamera installiert, die das ganze Geschehen direkt in die Wohnung des Täters übertrug?
Saß er bereits mit triumphierendem Lächeln siegesgewiss vor einem Bildschirm und weidete sich an seinem Erfolg? Vielleicht bei einem Glas Wein und etwas Knabbergebäck?
Sie schüttelte sich. Manchmal ging die Phantasie mit ihr durch! Und doch ließ ihr der Gedanke keine Ruhe.
„Bitte entschuldigen Sie mich, ich bin in einer Minute wieder zurück“, sagte sie und stieg wieder nach draußen.
„Markus!“, rief sie erneut nach dem Chef der Spurensicherung.
„Bitte überprüft doch, ob irgendwo in den Bäumen eine Kamera hängt. Vielleicht filmt uns der Kerl gerade?“
Ohne eine Antwort abzuwarten, kehrte sie wieder in den Krankenwagen zurück.
„Wer könnte Ihnen so etwas angetan haben?“, fragte sie Kai Siebert, doch dieser verzog nur den Mundwinkel zu einem schiefen Grinsen.
„Sie waren doch gestern auch im Rathaus“, flüsterte er angestrengt. „Diese Leute waren nicht meine Freunde.“
„Herr Siebert, jetzt mal ehrlich. Glauben Sie ernsthaft, eine Frau Tischner lauert Ihnen auf, um Sie zu betäuben und anschließend auszupeitschen?“
Der Verletzte schloss die Augen. „Vielleicht war sie nicht

alleine?“
„Wir werden sicher noch mit ihr sprechen. Fällt Ihnen noch jemand ein?“
Er schüttelte unmerklich den Kopf und war in Begriff einzuschlafen.
„Sollen wir jemanden für Sie benachrichtigen?“, wollte Charlotte noch wissen, doch der Mann hörte sie nicht mehr.
„Wir bringen ihn ins Südklinikum“, meinte der Notarzt und reichte ihr ein Stück Papier. „Das steckte in seinem Hosenbund. Vielleicht ist es wichtig für Sie?“
„Danke“, antwortete sie und sprang aus dem Wagen. Sie streifte sich schnell ein paar Gummihandschuhe über und las nur mäßig überrascht die Aufschrift.

GRÜSSE VOM MEISTER FRANZ

„Markus!“, rief sie nach dem Kollegen. „Hast du noch einen von deinen kleinen Beuteln übrig?“
Markus Metz ließ das Papier in den Beutel gleiten. „Wisst ihr schon, wer dieser Meister Franz sein soll?“
„Ja, wir vermuten, es handelt sich um den Henker Franz Schmidt, der um 1600 in Nürnberg 40 Jahre lang gerichtet hat.“
Markus Metz pfiff durch die Zähne.
„Ein Henker! Das passt ja, wenn man sich diese grausig zugerichteten Leute anschaut. Habt ihr schon einen Verdacht?“
Charlotte verzog frustriert das Gesicht. „Siebert hatte sicherlich nicht nur Freunde. Wir suchen aber jemanden, der auch Isidor Hafensteiner und Kerstin Tietze auf seiner Liste hatte.“
„Vielleicht ergibt ja die genaue Untersuchung des Stofffetzens etwas?“, versuchte Markus Metz seiner Kollegin Mut zu machen. „Der Fetzen ist in Wirklichkeit ein T-Shirt mit dem aufgedruckten Namen irgendeines Vereins.“
„Wirklich? Das wäre ja ein winziger Silberstreif am

Horizont."
Markus Metz zog den Stoff aus dem Beutel und breitete ihn aus. Ein penetranter Geruch nach Äther lag in der Luft.
*Schachclub Johannis* stand in kleinen ausgewaschenen Buchstaben auf der Vorderseite des Shirts. Auf der Rückseite waren fünf große Lettern deutlich zu erkennen:

*ANTON*

# 18

*Na, Meister Franz, bist du stolz auf mich?*
*Auf deinen glühendsten Verehrer?*
*Schade, dass ich dich nicht persönlich kennenlernen durfte, dass 400 lange Jahre zwischen uns liegen. Wie gerne wäre ich bei dir in die Lehre gegangen, hätte mir von dir alles zeigen lassen, was man zur Bestrafung von Lügnern, Verleumdern und Betrügern können und wissen muss. Du hättest mir beigebracht, wie man den Verurteilten Schmerzen zufügt, ihnen ein Geständnis entlockt und sie dem zuführt, was sie verdient haben.*
*Doch du bist schon lange tot.*
*Was mir von dir geblieben ist, ist dein Tagebuch, deine Aufzeichnungen über dein Lebenswerk.*
*Jahrelang habe ich mich damit beschäftigt, dir nachgeeifert, mich informiert, Dinge ausprobiert. Allerdings nur im Geheimen, an verborgenen Orten, in meiner Phantasie.*
*Jetzt endlich habe ich die Gelegenheit, all mein Wissen in die Tat umzusetzen.*
*Ich bebe, mein Körper vibriert vor Aufregung und Vorfreude.*
*Ich bin Meister Franz!*

*Die Peitsche war perfekt!*
*Ich habe damals viel Zeit investiert, sie so nachzubauen, wie sie im Mittelalter benutzt wurde, um Straftäter damit aus der Stadt zu peitschen.*
*Während der Jahre in der Klinik konnte ich mich intensiv mit dem Thema auseinandersetzen, habe unzählige Bücher gewälzt, mich regelrecht hineingefressen in die Strafjustiz des Mittelalters, bis sie mir die Bücher weggenommen*

*haben, versucht haben, mir diese Sicht der Dinge auszutreiben. Doch kein Arzt, kein Therapeut hat es geschafft, mir die Faszination für dieses Thema zu nehmen.*
*Das war noch Gerechtigkeit!*
*Keine ausufernden, teuren Prozesse und am Ende dann eine Bewährungsstrafe. Nein!*
*Anklage – Verurteilung – Auspeitschen und die Gerechtigkeit war wieder hergestellt!*

*Lange lag das gute Stück in meiner Kiste. Wartend, wie auch ich auf die passende Gelegenheit gewartet habe.*
*Endlich konnte ich es benutzen, seiner eigentlichen Bestimmung zuführen. Ich konnte dich allerdings nicht aus der Stadt hinauspeitschen.*
*Du hättest mich erkannt.*
*Ich musste dich an einen Baum fesseln.*
*Ein hartes Stück Arbeit! Du bist schwer, wie ein Felsbrocken, wenn du so leblos bist, so hilflos, so ausgeliefert.*
*Ich hätte alles mit dir machen können.*
*Alles!*
*Ich hätte dich töten können, dich langsam verbluten lassen, wie diese Hexe.*
*Eigentlich muss ich ihr im Nachhinein dankbar sein. Schließlich hat sie mich auf die Idee gebracht, all die Schmach und die Beleidigungen zu rächen, die ihr mir zugefügt habt.*
*All den Hass auszuleben, der seit Jahr und Tag meine Seele vergiftet hat, wie eine zentnerschwere Last auf meinem Herzen lag.*
*Ohne sie würde ich noch immer all die Verletzungen und Demütigungen mit mir herumtragen, sie aushalten, irgendwie damit leben.*
*Jetzt erst spüre ich, wie belastend alles war.*
*Ich habe nichts vergessen und erst recht nichts verziehen. Ich weiß nicht, ob ich hätte verzeihen können, wenn ihr mich*

*darum gebeten hättet, wenn ihr zu Kreuze gekrochen wärt, um Vergebung gebettelt hättet.*
*Vielleicht?*
*Wahrscheinlich!*
*Denn ich bin kein Monster, kein Unmensch, keiner, der sich am Leid eines Unschuldigen weidet, sich selbst daran aufrichtet, seine Macht auszuspielen, die er anderen gegenüber hat.*
*Nein! Das war ich nicht und das bin ich auch jetzt nicht!*
*Denn ihr seid nicht unschuldig!*
*Im Gegenteil!*
*Ihr seid die Monster, die Verbrecher, die Täter!*
*Ihr habt euch euer Leid selbst zuzuschreiben.*
*Tja, Kai, wie du bereits bemerkt haben dürftest, habe ich dich nicht getötet, nicht verbluten lassen.*
*Du sollst noch recht lange mit den Schmerzen leben, mit der Gewissheit, dass keine Ungerechtigkeit ungesühnt bleibt.*
*Du sollst noch lange die Gelegenheit dazu bekommen, über dein Fehlverhalten nachzudenken, in Zukunft alles besser zu machen, ein besserer Mensch zu werden.*
*Ich spüre, wie frei ich mich fühle mit dem Wissen, dass auch ihr gelitten habt, dass ein kleiner Teil eurer Schuld getilgt ist.*
*Danke, Kai!*
*Danke, Isidor!*
*Und vor allem -*
*danke, Kerstin!*
*Am Ende warst du doch noch für etwas gut!*

# 19

Seufzend klappte sie den über 1000 Seiten dicken Schmöker zu, legte ihn zur Seite und nahm die Lesebrille ab.
Es war still.
Außer dem Ticken der antiken Standuhr und dem Knistern des Feuers im offenen Kamin war kein Laut zu hören.
Es rauschte ganz leise in ihren Ohren.
Nachdenklich blickte sie durch die riesige Fensterfront nach draußen in den kahlen Garten.
Die Eindrücke des Romans nahmen noch immer ihre ganze Aufmerksamkeit in Anspruch, Gedanken und Erinnerungsfetzen jagten durch ihren Kopf. Sie spürte förmlich noch den kratzigen Stoff auf ihrer Haut, hatte noch den schalen Geschmack des dünnen Haferbreis auf der Zunge, roch noch den strengen Geruch von ungewaschenen Körpern und den überall herumliegenden Exkrementen.

Das Mittelalter!

Wie gerne würde sie in diese fremde, unbekannte Welt eintauchen, würde als Wollhändlerin auf dem Markt ihre streng nach Schafen riechende Ware anpreisen, Biersuppe zum Frühstück löffeln und mit großen Augen einem Bader zusehen, der virtuos mit fünf, aus alten Lappen zusammengebundenen Bällen jonglierte.
Wie froh war sie andererseits auch, diese Welt von ihrem bequemen Lehnsessel aus betrachten zu können, ein wärmendes, knisterndes Feuer neben sich, die angenehme Fußbodenheizung an den Füßen, eine Kanne dampfenden Tee vor sich.
Sie genoss es, sich nicht im harten Alltag um die Versorgung

einer halbverhungerten, verdreckten Kinderschar kümmern zu müssen, jeden fürchterlichen Tag um das tägliche Brot bangen und im Winter ständig in löchriger, zerschlissener Kleidung frieren zu müssen.
Für sie war es selbstverständlich, dass sie essen konnte, noch bevor sie auch nur den Hauch eines Hungergefühls verspürte, sich bei den ersten kleinen Anzeichen von Frösteln sofort ein wohltuendes, heißes Bad einlassen und andere Leute für sich arbeiten lassen konnte.
Und doch faszinierte sie diese Zeit, die Kraft und Energie, zu der die Leute damals fähig waren, weil sie sonst nicht überlebt hätten.
Manchmal fühlte sie sich elend, verweichlicht, schlaff, unfähig. Sie hatte ihr Leben in die Hände anderer gegeben, ließ sich tragen, hatte verlernt, wie es ist, für sich selbst zu sorgen.
Sie konnte nicht einmal ein Feuer im Kamin in Gang setzen, geschweige denn das Holz dafür aus dem Wald holen, es hacken oder auch nur aus dem Schuppen hereinholen.
Das Gemüse, das andere für sie kochten, hatte sie weder selbst angebaut, noch mit ihren eigenen Händen geerntet, nach Hause getragen oder verarbeitet.
Das einzige, was sie noch selbst konnte war, die Speisen zu essen und sie zu verdauen.
Es war nicht etwa so, dass sie gelähmt war, an den Rollstuhl gefesselt oder bewegungsunfähig, nein!
Sie erfreute sich bester Gesundheit, wäre körperlich sehr wohl in der Lage, sich selbst zu versorgen. Der einzige Grund, warum sie es nicht tat, war Bequemlichkeit!
Sie konnte es sich leisten, nichts zu tun.
War das nicht schön? Schön schrecklich?
Ein Schluchzen durchzuckte sie, wie so oft, wenn sie darüber nachdachte, welches Leben sie führte, in diesem goldenen Käfig, den sie sich selbst gebaut und in den sie sich jeden Morgen aufs Neue reglos hineinsetzte.
Angelika Eck war reich.

Reich und unglücklich.
Aber irgendwie konnte sie nicht aus ihrer Haut, war gefangen von sich selbst, ihren Vorstellungen, Idealen, Träumen.
Oft schon hatte sie den unwiderstehlichen Drang verspürt, auszubrechen, sich von den Fesseln zu befreien, die sie sich selbst auferlegt hatte.
Vielleicht gelang es ihr eines fernen Tages?

Wieder ließ sie ihrer Phantasie freien Lauf.
Ein Dorf, lachende Kinder, glückliche Tiere, Frauen in bodenlangen Röcken, die eine kräftige Suppe in einem schmiedeeisernen Topf zubereiten, starke Männer, die Hufeisen schmieden, oder Felle gerben.
Dann kommt sie, die Baderin!
Alle springen auf, laufen auf sie zu, begrüßen sie fröhlich, rufen ihren Namen: Angelique! Angelique!
Sie bringt Abwechslung in den tristen Alltag der Leute. Alle lieben sie.

Angelika Eck stand auf.
Niemand liebte sie, die kalte Frau an Friedhelm Ecks Seite, am allerwenigsten Friedhelm selbst.
Er verachtete sie wie sie ihn verachtete.
Früher war das anders gewesen. Sie hatten eine leidenschaftliche Beziehung geführt, waren füreinander da gewesen.
Sie hatte wegen ihm und seiner Karriere auf Kinder verzichtet.
Heiße Tränen schossen ihr in die Augen. Sie hätte jetzt Enkelkinder haben können. Süße, brave Kinder, die ihrer lieben Oma begeistert in die Arme sprangen, ihr bunte Bilder mit blühenden Blumenwiesen malten und in krakeliger Kleinkinderschrift *für die beste Oma der Welt* darunter schrieben.
Leuchtende Kinderaugen unter dem Weihnachtsbaum,

lustiges Ostereiersuchen im Garten, spannende Ausflüge in den Tiergarten, endlose Vorlesestunden vor dem abendlichen Kaminfeuer.
Doch nichts dergleichen würde Wirklichkeit werden.
Sie wurde alt.
Alleine.
Verbittert.

Schnell verwandelte sich ihre Traurigkeit in Wut.
Sie hatte alles für ihn getan, war die treibende Kraft seiner Karriere gewesen, hatte ihm stets den Rücken freigehalten.
Es war ihre Idee gewesen, das Gasthaus zum grünen Frosch wiederzueröffnen, ihm wieder Leben einzuhauchen, die Leute spüren zu lassen, wie sich die dunkle Seite des Mittelalters anfühlt.
Sie war diejenige gewesen, die recherchiert hatte, das Konzept entwickelt, die Angebote ausgearbeitet.
Auch die Planungen für die Errichtung des Hochgerichts und die Inszenierung verschiedener Hinrichtungen stammten von ihr.
Sie war der kreative Kopf – und kaum jemand wusste davon.
Immer war es nur Friedhelm, der im Rampenlicht stand, die Lorbeeren einheimste, sich im Glanz der Öffentlichkeit sonnte.
Und sie hielt den Mund, musste nur schön sein und schweigen.
Sie hatte auch geschwiegen, als sie gemerkt hatte, dass Friedhelm sie betrog. Es war ja nicht das erste Mal.
Aber diesmal war es anders. Ernster.
Es schien ihm um mehr zu gehen, als eine reine Bettgeschichte. Diese Frau war gierig, hatte von seinem Leben Besitz ergriffen, begnügte sich nicht damit, ihn heimlich einmal die Woche für zwei Stunden im Hotel zu treffen. Sie drängte sich zwischen sie, wollte Friedhelm für sich alleine. Dabei war sie gut und gerne 20 Jahre jünger, als er. Sie hätte seine Tochter sein können. Die Tochter, die er

nie hatte.
Angelika hätte dieser Blumentante am liebsten die Augen ausgekratzt. Sie hatte panische Angst gehabt, Friedhelm zu verlieren. Er hatte schon von Trennung gesprochen.
Trennung, Scheidung! Alleine diese Begrifflichkeiten trieben ihr den kalten Schweiß auf die Stirn. Ohne Friedhelms Geld war sie verloren, es würde ihr Ende bedeuten.
Seit einer Woche war diese Gefahr gebannt. Kerstin Tietze würde niemandem mehr den Mann wegnehmen.
Nie mehr!
Angelika lächelte, nahm das Buch wieder zur Hand und tauchte erneut ein in die faszinierende Welt des Mittelalters.

# 20

Kriminalhauptkommissarin Charlotte Gerlach saß ratlos an ihrem Schreibtisch, den Kopf auf die Hände gestützt. Vor ihr lagen drei Papiere mit derselben rätselhaften Aufschrift.
Meister Franz, der Henker Franz Schmidt.
Was hatte es mit dem Mann auf sich?
Warum hinterließ der Täter diese Hinweise?
War es ein Hilferuf? Wollte er gefasst werden? Oder wollte er der Polizei nur zeigen, wie bewandert er in der Geschichte Nürnbergs war?
Zwei der drei Taten waren auch in einer möglichen Arbeitsbeschreibung des Henkers zu finden. Was war mit der ersten, der einzigen tödlichen Tat? Es war nicht anzunehmen, dass der Henker auch Menschen mit zerbrochenen Flaschen hingerichtet hatte.
Diese erste Tat passte überhaupt nicht ins Bild.
War sie die Initialzündung für einen Rachefeldzug?
War Kerstin Tietze tatsächlich nur zufällig zum Opfer geworden?
Alles drehte sich um diese Frage: Kannte der Täter die Frau, oder hätte es auch eine beliebige andere treffen können?
Woher wusste er, dass sie genau diesen Weg nehmen würde?
Charlotte kam nicht weiter, brauchte mehr Informationen über Franz Schmidt, über das blutige Henkershandwerk.
Was würde als nächstes kommen?
Charlotte war überzeugt davon, dass Kai Siebert nicht das letzte Opfer war, dass sich der neue *Henker von Nürnberg* nicht mit einem ausgepeitschten Rücken zufrieden geben würde. Welche gruseligen Dinge standen noch in Franz Schmidts Arbeitsbeschreibung? Worauf müssten sie sich

noch einstellen?
Energisch packte sie die Maus ihres Computers und suchte im Internet nach Mittelalter-Experten, die sie zu Rate ziehen konnte.
Es klopfte.
„Ja“, brummelte Charlotte, ganz in die Recherche vertieft.
„Störe ich?“, fragte Torsten Klein und betrat den Raum.
„Nein, kommen Sie nur herein.“ Sie schob die Tastatur zur Seite und sah ihren Praktikanten gespannt an. Er sollte in den Apotheken der Umgebung nachfragen, ob und wann jemand in der letzten Zeit nach Äther gefragt oder gar gekauft hatte.
„Haben Sie gute Nachrichten? Den Namen und die Adresse unseres Täters vielleicht?“
Klein lächelte. Inzwischen kannte er seine Chefin gut genug, um zu wissen, dass diese Frage nur bedingt erst gemeint war.
„Na klar! Er sitzt bereits im Vernehmungszimmer und wartet sehnsüchtig darauf, vor einer ungeduldigen Beamtin ein umfassendes Geständnis abzulegen.“
Charlotte knuffte ihn freundschaftlich in die Seite.
„Hat jemand nun Äther gekauft, oder nicht?“
Torsten Klein wurde wieder ernst.
„Nein, es konnte sich keiner der Apotheker, die ich gefragt habe, an jemanden erinnern. Sie fragen alle noch einmal im Team nach, haben mir aber nicht viel Hoffnung gemacht.“
„Ist das Zeug eigentlich frei verkäuflich?“
„Natürlich nicht! Es ist auch nicht mehr wirklich aktuell. Früher hat man öfter Äther zur Betäubung verwendet, es war aber ziemlich schwer zu dosieren. Hat man zu viel davon erwischt, konnte es passieren, dass der Patient gar nicht mehr aufgewacht ist.“
„Woher könnte es unser Täter dann haben?“
„Die Tierärzte verwenden es auch heute noch regelmäßig, wurde mir gesagt. Außerdem hat jede Apotheke noch Vorräte davon in ihrem Giftschrank.“

„Also ist unser Täter ein Tierarzt, Apotheker oder jemand, der sich in den entsprechenden Räumen frei bewegen kann“, mutmaßte Charlotte frustriert. „Ich halte es ehrlich gesagt für reichlich unwahrscheinlich, dass ein Tierarzt als Henker unterwegs ist.“
„Warum nicht?“, gab Klein zu bedenken. „Warum sollen Ärzte oder Apotheker keine Rachegelüste haben? Vielleicht ist einer dabei, der sich gerne mit Geschichte befasst?“
„Na, ich bin nicht sicher, ob wir ohne Verdachtsmomente sämtliche in Frage kommenden Personen nach ihren Freizeitaktivitäten überprüfen können.“
„Es gibt da noch eine Möglichkeit“, gab Torsten Klein zu. Charlotte verdrehte die Augen. „Ich wusste doch, dass Sie noch eine Katze im Sack haben. Raus damit!“
„Ob das allerdings eine so verlockende Katze ist? Ich habe da so meine Zweifel.“
„Herr Klein!“
„Ist ja schon gut. Mehrere Apotheker meinten, man habe früher Äther auch als Droge zum Schnüffeln benutzt. So etwa vor 30 Jahren war die Substanz frei verkäuflich, und viele Jugendliche haben sich einen Vorrat davon angelegt. Haben Sie die Verfilmung von John Irvings *Gottes Werk und Teufels Beitrag* gesehen?“
„Richtig!“, erinnerte sich Charlotte. „Der Arzt, gespielt von Michael Caine, glaube ich, legt sich regelmäßig in seinem Behandlungszimmer auf die Liege und entspannt sich bei einer Portion Äther.“
„Und am Ende bekommt er eine Dosis zu viel ab und stirbt daran.“
„Davon sind unsere Opfer zum Glück bisher verschont geblieben.“
„Was meinen Sie mit *bisher*? Denken Sie, es geht weiter?“
„Ich fürchte, ja. Nochmal zurück zu unserem Fall. Es kann also sein, dass der Äther, den der Täter verwendet hat, schon über 30 Jahre alt ist? Hält der sich so lange?“
„Wenn er in einer dunklen Flasche luftdicht verschlossen

aufbewahrt wird, hält er wohl ewig, meinte einer der Apotheker. Er habe selbst noch eine Flasche in seinem Lager, die leicht nach Äther riecht, wenn man daran vorbei geht."
Charlotte grinste. „Nimmt der Herr Apotheker wohl auch gerne nach Feierabend eine kleine, entspannende Nase voll?"
„Frau Kommissarin!", entfuhr es Torsten Klein mit gespielter Entrüstung. „Wie können Sie so etwas denken?"
„Spaß beiseite. Das heißt für uns, dass sich der Kreis derer, die über einen gewissen Vorrat an Äther verfügen könnten, erheblich erweitert hat. Richtig?"
„Richtig."
„Das hilft uns im Moment überhaupt nicht weiter. Richtig?"
„Nicht ganz richtig", verbesserte Klein. „Unser Mann ist mindestens 45, wenn er den Äther noch aus seiner eigenen Jugend besitzt."
„Ja, wenn. Er könnte auch wesentlich älter sein, wenn er nicht vor 30 Jahren mit 15, sondern vor 40 Jahren mit 20 geschnüffelt hat. Vielleicht ist es auch ein junger Mann von 25, der das Zeug aus Papas Vorrat geklaut hat?"
„Sie sind eine Spaßbremse", schmollte Torsten Klein, der einsehen musste, dass die Informationen zwar interessant, aber zum aktuellen Zeitpunkt der Ermittlungen noch nicht relevant waren.
„Trotzdem gute Arbeit, Herr Umläufer. Ich bin sicher, wir finden über kurz oder lang eine verstaubte, braune Flasche mit Fingerabdrücken, die inzwischen in unserem Computer sind."
Die Sekretärin kam herein und reichte Charlotte einen Stapel Papiere. „Hier ist die Liste der Mitglieder des Schachclubs Johannis."
„Vielen Dank", rief ihr Charlotte im Hinausgehen noch nach und sah sich interessiert die Namen auf der Liste an.
Auch Torsten Klein beugte sich über die Papiere.
Es waren 65 Namen und Adressen vermerkt. Zwei davon

hießen Anton mit Vornamen. Anton Leiser und Anton Brugger.
„Rufen Sie bei Leiser an, ich übernehme Brugger", schlug Charlotte vor und griff bereits zum Telefonhörer, als sie sah, dass Klein mit dem Kopf schüttelte.
„Was ist?", wunderte sie sich.
„Ich denke, wir brauchen Anton Leiser nicht zu überprüfen."
„Warum nicht?"
„Er ist erst zehn Jahre alt. Ich kann mir nicht vorstellen, dass ihm erstens Herren-T-Shirts Größe L passen und zweitens halte ich es für unwahrscheinlich, dass ein Junge in seinem Alter einen erwachsenen Mann an einen Baum fesselt und auspeitscht."
„Überzeugt! Also bleibt Brugger. Auf geht's in die Konstanzenstraße", rief Charlotte dynamisch, griff sich ihre Jacke und lief hinaus auf den Flur.
Sie konnte es nicht leiden, wenn sie das Gefühl hatte, auf der Stelle zu treten, wenn der Fall festgefahren war, nichts voran ging. Tauchte allerdings ein neuer Hinweis auf, ein Beweis, eine Information, erwachten augenblicklich ihre Lebensgeister, und sie sprühte vor Energie.

Sie fuhren die Rothenburger Straße stadtauswärts, passierten das ehemalige Schlachthofgelände, das inzwischen fast vollständig bebaut war und erreichten den Stadtteil St. Leonhard.
Eingekreist von Autobahn, Ringstraße und Bahnlinien lag ein Areal von vielleicht einem halben Quadratkilometer, das eher an die Idylle eines Dorfes erinnerte, als an eine Großstadt. Kleine Straßen, Einfamilien- und Reihenhäuschen, schön gepflegte Gärten.
Keine 100 Meter von der stark befahrenen Rothenburger Straße entfernt herrschte kleinbürgerliche Ruhe.
Charlotte staunte immer wieder, was ihre Heimatstadt alles so zu bieten hatte. Kaum dachte sie, jeden Winkel Nürnbergs zu kennen, führte sie ihr Weg auch schon in eine Straße, von

deren Existenz sie all die Jahre noch nichts geahnt hatte.
Sie lenkte den Dienstwagen in eine der Parklücken am Straßenrand, stieg aus und suchte die richtige Hausnummer.
„Hier ist es“, rief Torsten Klein und öffnete eine niedrige Gartentür.
„Finden Sie diese winzigen Türchen nicht auch seltsam?“, flüsterte er seiner Kollegin zu, während sie auf die Haustür zugingen. „Soll man die etwa mit dem Knie öffnen?“
Sie klingelten an der Tür, die mit einem hübschen Adventsgesteck geschmückt war. Das ganze Anwesen machte einen sauberen, gepflegten Eindruck. An den Fenstern hingen gehäkelte Gardinen, ein hölzerner Nikolaus stand auf dem Treppenabsatz.
Charlotte klingelte.
Eine kleine, schmächtige Frau Ende 40 öffnete die Tür. Sie hatte halblanges, braunes Haar, trug schwarze Leggins, ein bequemes Sweatshirt und gefilzte Hausschuhe. Um ihren Hals baumelte eine Lesebrille.
„Ja, bitte?“, fragte sie freundlich und blickte ihre Besucher offen an.
„Frau Brugger?“, begann Charlotte und zeigte ihren Ausweis.
„Kriminalpolizei?“, stieß die Frau erschrocken hervor und nickte. „Ist etwas passiert?“
„Dürfen wir hereinkommen?“, bat Charlotte. Sie würde lieber in Ruhe mit der Frau sprechen. Schließlich konnte es durchaus sein, dass das Gespräch unangenehm werden würde.
„Aber natürlich, entschuldigen Sie“, beeilte sich Frau Brugger zu sagen und ließ die Beamten eintreten.
Wie alle Reihenhäuschen hatte auch dieses eine enge Diele mit Platz für die Garderobe und einer Tür, die in die obligatorische Gästetoilette führte.
Mehrere achtlos umherliegende Turnschuhe und Sporttaschen deuteten darauf hin, dass in dem Haushalt auch Jugendliche lebten.

„Bitte entschuldigen Sie die Unordnung“, meinte Frau Brugger achselzuckend. „Die Kinder nehmen es mit dem Aufräumen nicht so genau, und ich habe inzwischen kapituliert. Schließlich möchte ich in meinem Leben noch andere Dinge tun, außer den Herrschaften ihre Sachen hinterherzutragen.“
„Das kann ich gut verstehen“, stimmte Charlotte zu und stellte ihre Schuhe ordentlich auf den Fußabstreifer.
„Setzen Sie sich“, bot Frau Brugger an. „Kann ich Ihnen etwas anbieten? Ich habe gerade eine Kanne Tee aufgebrüht.“
„Da nehme ich doch gerne ein Tasse, vielen Dank“, stimmte Charlotte zu und freute sich richtig auf das heiße Getränk.
„Haben meine Jungs etwas angestellt?“, fragte Frau Brugger. Sie wirkte angespannt, was angesichts der Tatsache, dass zwei Beamte der Kriminalpolizei auf ihrem Sofa saßen, nicht weiter verwunderlich war.
„Nicht, dass ich wüsste. Es geht mehr um Ihren Mann. Ist er zu sprechen?“
Frau Brugger wurde blass.
„Nein“, stammelte sie. „Er kommt erst heute Abend. Was ist denn los?“
„Machen Sie sich keine Sorgen, wir würden ihm nur gerne einige Fragen stellen.“
„Geht es um diese Tietze?“ Frau Bruggers Miene wurde steif.
Die Art und Weise, wie Frau Brugger Tietzes Namen ausgesprochen hatte, ließ Charlotte aufhorchen. Ihr Tonfall hatte sich plötzlich verändert. Die gütige Stimme einer liebenden Hausfrau und Mutter war mit einem Mal eiskalt und berechnend.
„Kannten Sie sie?“
„Nein.“
„Aber ihr Mann kannte sie?“
„Ja, seit ein paar Tagen.“
„Also kurz vor ihrem Tod?“

Frau Brugger nickte.
„Wie haben sie sich kennengelernt?"
„Mein Mann arbeitet für eine kleine Firma in der IT-Branche. Sein Chef hat einen eigenartigen Geschmack, was die Auswahl der Ziele für die Betriebsausflüge angeht.
Jedes Jahr kommt er mit abstruseren Ideen daher. Von einem Survival-Wochenende im Wald über ein Essen in einem Dunkel-Restaurant oder einem Tag als Cowboy auf einer Ranch war schon alles dabei. In diesem Jahr stand ein Essen im Lochgefängnis auf dem Programm."
Charlotte warf Torsten Klein einen vielversprechenden Blick zu.
„Es ist unfassbar, was für geschmacklose Geschäftsideen manche Leute entwickeln", fuhr Frau Brugger fort. Die Blässe in ihrem Gesicht war inzwischen einer Zornesröte gewichen.
„Diese Aktion ist wirklich das Allerletzte. Die Teilnehmer werden so authentisch wie möglich in die Situation eines Strafgefangenen im Mittelalter versetzt, der gefoltert werden soll. Da wird an nichts gespart: Es stinkt, wie damals, man hört Schreie aus den anderen Zellen und muss mitansehen, wie jemand grausam mit der Daumenschraube gequält wird. Natürlich ist alles nur inszeniert."
Charlotte nickte zustimmend. „Wir haben davon gehört. Ihr Mann hat an der Aktion teilgenommen?"
„Ja, er war entsetzt und schockiert. Nach der Veranstaltung hat er Teilnehmer einer Bürgerinitiative getroffen..."
„Und dabei Kerstin Tietze kennengelernt", vervollständigte Charlotte den Satz.
„Genau. Er war fasziniert von ihr", erzählte Frau Brugger. „Sie sei so energisch und entschlossen gewesen, hätte sich kompromisslos dafür eingesetzt, diese makabren Aktionen zu verhindern."
„Sie hat ihn für die Arbeit der Bürgerinitiative gewinnen können", vermutete Charlotte.
„Anton ist schwach, braucht eine starke Frau an seiner Seite.

Er ist fasziniert von Leuten, die sich vorne hinstellen und für ihre Sache kämpfen, auch gegen den Widerstand anderer. Er war plötzlich überzeugt davon, bei dieser Gruppe mitmachen zu müssen, um andere Leute davor zu schützen, ähnlich unangenehme Dinge zu erleben wie er."
„Hat ihm die Aktion so sehr zugesetzt?"
„Das kann man wohl sagen. Er hat die ersten paar Tage danach schlecht geschlafen und ist immer wieder aufgewacht. Daraufhin hat er beschlossen, am Mittwoch in die Villa Leon zu gehen."
„Was war dort?"
„Da treffen sich die Mitglieder der Bürgerinitiative, um weitere Strategien zu besprechen."
„Ist er dort gewesen?"
„Ja, er ist hingegangen, obwohl diese Tietze bereits tot war."
„Und?"
„Was und? Die anderen machen natürlich weiter, und er will mitmachen."
„Hat ihr Mann auch von einer Frau Tischner berichtet?"
Frau Brugger seufzte.
„Diese Dame scheint kein bisschen besser zu sein als Tietze. Sie hat meinen Anton wohl auch schon um den Finger gewickelt. Er soll Handzettel austeilen, in ganz St. Leonhard. Stellen Sie sich das mal vor!"
Sie stand auf und holte eine Packung Schokoladenkekse aus dem Schrank.
„Mein Mann kann einfach nicht nein sagen!", meinte sie aufgebracht und stellte die Kekse auf den Tisch. „Greifen Sie zu."
Torsten Klein ließ sich das nicht zweimal sagen. Er liebte Schokoladenkekse.
„Was wollen Sie eigentlich von meinem Mann? Wird jetzt jedes Mitglied dieser Bürgerinitiative einzeln besucht?"
Charlotte legte ihren Keks auf den Unterteller ihrer Teetasse.
„Frau Brugger, wo war ihr Mann am vergangenen Samstag um 7.00 Uhr morgens?", fragte sie vorsichtig. Sie hatte

bereits die unterschiedlichsten Reaktionen auf diese Frage erlebt und war in erhöhter Alarmbereitschaft.
Frau Bruggers Augen weiteten sich.
„Was wollen Sie damit sagen?“ Sie setzte sich an die äußerste Kante des Sofas, bereit aufzuspringen um die ungebetenen Gäste schnellstens vor die Tür zu setzen.
„Vielleicht können Sie einfach meine Frage beantworten?“
„Wir haben gefrühstückt, wie jeden Samstag um diese Zeit. Wir sind beide Frühaufsteher und wollen den Tag gut ausnutzen. Mein Mann hat bei unserem Bäcker Brötchen geholt, das können Sie gerne überprüfen. Verraten Sie mir, was diese Fragerei soll? Sagen Sie endlich, was Sie von meinem Mann wollen!“
Charlotte hatte das Gefühl, die Situation drohe zu eskalieren.
„Wir haben am Samstag einen Mann gefunden, der betäubt und schwer verletzt wurde“, erklärte sie geduldig. Sie zog die Tüte mit Anton Bruggers T-Shirt hervor und legte sie auf den Tisch. „Gehört das Shirt Ihrem Mann?“
Frau Brugger schluckte. „Ja“, stotterte sie. „Das ist vom Schachclub. Was ist damit?“
„Dieses Shirt wurde mit Äther getränkt und einem Mann vor die Nase gehalten. Er wurde anschließend brutal ausgepeitscht.“
„Ausgepeitscht?“, kreischte Frau Brugger entsetzt. „Und das soll mein Mann gewesen sein? Sind Sie verrückt geworden? Wir waren zusammen und haben gefrühstückt! Mein Mann peitscht doch niemanden aus!“
„Können Sie sich erklären, wie das Hemd in den Besitz des Täters gekommen sein könnte?“
„Ich habe keine Ahnung, wovon Sie sprechen. Wer ist denn der Mann?“
In diesem Moment hörten sie, wie sich die Haustür öffnete.
„Schatz! Ich bin da!“
Ein unauffällig gekleideter Mann mit schütterem Haar und randloser Brille betrat den Raum.
„Oh, du hast Besuch“, rief er überrascht.

„Das sind Beamte der Kriminalpolizei“, sagte Frau Brugger aufgeregt. „Es ist etwas Furchtbares passiert.“
„Ist etwas mit Till oder Felix?“ fragte Anton Brugger besorgt.
„Nein, es geht nicht um Ihre Kinder“, beruhigte ihn Charlotte. „Mein Name ist Gerlach, das ist mein Kollege Klein.“
Sie schüttelten sich die Hand.
„Was ist denn los?“
„Kennen Sie einen Herrn Siebert?“, kam Charlotte ohne Umschweife zur Sache.
„Ja, ich meine, nicht persönlich“, stammelte Anton Brugger verunsichert. Er hatte noch nie in seinem Leben Kontakt mit der Polizei gehabt, war noch nie geblitzt oder beim Falschparken erwischt worden. Schweißperlen traten auf seine Stirn. Er war sehr nervös und fahrig.
„Sie wissen aber, wer es ist?“ Charlotte versuchte, den Mann zur Ruhe zu bringen und lächelte ihn aufmunternd an.
„Ja, er spielt den Henker im Lochgefängnis. Ich war letzte Woche mit meiner Firma bei einer erlebnisgastronomischen Aktion im Lochgefängnis. Vielleicht haben Sie davon gehört?“
„Ihre Frau hat uns bereits davon erzählt. Sie erzählte auch, dass Sie die Veranstaltung für sehr fragwürdig hielten.“
„Allerdings! Das, was da angeboten wird, ist menschenverachtend, respektlos und makaber.“
„Wir hörten, Sie haben sich der Bürgerinitiative gegen dieses Projekt angeschlossen?“
„Das muss aufhören! Ich verstehe nicht, dass die Stadt so etwas im Rathaus duldet. Warum interessiert sich die Kriminalpolizei für mein bürgerliches Engagement?“
„Herr Brugger, ihr Engagement ist nicht der Grund unseres Besuches.“
„Was denn dann?“
Seine Nervosität nahm zu.
Charlotte schob die Tüte mit dem Shirt über den Tisch.

„Gehört das Ihnen?“
Brugger nahm das Päckchen und sah es von allen Seiten an.
„Ja, ich nehme an, dass es mein T-Shirt vom Schachclub ist. Was ist damit?“
„Dieses Shirt wurde vergangenen Samstag mit Äther getränkt und dazu verwendet, einen Mann zu betäuben. Anschließend wurde der Mann an einen Baum gefesselt und ausgepeitscht.“
Alle Farbe wich aus Anton Bruggers Gesicht. Entgeistert starrte er die Kommissarin mit offenem Mund an.
„Ausgepeitscht?“, wiederholte er fassungslos. „Und Sie denken, dass ich...?“
„Es ist Ihr T-Shirt, Herr Brugger.“
„Aber, wie sollte ich, warum, aber...“, jammerte er verstört.
Plötzlich hellte sich seine Miene auf.
„Ich habe das Shirt weggeworfen! Es war mir zu eng“, lachte er erleichtert.
„Weggeworfen“, echote Charlotte. „Wohin denn?“
„In einen Altkleidersack“, berichtete er eifrig. „Andrea, du hast die Tüte doch vor ein paar Tagen mitgenommen, erinnerst du dich?“
Nun ging auch ein Strahlen über Frau Bruggers Gesicht.
„Ja, richtig! Ich erinnere mich! Ich habe auch einige Sachen von den Jungs in die Tüte gesteckt. Die Kinder machen sich oft so schmutzig, dass die Waschmaschine keine Chance mehr hat. Das ist die Erklärung! Ich habe die Tüte auf dem Weg zum Hauptmarkt neben einen Container gestellt. Er war so voll, dass nichts mehr hineingepasst hat. Dort muss jemand das Shirt herausgenommen haben!“
Sie griff nach der Hand ihres Mannes und drückte sie glücklich.
„Ich hatte solche Angst, du könntest mit dieser grausamen Tat etwas zu tun haben.“
Charlotte überlegte.
Die Erklärung mit dem Altkleidersack klang schlüssig. Schließlich war auch das Bettlaken, mit dem Kerstin Tietze

zugedeckt war, aus einem solchen Sack entnommen worden. Einerseits war sie enttäuscht, dass sich die vielversprechende Spur offenbar als Sackgasse herausgestellt hatte, auf der anderen Seite freute sie sich für die Bruggers, denen sie keine solche Tat zugetraut hätte.
„Ich hätte noch eine letzte Frage an Sie, Herr Brugger."
„Ja?"
„Wo waren Sie am Samstag, den 14. November gegen Mitternacht?"
Brugger zuckte kaum merklich zusammen.
„Weshalb wollen Sie das wissen?", fragte er ausweichend.
„Er war natürlich hier. Wir haben noch ferngesehen und sind dann gegen 23.00 Uhr ins Bett gegangen", antwortete stattdessen seine Frau. „Nicht wahr, mein Schatz?"
„Natürlich", stimmte Anton Brugger zu. „Wir sind selten länger wach.
„Wir werden Ihre Angaben überprüfen." Charlotte reichte den beiden ihre Karte. „Bitte rufen Sie mich an, wenn Ihnen noch etwas einfällt, was wichtig für uns sein könnte. Vielen Dank."

„Gut, aber schlecht", resümierte Charlotte, als sie wenig später wieder im Auto saßen. „Alles, was die beiden ausgesagt haben, klang realistisch, könnte genauso gewesen sein."
„Muss aber nicht", ergänzte Torsten Klein. „Für mich wirkte alles fast etwas zu glatt, zu harmonisch. Die Art und Weise, wie Frau Brugger anfangs über Kerstin Tietze gesprochen hat, passte nicht in das völlig unschuldige Bild. Sie hat wütend gewirkt, als habe sich ihr Mann über das Engagement in der Bürgerinitiative hinaus für Tietze interessiert. Außerdem glaube ich nicht an das Alibi für die Tat an Kerstin Tietze."
Charlotte blickte ihn anerkennend an.
„Respekt, Herr Klein. Sie entwickeln richtig feine Antennen für die leisen Zwischentöne bei den einzelnen Aussagen.

Toll! Genau den Eindruck hatte ich auch. Vielleicht schützt sie ihn durch die Aussage. Wir sollten in jedem Fall in der Bäckerei nachfragen, ob er am vergangenen Samstag wirklich beim Brötchenholen war. Das Alibi für die Woche zuvor lässt sich natürlich schwer nachprüfen. Vielleicht hat sich ja doch noch ein Zeuge gemeldet? Für mich gehört Anton Brugger durchaus zum Kreis der Verdächtigen. Immerhin hat er zwei unserer Opfer gekannt."

## 21

Im *Café Al Fiume* war es ruhig. Charlotte saß auf einem Barhocker und starrte nachdenklich hinaus auf den Fluss. Die Wolken hingen tief, es würde heute wieder früh dunkel werden.

Das leise Klappern von Geschirr hinter ihr wirkte beruhigend, ein verlockender Duft von frischem Gebäck breitete sich aus. Sie stützte das Kinn auf die Hände und schloss für einen Augenblick die Augen.

*Im Karl-Bröger-Tunnel ist es düster und kalt. Von den schmutzigen Kacheln an den Wänden läuft frisches Blut herab. Der Boden ist übersät von Körpern, die mit schmutzigen Bettlaken bedeckt sind. Einer der Körper bewegt sich, er wackelt hin und her. Ein anderer versucht aufzustehen, bricht zusammen und liegt wieder still.*

*Jemand stöhnt.*

*Ein kleiner Mann in einem orangefarbenen T-Shirt bahnt sich den Weg durch all die Gestalten. Er zieht einen klapprigen Leiterwagen voller zerbrochener, blutverschmierter Flaschen hinter sich her.*

*„Kerstin!", ruft er, hebt ein Tuch nach dem anderen hoch und blickt darunter. „Wo bist du? Wollen wir eine Partie Schach spielen?"*

*Da erscheint ein riesiger Mann mit nacktem Oberkörper und einer ledernen Peitsche in der Hand. „Du sollst nicht Schach spielen, du sollst mich auspeitschen. Ich warte auf dich!!"*

*Die Stimme dröhnt durch den Tunnel, alles vibriert...*

„Charlotte?", holte sie die amüsierte Stimme Mariellas wieder zurück in die Realität. „Bist du eingenickt?"

Charlotte erschrak und rieb sich die Augen.

Was war das denn? Sie setzte sich in Attilas Espressobar, schlief einfach ein und hatte einen fürchterlichen Albtraum?
„Ich bringe dir einen frischen caffé, dieser ist ja schon eiskalt“, schmunzelte Mariella und beobachtete amüsiert, wie sich die junge Polizistin den Nacken rieb.
„Deine Ex-Kollegin sollte sich mal eine Auszeit gönnen“, murmelte sie Attila zu und drückte ihm ein kleines Tässchen in die Hand. „Sprich doch mal mit ihr.“
Er setzte sich neben Charlotte, lächelte sie an und schob ihr den dampfenden Espresso zu.
„Was ist los bei euch?“, fragte er einfühlsam. „Kommt ihr nicht weiter?“
„Ach, Attila. Es ist zum Haare raufen! Wir haben jetzt schon drei Opfer.“
„Drei Tote?“, entfuhr es Attila.
„Nein, eine Tote und zwei Verletzte.“
„Kümmert ihr euch jetzt schon um Verletzte?“, fragte Attila erstaunt nach.
„Nein, normalerweise nicht, aber in diesem Fall ist es wohl der gleiche Täter. Er hat immer den gleichen Hinweis hinterlassen.“
Sie erzählte Attila kurz, was es mit den Zetteln und Franz Schmidt auf sich hatte.
„Sieh an, da ist einer in Nürnberg unterwegs, der sich als Nachfolger des berühmten Scharfrichters sieht.“
„Wir haben mehrere Verdächtige, und jeder hat angeblich ein Alibi. Jede Spur entpuppt sich als Sackgasse, während am anderen Ende wieder neue Spuren auftauchen. Ich weiß bald nicht mehr, was ich machen soll“, jammerte Charlotte verzweifelt, froh darüber, eine erfahrene starke Schulter zu haben, an die sie sich anlehnen konnte.
„Mein Chef hält sich vornehm zurück und überlässt mir die ganze Arbeit.“
„Sei doch froh, dann steht er dir wenigstens nicht im Wege. Was macht dein Umläufer? Wo ist er überhaupt? Er klebt dir doch sonst immer wie eine Klette am Bein.“

„Er wollte im Büro noch etwas erledigen. Er macht sich gut, hat ein gutes Gespür für die Leute. Ich bin sehr zuversichtlich, dass ein fähiger Ermittler aus ihm wird."
„Na, bei *der* Chefin", grinste Attila und klopfte Charlotte anerkennend auf die Schulter.
„Ach, hör auf mit dem Süßholzraspeln", wehrte Charlotte verlegen ab. „Ich vermisse dich! Wir waren ein so perfektes Team."
„Wie war das mit dem Süßholzraspeln? Aber danke für die Blumen."
„Bitte."
Charlotte schmollte und biss in einen frischen, duftenden Mandelkeks. „Es melden sich nicht einmal Zeugen für den Mord an Tietze. Es kann doch nicht sein, dass niemand da war, niemand etwas gesehen hat, oder? Außerdem finden wir ihr Handy nicht. Sie hatte doch bestimmt eins."
„Hm", grübelte Attila. „Wer könnte um diese Zeit unterwegs gewesen sein?"
„Hundebesitzer?", schlug Charlotte vor.
„Die sehen üblicherweise Nachrichten und lesen Zeitung. Das sind auch oft diejenigen, die sich sofort melden, die förmlich auf eine solche Gelegenheit warten. Nein, ihr müsst Leute finden, die keine Zeitung lesen."
„Schüler, Jugendliche..."
„Die sind doch um diese Uhrzeit nicht mehr auf der Straße."
„Es sei denn, sie leben auf der Straße", stieß Charlotte hervor. „Genau! Wir müssen Straßenkids fragen, oder Obdachlose!", meinte Charlotte, die in diesem Moment an Willi dachte, den Mann, der unter einer Brücke nahe der Wöhrder Wiese lebte.
„Danke, Attila!", strahlte sie und sprang vom Hocker.
„Warte noch einen Augenblick! Habt ihr wegen des Handys schon beim Fundbüro nachgefragt? Dort werden täglich Handys abgegeben."
Charlotte strahlte. Endlich ein neuer Hoffnungsschimmer!
„Nochmals danke – auch für den Kaffee! Bis bald!"

Sie stürmte aus der Bar und rief gleich beim Fundbüro an. Es wurden vergangene Woche tatsächlich mehrere Geräte abgegeben. Man musste nur noch herausfinden, ob Tietzes Apparat dabei war. Sie bat gleich Markus Metz, sich darum zu kümmern.
Was doch so eine Mittagspause bei Attila ausmachte. Sie hatte ein stärkendes Schläfchen gemacht, leckeren Kaffee getrunken, fabelhafte Kekse genossen und Ideen für ihre festgefahrene Ermittlungsarbeit bekommen.
Und das in gerade einmal 20 Minuten!

„Herr Klein“, rief sie, als sie zurück im Präsidium war. „Kommen Sie!“
Torsten Klein saß über ein Papier gebeugt und blickte sie erheitert an. „Die Pause bei Attila hat Ihnen offenbar gut getan. Was haben Sie denn vor?“ Er legte das Papier beiseite und griff nach seiner Jacke. „Wohin fahren wir?“
„Zur Wöhrder Wiese“, antwortete Charlotte und erzählte ihm von dem Gespräch mit Attila.
„Ich habe letzte Woche einen Obdachlosen kennengelernt, der unter einer Brücke an der Wöhrder Wiese lebt. Vielleicht haben wir Glück, und er ist da.“
„Ich habe auch etwas Interessantes herausgefunden“, berichtete Klein.
„Was denn?“
„Ich habe mir noch einmal die Liste der Schachspieler von Johannis angesehen.“
„Und?“
„Wir haben uns wohl das letzte Mal nur auf den Vornamen Anton konzentriert und nicht mehr weiter gelesen. Weiter unten steht der Name eines Bekannten. Isidor Hafensteiner!“ Er blickte Charlotte triumphierend an. „Damit kannte Anton Brugger alle unsere Opfer.“
„Also doch!“, sagte Charlotte. „Und was ist mit der Bäckerei?“
„Keiner aus der Bäckerei kann sich erinnern, Herrn Brugger

an diesem Morgen gesehen zu haben."
„Das wird ja immer spannender!", gab Charlotte zu und parkte den Wagen am Prinzregentenufer. „Wenn jetzt unser potenzieller Zeuge noch etwas beobachtet hat, wird es eng für Herrn Brugger."
Die beiden Polizisten überquerten die breite Ringstraße und nahmen die Treppe hinunter in den ehemaligen Burggraben.
„Er ist nicht da", stellte Charlotte enttäuscht fest, als sie die *Wohnung* von Willi unter der Brücke erreicht hatten.
„Das sieht ja beinahe gemütlich aus", bemerkte Torsten Klein überrascht.
„Aber nur fast. Es ist einfach unglaublich kalt", entgegnete Charlotte nüchtern und dachte an das Kekse-Essen vor einigen Tagen zurück.
„Lassen Sie uns in die Stadt gehen. Vielleicht hat ihn Gerti gesehen, oder wir treffen einen anderen Obdachlosen, den wir fragen können."
Sie gingen an der Pegnitz entlang über die Insel Schütt und erreichten nach kurzer Zeit den Hauptmarkt.
Das Fenster zu Gertis Bratwurstküche stand offen. Es war gerade kein Kunde da.
„Hallo, Gerti", begrüßte Charlotte die Frau, die sich mit hochroten Wangen ihren Würstchen widmete.
„Ach, sieh an, die Polizei! Habt ihr schon wieder Hunger?"
„Eigentlich wollten wir dich nur etwas fragen", antwortete Charlotte. Sie spürte bereits während des Satzes, wie ihr das Wasser im Munde zusammenlief. Ehe sie sich versah, lagen zwei Brötchen mit drei knusprigen Würstchen auf dem Tresen. „Was gibt es denn?"
„Wir suchen Willi", schmatzte Charlotte und ließ sich die unverhoffte Zwischenmahlzeit richtig gut schmecken.
Gerti blickte besorgt auf.
„Willi? Hat er was angestellt?"
„Nein, überhaupt nicht. Wir wollten ihn nur etwas fragen."
„Tut mir leid, ich habe ihn heute noch gar nicht gesehen. Vielleicht kommt er gegen Mittag mal vorbei?"

Sie schielte an den Beamten vorbei auf die große goldene Uhr an der Frauenkirche.
„Es ist gleich 12, da kommt er sicher. Er liebt nämlich das Männleinlaufen.“
Jeden Tag um 12 Uhr setzte sich an der Frauenkirche ein Glockenspiel in Gang. Glöckchen ertönten, Trompeter erhoben ihr Instrument und aus einer kleinen Tür kamen die sieben Kurfürsten heraus, die sich vor Kaiser Karl IV verbeugten und anschließend wieder verschwanden. Dies wiederholte sich dreimal.
Für die Nürnberger waren inzwischen die begeisterten Touristen das Interessanteste am Männleinlaufen. Der ganze Hauptmarkt stand voll mit Menschen aus allen Herren Ländern, die alle nur erdenklichen Geräte auf die Frauenkirche richteten, um später zu Hause am anderen Ende der Welt in Wort, Bild und Film von diesem Aufsehen erregenden Spektakel berichten zu können.
Unter ihnen war heute auch ein Mann, der nicht in Asien oder Amerika, sondern unter der Brücke an der Wöhrder Wiese lebte.
„Willi!“, gellte Gertis heisere Stimme über den Platz, als die Kurfürsten wieder aufgeräumt waren, und Kaiser Karl IV friedlich über das Marktgeschehen wachte.
„Willi, komm mal her!“
Der Mann mit der abgetragenen Pelzmütze und den kleinen wachen Augen kam langsam über das Pflaster geschlurft.
„Hallo, Gerti“, begrüßte er die Frau am Grill. „Hast du etwas für mich?“
„Heute spendiere ich Ihnen zweimal drei“, meinte Charlotte und legte fünf Euro auf den Tresen.
„Ach, die junge Frau von neulich. Küss die Hand, gnädige Frau.“ Charmant beugte er sich über Charlottes Hand und hauchte ihr einen Handkuss hin. „Wie ist das werte Befinden?“
Charlotte lachte. „Danke, und selbst?“
„Angesichts dieser beiden Köstlichkeiten wird es mir gleich

hervorragend gehen. Ich sage herzlichen Dank!"
„Wir sind von der Polizei und brauchen Ihre Hilfe."
Augenblicklich war die gute Stimmung verflogen.
„Lasst mich in Frieden!", brummelte Willi. „Ich brauche keine Hilfe!"
Er machte Anstalten zu gehen, doch sie hielt ihn auf.
„Warten Sie doch bitte. Sie haben da etwas falsch verstanden. Wir brauchen Sie."
„Pah! Wofür sollte mich die Polizei brauchen? Das ist doch alles ein fieser Trick."
„Wir suchen Zeugen für ein Verbrechen."
Er zögerte.
„Und da dachten Sie ausgerechnet an mich?", fragte er ungläubig.
„Ja, wir suchen Leute, die möglicherweise in der Nacht von Samstag auf Sonntag im Karl-Bröger-Tunnel etwas beobachtet haben."
„Und warum sollte ich das sein?"
„Wir haben bereits einen Aufruf in der Presse geschaltet, der nichts ergeben hat. Jetzt dachten wir, wir fragen Leute, die viel in der Stadt unterwegs sind und nicht regelmäßig Zeitung lesen."
„Ich habe nichts gesehen."
„Denken Sie doch bitte noch einmal nach", bat Charlotte. Sie wollte sich nicht so schnell abspeisen lassen.
„Da gibt es nichts nachzudenken! Schönen Tag noch."
Er drehte sich um und wollte gehen, doch Charlotte rief ihm nach. „Willi! Fragen Sie doch bitte ein wenig herum! Vielleicht ist jemandem etwas aufgefallen. Bitte!"
„Ich kann mir nicht vorstellen, dass jemand von meinesgleichen freiwillig mit der Polizei spricht, egal, was die gesehen haben!"
„Dann sprechen Sie mit uns und erzählen Sie es uns. Bitte! Wir suchen den Mörder einer Frau."
Willi riss die Augen auf. „Einen Mörder! Ich werde sehen, was ich tun kann, Frau Kommissarin."

Er schnappte sich das zweite Brötchen und verschwand zwischen all den Menschen auf dem Hauptmarkt.

„Schade", meinte Charlotte enttäuscht. „Ich hatte mir mehr davon versprochen."
„Ach, lass ihn doch!", rief Gerti. „Es ist doch nur verständlich, dass er keinen Kontakt zu euch will. Er kommt schon, wenn er Neuigkeiten hat. Nur Geduld."
Ein Handy läutete.
„Hallo, Markus", meldete sich Charlotte erfreut. Vielleicht gab es schon erste Ergebnisse bezüglich Tietzes Handy.
„Wir haben das Handy!", bestätigte sich Charlottes Vermutung. „Es wurde tatsächlich abgegeben."
„Habt ihr es schon ausgewertet?"
„Dich interessiert sicherlich ihr letzter Anruf. Sie hat um 22.30 Uhr mit einem Anschluss gesprochen, der auf eine Frau Tischner angemeldet ist. Das Gespräch dauerte nur 20 Sekunden. Danach wurde nicht mehr telefoniert."
„Fingerabdrücke?"
„Nur die von Tietze selbst."
„Habt ihr die Adresse von Frau Tischner?"
„Ja, sie wohnt in der Bogenstraße 8."
„Danke, Markus, das hilft uns sehr weiter." Sie legte auf und sah Torsten Klein aufmunternd an.
„Die Bogenstraße ist direkt hinter dem Karl-Bröger-Tunnel. Es sieht so aus, als sei Tietze kurz vor ihrem Tod noch bei Wolfrun Tischner gewesen. Wir sollten der Frau einen Besuch abstatten."

## 22

Das Haus in der Bogenstraße 8 sah aus wie beinahe alle anderen Häuser in dieser und allen angrenzenden Straßen. Ein schmuckloses, vierstöckiges Mietshaus mit drei Wohnungen pro Stockwerk. Laut Klingelschild wohnte W. Tischner in der dritten Etage.
Die Haustür stand offen.
Die beiden Beamten gingen hinein und stiegen die frisch geputzte Treppe hinauf. An jeder Wohnungstür war unter dem Spion jeweils ein goldenes Namensschild angebracht. Blumen, Kränze oder ähnliche Dekorationen waren in diesem Hause offenbar nicht erwünscht.
Charlotte drückte die Klingel, doch Wolfrun Tischner war entweder nicht zuhause, oder legte keinen Wert auf Besuch von der Polizei.
„Wir sind heute wohl nicht sehr erfolgreich, was?", seufzte sie und wollte gemeinsam mit Torsten Klein den Rückzug antreten, als sich langsam die Tür der Nachbarwohnung öffnete. Eine unglaublich alt aussehende Frau streckte ihre Nase durch den Türspalt.
„Die ist nicht da", krächzte sie mit tiefer, heiserer Stimme. „Die ist oft nicht da."
„Guten Tag, mein Name ist Charlotte Gerlach. Wissen Sie, wo Frau Tischner ist oder wann sie wiederkommt?"
„Die ist nie da."
Charlotte warf einen kurzen Blick auf das Klingelschild an der Tür. „Können Sie mir sagen, wann sie wiederkommt, Frau Siebentritt?"
Da öffnete die alte Dame unvermittelt die Tür.
„Kommen Sie herein. Ich hatte schon lange keine jungen Leute mehr zu Besuch. Kommen Sie, ich kann Ihnen einen

Kakao machen!“
„Frau Siebentritt! Schließen Sie doch bitte die Tür und kommen Sie herein.“
Eine hübsche Frau in weißem Kittel erschien an der Tür. Auf der Tasche ihres Kittels war zu lesen *Schwester Dorothee, Ambulante Pflege zu Hause.*
„Bitte entschuldigen Sie. Frau Siebentritt leidet an Demenz“, erklärte die junge Pflegerin.
Charlotte zog ihren Ausweis aus der Tasche und versuchte ihr Glück. „Hallo, wir sind von der Polizei und suchen Frau Tischner.“
„Ist etwas passiert?“
„Nein, wir haben nur einige Fragen an sie. Kennen Sie sie?“
„Ja, ich bin jeden Tag hier bei Frau Siebentritt. Manchmal hilft Wolfrun ein bisschen mit. Sie ist sehr nett.“
„Waren Sie am Samstag vor einer Woche auch hier?“
Die Schwester warf Charlotte einen skeptischen Blick zu.
„Darf ich fragen, worum es geht?“
„Wir ermitteln in einem Mordfall und würden diesbezüglich gerne mit Frau Tischner sprechen.“
„Mordfall?“, wiederholte die junge Frau schockiert. „Kommen Sie doch herein.“
Sie führte die Polizisten in eine kleine Küche und wies auf zwei nicht sonderlich stabil aussehende Stühle mit dünnen Beinen und einem Bezug aus Kunststoff.
Die alte Dame führte sie ins Wohnzimmer, schaltete eine CD mit Volksmusik an und schloss leise die Tür.
„Frau Siebentritt liebt diese Musik“, bemerkte sie sanft. Es schien, als liebe sie selbst sowohl ihren Job, als auch die Leute, mit denen sie zu tun hatte. Charlotte hoffte, es möge viele Pflegerinnen wie sie geben.
„Wie kann ich Ihnen helfen?“ Schwester Dorothee setzte sich an den Tisch und goss sich aus einer Thermoskanne Kaffee in einen großen, wuchtigen Becher. „Möchten Sie auch?“
Torsten Klein nickte dankbar. Er konnte zu jeder Tages- und

Nachtzeit Kaffee trinken. Er stellte zwei weitere Tassen auf den Tisch.
„Es geht um den Samstag vor einer Woche, den 14. November, am späten Abend“, begann Charlotte nachdem sie einen kleinen Schluck Kaffee getrunken hatte.
Schwester Dorothee überlegte.
„Ja, ich war tatsächlich am Samstagabend noch einmal hier. Ich saß gerade mit meinem Freund im Kino, als mein Piepser losging“, berichtete sie mit Bedauern in der Stimme. „Aber meine Kunden sind nun mal auf mich angewiesen. Ich kann sie nicht bis zum nächsten Tag in der Ablage warten lassen, wie eine Steuererklärung.“
„Wann waren Sie hier?“
„So gegen 22.45 Uhr schätze ich. Frau Siebentritt war in der Badewanne und kam alleine nicht mehr heraus.“
„Haben Sie in dieser Zeit Frau Tischner gesehen oder gehört?“
„Ich klingelte bei ihr und wollte sie fragen, ob sie mir nicht mit Frau Siebentritt helfen könne.“
„War sie zuhause?“
„Ja, sie hatte Besuch.“
Charlotte horchte auf.
„Haben Sie gesehen, wer es war?“
„Es war eine Dame so um die 50, vielleicht älter, die sehr schick angezogen war. Sie sah aus, als komme sie gerade aus der Oper, oder so.“
„Kannten Sie sie?“
„Irgendwie kam sie mir bekannt vor. Ich glaube, ich habe sie schon einmal in der Zeitung gesehen, könnte aber nicht sagen, wie sie heißt. Da fällt mir ein, dass ein sehr teures Auto vor dem Haus stand. Es war sehr eigenwillig geparkt, als kümmere sich der Besitzer nicht um irgendwelche Parkverbote.“
„Was war das für ein Auto?“
„Es war ein schwarzer Mercedes SLK mit einem außergewöhnlichen Kennzeichen. N-N-1.“

Charlotte jubilierte innerlich. Selten hatte sie das Glück eine so detaillierte Zeugenaussage zu bekommen. Sie würde gleich eine Halterabfrage machen lassen. Ob allerdings der vornehme Besuch etwas mit ihrem Fall zu tun hatte, war noch nicht klar.
„Hat Ihnen Frau Tischner geholfen?", nahm Charlotte den Faden wieder auf.
„Ja, sie wirkte allerdings ziemlich angespannt und hektisch. Vor allem dann, als es an ihrer Tür klingelte."
„Haben Sie gesehen, wer gekommen ist?"
„Nein, tut mir leid. Ich musste mich um meine Patientin kümmern. Ich habe nur eine Frauenstimme gehört. Und später..." Schwester Dorothee zögerte.
„Was war später?"
„Wissen Sie, es ist mir sehr unangenehm, über Wolfrun zu sprechen. Sie ist immer so freundlich und zuvorkommend."
„Das kann ich gut verstehen. Es ist aber trotzdem sehr wichtig für uns, zu erfahren, was an diesem Abend geschehen ist."
Charlotte versuchte, so einfühlsam wie möglich zu sein. Es war klar, dass die Krankenschwester interessante Dinge beobachtet hatte.
„Was hat Wolfrun denn mit der Sache zu tun? Sie hat doch nichts getan, oder?"
„Es geht erst einmal darum, Informationen zu sammeln", antwortete Charlotte ausweichend. Sie konnte der Frau doch nicht sagen, dass ihre Nachbarin für die Polizei zum Kreis der Verdächtigen in einem Mordfall zählte.
„Was haben Sie gehört?"
Schwester Dorothee senkte den Kopf.
„Die Frauen haben sich gestritten. Ich konnte aber zunächst nicht hören, worum es ging."
„Und dann?"
Charlotte hielt den Atem an.
„Die Tür ging auf. Eine von ihnen hat im Treppenhaus gebrüllt: *Lass die Finger von ihm, du Schlampe.*"

Es war deutlich zu sehen, wie unangenehm es der jungen Frau war, von den Ereignissen zu berichten.
„Dann hat eine andere Stimme gerufen: *Früher oder später verlässt er dich. Du bist doch viel zu alt für ihn*. Daraufhin ist jemand die Treppe hinunter gerannt. Kurz darauf dann noch jemand. Wolfrun hatte noch versucht, sie zurückzuhalten, aber sie hat es nicht geschafft. Ich glaube, sie ist später auch noch gegangen, das kann ich aber nicht genau sagen."
„Vielen Dank. Das sind ganz wichtige Beobachtungen. Wann sind Sie nach Hause gefahren?"
„So etwa gegen Mitternacht."
„Stand da der SLK noch vor dem Haus?"
„Nein, das wäre mir aufgefallen."
Charlotte reichte der Krankenschwester ihre Karte. „Sie müssten Ihre Aussage noch einmal zu Protokoll geben. Bitte kommen Sie die nächsten Tage ins Präsidium. Noch einmal herzlichen Dank für Ihre Hilfe und grüßen Sie mir Frau Siebentritt." Sie lächelte die junge Frau an und schüttelte ihr die Hand. „Auf Wiedersehen."

Gleich nachdem sie das Haus verlassen hatten, zog sie ihr Mobiltelefon heraus und gab die Halterabfrage in Auftrag.
„Wir kommen", sagte sie noch und steckte das Gerät wieder in die Tasche. „Frau Tischner wartet seit einer Stunde im Präsidium auf uns."
„Stimmt! Jetzt fällt mir wieder ein, dass sie am Montag kommen wollte", bemerkte Klein.
„Und das ist heute! Ich bin gespannt, was sie zu den Ereignissen am Samstag zu sagen hat."
„Und ich bin gespannt, wer die Dame mit dem SLK war."
Auf dem kurzen Rückweg ins Büro musste Charlotte bereits das Licht einschalten. Es war zwar erst 14.00 Uhr, fühlte sich aber wie 18.00 Uhr an.
„Sind Mordermittlungen immer so komplex?", stöhnte Torsten Klein. „Mir brummt der Schädel von all den

Informationen, Daten und Fakten, Verdächtigen und Zeugen. Wie sollen wir das alles jemals geordnet bekommen? Gerade noch war ich mir sicher, dass Anton Brugger unser Mann ist, jetzt geht es plötzlich um Wolfrun Tischner und ihren weiblichen Besuch. Wo soll das alles denn noch hinführen?"
Charlotte warf ihm einen verzweifelten Seitenblick zu.
„Ich weiß es nicht, Herr Klein, ich weiß es wirklich nicht. Mir geht es ähnlich. Ich kann Sie aber beruhigen. In jedem Fall gibt es einen bestimmten Punkt, an dem man sicher ist, diesen Wust nie mehr lösen, niemals zu einem Ergebnis kommen zu können."
„Und dann?", fragte Klein voller Resignation.
„Dann kommt plötzlich ein Hinweis, ein Ereignis, eine Aussage, irgendetwas, das Licht ins Dunkel bringt. Mit einem Mal lösen sich alle Verwirrungen auf, und der Fall liegt glasklar vor dir."
„Glasklar?" Torsten Klein klang noch immer sehr skeptisch. „Ihren Optimismus möchte ich haben."
„Ohne Optimismus können Sie gleich einpacken. Dann brauchen Sie einen solchen Fall gar nicht zu übernehmen und können gleich zuhause bleiben. Hören Sie auf Ihr Gefühl!"
Der Praktikant zog zweifelnd die Augenbrauen nach oben. „Wenn Sie meinen."
„Was denken Sie? Was könnte sich an diesem Abend abgespielt haben?"
Klein dachte nach.
„Die schicke Dame sitzt bei Wolfrun Tischner im Wohnzimmer. Tietze kommt. Die Frauen streiten sich. Warum auch immer. Vielleicht ging es darum, dass Tischner den Vorsitz über die Bürgerinitiative haben, Tietze aber das Feld nicht räumen wollte? Oder Tietze hatte ein Problem mit der vornehmen Dame?"
„Es ging aber offensichtlich um ein Beziehungsdrama", gab Charlotte zu bedenken. „Ich vermute..."
Sie stutzte.

„Wissen Sie, wer die unbekannte Besucherin Tischners war?“
„Wer?“
„Frau Eck! Es muss Frau Eck gewesen sein! Eck rief, sie solle die Finger von ihrem Mann lassen, während Tietze antwortet, er wolle sowieso lieber eine Jüngere. Das passt!!“, rief Charlotte begeistert.
Ihr Handy summte. Sie parkte das Auto im Hof des Präsidiums und sah auf das Display.
„Richtig!“, triumphierte sie. „Der SLK ist auf Friedhelm Eck zugelassen.“
„Glückwunsch!“, gratulierte Klein. „Das mit dem Optimismus hat sich schon gelohnt.“
„Sehen Sie. Also, weiter im Text. Angelika Eck ist bei Tischner, Tietze kommt. Eck weiß von Tietzes Affäre mit ihrem Mann und macht ihr eine Szene. Tietze stürmt nach draußen, Eck folgt ihr wenig später. Soweit die Fakten, die uns Wolfrun Tischner nachher sicher gerne bestätigen wird.“
„Naja, die Hoffnung stirbt zuletzt.“
„Egal, dann kommen Spekulationen unsererseits.“
„Eine mögliche Variante wäre Folgende: Tietze geht Richtung Bahnhof zur U-Bahn, um nach Hause zu fahren.“
„Warum nimmt sie nicht die U-Bahn am Aufseßplatz? Die ist viel näher?“
Torsten Klein grübelte.
„Vielleicht wollte sie sich das Umsteigen sparen? Nach Ziegelstein fährt die U2, am Aufseßplatz nur die U1.“
„Gut“, lobte Charlotte. „Weiter. Sie will nach Hause und geht durch den Fußgängertunnel.“
„Angelika Eck folgt ihr. Die beiden streiten noch einmal. Eck schnappt sich eine Flasche, zerschlägt sie und verletzt ihre Widersacherin.“
„Tischner kommt dazu und hilft Eck ein Tuch aus dem Altkleidersack zu ziehen und die Leiche zuzudecken.“
Die beiden sahen sich zweifelnd an.
„Könnte so gewesen sein.“

„Muss aber nicht.“

Wolfrun Tischner trug eine weite, braune Bluse und gestrickte Leggins. Ihr langes, graues Haar war zu einem kunstvollen Zopf geflochten. Völlig in sich versunken saß sie im Vernehmungszimmer und wartete.
Charlotte stand neben Torsten Klein in einem engen, dunklen Raum und beobachtete Frau Tischner durch eine große Scheibe.
War diese Frau in der Lage, womöglich gemeinsam mit einer anderen Frau, einen Menschen umzubringen? Oder zu quälen? Auszupeitschen?
Charlotte lief bei der Erinnerung an Kai Sieberts blutüberströmte Gestalt ein Schauer über den Rücken.
Könnte dies das Werk einer Frau mit grauem Zopf und weiter Bluse gewesen sein?
„Bleiben Sie hier“, forderte sie Klein auf, atmete tief durch und betrat den Raum.
„Frau Kommissarin“, bellte Tischner vorwurfsvoll. Es war faszinierend, wie schnell sie ihre Stimmung verändern konnte. War sie eben noch völlig ruhig und entspannt, konnte sie sich im nächsten Moment in eine Furie verwandeln.
„Warum bestellen Sie mich her und lassen mich dann über eine Stunde in diesem schrecklichen Raum hier warten? Haben Sie keinen Anstand?“
Am liebsten hätte sich Charlotte wieder umgedreht und die Dame nochmals eine Stunde warten lassen, aber sie war professionell genug, um sich der Situation zu stellen.
„Bitte entschuldigen Sie, Frau Tischner.“ Beinahe wäre ihr *Gnädigste* herausgerutscht. „Wir hatten keine feste Zeit ausgemacht.“
Sie schüttelte ihr die Hand. „Schön, dass Sie gekommen sind. Ich weiß, dass dieser Raum nicht gerade gemütlich ist, aber hier werden wir nicht gestört.“
Wolfrun Tischner entspannte sich und fuhr ihre Krallen

wieder ein.
„Worüber möchten Sie mit mir sprechen?"
„Darf ich Ihnen einen Kaffee oder ein Glas Wasser anbieten?" Charlotte wollte das zweifelsohne heikle Gespräch in einer möglichst lockeren Atmosphäre beginnen, und dazu gehörte nun man das leibliche Wohl.
„Wenn es Ihnen nichts ausmacht, gerne einen Kaffee", nahm Tischner das Angebot an. Sie fühlte sich zunehmend wohler.
„Bitte entschuldigen Sie, ich sage schnell meinem Kollegen Bescheid."
Fünf Minuten später brachte Torsten Klein ein Tablett mit Kaffee, Milch, Zucker und einer kleinen Auswahl italienischer Kekse aus Mariellas Backofen.
Die Investition schien sich gelohnt zu haben. Tischner griff mit Begeisterung zu.
„Sagen Sie nur, das sind Kekse aus dem *Café Al Fiume*?"
Charlotte nickte verwundert.
„Fabelhaft! Diese Frau ist eine Göttin, was das Backen betrifft. Ich decke mich neuerdings mit einem beachtlichen Vorrat an diesen Köstlichkeiten ein. Man will gar nichts anderes mehr essen, finden Sie nicht?"
Charlotte schmunzelte. Diese Frau war immer für eine Überraschung gut.
„Wie Sie wissen, ermitteln wir im Mordfall Tietze..."
„Die arme Kerstin! Es ist wirklich schrecklich, was passiert ist!", fiel ihr Wolfrun Tischner ins Wort.
„Ich habe gehört, Sie sind jetzt die Sprecherin der Bürgerinitiative", fuhr Charlotte unbeeindruckt fort.
„Ja, es muss doch weitergehen! Man kann doch nicht zulassen, dass Eck machen kann, was er will!"
„Frau Tischner, Sie wissen sicher, dass wir in alle Richtungen ermitteln und alle Informationen sammeln, die uns auf die Spur des Täters oder der Täterin führen können."
„Ja?" Wolfrun Tischner legte ihren Keks beiseite und sah die junge Polizistin zweifelnd an. „Was wollen Sie damit sagen?"

„Sie haben am Samstag, den 14.November um 22.45 Uhr mit Frau Tietze telefoniert."
„Und? Ist das verboten?" Ihre Stimme schwoll an. „Ich kannte Kerstin seit vielen Jahren!"
„Wir haben eine Zeugin, die gesehen hat, dass Frau Tietze an diesem Abend bei Ihnen war."
Charlotte blieb gelassen. Sie ignorierte Tischners Bemerkung und beobachtete, wie sich das Gesicht ihres Gegenübers dunkelrot färbte.
„Eine Stunde vor ihrem Tod", setzte sie hinzu.
„Was soll das? Unterstellen Sie mir etwa, dass ich etwas mit Kerstins Tod zu tun habe?", kreischte Tischner außer sich vor Empörung.
„Ich behaupte gar nichts. Wir versuchen nur herauszufinden, was Frau Tietze gemacht hat, bevor sie starb. Warum sie zu nachtschlafender Zeit in der Südstadt unterwegs war. Wir sind dankbar für jeden Hinweis. Was wollte Sie an diesem Abend von Ihnen?"
„Wir wollten das weitere Vorgehen der Bürgerinitiative besprechen", antwortete Tischner kurz angebunden. Beleidigt verschränkte sie die Arme vor der Brust.
Ihre Körpersprache war eindeutig. Die Bereitschaft zur Zusammenarbeit sank zusehends.
„Warum so spät?" Charlotte hatte wenig Verständnis für die Befindlichkeiten ihrer Gesprächspartnerin. Sie musste einen Mörder finden und konnte keine Rücksicht auf beleidigte Zeugen nehmen. Vor allem dann nicht, wenn sie sich jede Information aus der Nase ziehen ließen.
„Es ging nicht eher."
„War noch jemand bei Ihnen?"
„Warum fragen Sie das alles, wenn Sie eh schon alles wissen?"
Na prima! Das Gespräch drohte in einer Sackgasse zu enden.

Plötzlich öffnete sich die Tür. Torsten Klein schaute herein. „Kommen Sie bitte, es ist wichtig."

Dankbar erhob sie sich.
„Bitte entschuldigen Sie. Ich bin gleich zurück.“
„Wann kann ich endlich gehen?“, rief ihr Wolfrun Tischner hinterher.
Die Tür fiel zu.
Charlotte stöhnte.
„Gibt es wirklich etwas, oder wollten Sie mich nur retten?“
„Beides. Der Chef möchte Sie sprechen. Soll ich weitermachen?“
„Das trauen Sie sich zu?“, staunte Charlotte. Sie war sich nicht sicher, ob sie das Gespräch mit dieser nicht ganz einfachen Frau einem unerfahrenen Praktikanten überlassen sollte. Andererseits konnte er dabei nur dazulernen, und sie selbst hätte die Möglichkeit, sich etwas vom anstrengenden Wesen der Zeugin zu erholen.
„Gar keine schlechte Idee“, gab sie zu. „Aber warten Sie bitte, bis ich vom Chef zurück bin, ich würde gerne zusehen, wie Sie unsere Frau Tischner zum Reden bringen.“
Sie boxte ihm freundschaftlich auf die Schulter und machte sich auf den Weg zum Chef.

Kriminalhauptkommissar Tilman Peter wurde langsam ungehalten. Der Polizeichef wollte endlich vorzeigbare Ergebnisse im Fall Tietze sehen. Die Bevölkerung war beunruhigt bei der Vorstellung, einem Mann in die Hände zu fallen, der Unschuldige folterte. Charlotte war froh, dass bislang noch nichts vom Meister Franz in die Öffentlichkeit gedrungen war. Sie konnte sich lebhaft vorstellen, welche Hysterie ausbrechen würde, wenn eines Tages die Schlagzeile *Der Henker Franz Schmidt ist zurück!* auf den Titelseiten der Zeitungen prangen würde.
Peter trieb sie wieder einmal zur Eile an und schärfte ihr ein, die Finger von Friedhelm Eck zu lassen.
„Ich habe seine Alibis überprüft“, berichtete er. „Er war zur Tatzeit bei einem wichtigen Termin. Auch mit den Folterungen kann er nichts zu tun haben.“

„Haben Sie auch die Alibis seiner Frau überprüft?"
„Angelique? Warum das denn? Sind Sie verrückt geworden?"
„Ich nicht, aber möglicherweise Frau Eck", rutschte es Charlotte heraus.
„Mäßigen Sie sich, Frau Gerlach! Was soll diese lächerliche Anspielung?", wies Peter seine Mitarbeiterin zurecht.
„Herr Peter", insistierte Charlotte. „Bitte versuchen Sie, Ihre persönliche Befangenheit auszublenden und das Ehepaar Eck als ganz normale Zeugen oder sogar Verdächtige anzusehen."
„So etwas muss ich mir von Ihnen nicht sagen lassen", donnerte er. „Was fällt Ihnen ein!"
„Lassen Sie mich bitte erklären", bat Charlotte eindringlich. „Wir haben eine Zeugin, die kurz vor Tietzes Tod einen Streit zwischen Frau Eck und Frau Tietze beobachtet hat. Dabei wurde deutlich, dass die Affäre zwischen Herrn Eck und Frau Tietze nicht nur ein Gerücht war. Herr Peter – Frau Eck hat davon gewusst und hatte deshalb einen Streit mit ihrer Widersacherin – eine halbe Stunde später war Kerstin Tietze tot. Das könnte natürlich Zufall gewesen sein. Muss es aber nicht!"
Kommissar Peter ließ sich in seinen Bürostuhl zurückfallen. „Wie glaubhaft ist die Zeugin?"
„Es ist eine Krankenschwester, die an diesem Abend eine Nachbarin versorgt hat. Sie hat sehr genaue Beobachtungen gemacht. Ich halte sie für absolut glaubwürdig."
„Wo hat sich das Ganze abgespielt?" Kommissar Peters Loyalität zum Ehepaar Eck bröckelte. Charlotte jubilierte innerlich.
„In der Wohnung einer Frau Tischner, nur etwa 200 Meter vom Tatort entfernt. Tischner ist die neue Sprecherin der Bürgerinitiative gegen Eck. In welcher Beziehung sie zu Frau Eck steht, wissen wir noch nicht."
„Wo ist diese Tischner?"
„Sie sitzt im Verhörraum. Herr Klein wird sie befragen."

„Wer ist Herr Klein?“
„Unser Umlaufpraktikant“, erklärte Charlotte mit wachsender Ungeduld. Würde sich dieser Mann endlich mehr um seine Mitarbeiter und die zu bearbeitenden Fälle kümmern, wüsste er durchaus, wer gerade in seiner Abteilung beschäftigt war.
„Aber...“
„Herr Peter“, unterbrach ihn Charlotte mutig. Immerhin hatte sie es geschafft, die Unantastbarkeit der Ecks ins Wanken zu bringen. „Torsten Klein ist ein fähiger junger Mann, in dem mehr steckt als man vielleicht auf den ersten Blick vermuten würde.“
„Es ist Ihre Verantwortung, Frau Gerlach. Wir brauchen schnellstmöglich Ergebnisse, und ich habe so meine Zweifel daran, dass dieser junge, unerfahrene Mann in der Lage ist, uns diese zu liefern“, knurrte Kommissar Peter herablassend.
„Sie haben vollkommen recht, Herr Peter, das ist meine Verantwortung“, entgegnete Charlotte ungerührt und verließ das Büro.

Zwei Minuten später stand Charlotte neben ihrem Chef in dem kleinen verdunkelten Raum jenseits des großen Spiegels, in dem sich Wolfrun Tischner ungeduldig betrachtete.
„Was macht sie?“, erkundigte sie sich bei Torsten Klein.
„Sie wird langsam zappelig.“
„Gut. Es schadet nicht, wenn sie etwas nervös wird.“ Sie nickte Klein aufmunternd zu. „Dann sehen wir mal, was Sie aus ihr herausbekommen.“

## 23

Torsten Klein holte tief Luft und betrat den stickigen Raum.
„Guten Tag, Frau Tischner. Mein Name ist Torsten Klein. Wir kennen uns ja bereits“, begann er und setzte sich.
„Was machen Sie denn hier? Wo ist Frau Gerlach?“
„Bitte entschuldigen Sie, aber meine Kollegin hat einen wichtigen Termin beim Polizeipräsidenten und hat mich gebeten, das Gespräch weiterzuführen. Wir wollen doch Ihre Zeit nicht über Gebühr beanspruchen.“ Dabei schenkte er ihr ein verständnisvolles Lächeln.
Charlotte nickte auf der anderen Seite der großen Glasscheibe anerkennend vor sich hin, während Kommissar Peter das Geschehen mit ausdrucksloser Miene verfolgte.
Das war ja schon einmal ein vielversprechender Beginn.
„Wenn Sie meinen“, lenkte Wolfrun Tischner ein. Es war deutlich zu spüren, dass sie das Präsidium so schnell wie möglich verlassen wollte. „Kommen Sie bitte zur Sache, ich sitze bereits seit über zwei Stunden hier!“
„Selbstverständlich. Verzeihen Sie, wenn ich manches wiederhole, aber meine Kollegin hat mir nur kurz von dem bisherigen Gespräch berichtet.“ Er blätterte in einigen Unterlagen.
„Ich würde gerne zunächst die Ereignisse vom 14. November zusammenfassen. Bitte verbessern Sie mich, falls nötig. Sie hatten am Samstag vor einer Woche Besuch von Frau Eck. Ist das richtig?“
Wolfrun Tischner zuckte leicht zusammen, fasste sich aber schnell wieder. „Woher wissen Sie das?“
Klein lächelte erneut.
„Eine Zeugin hat einen teuren Mercedes mit einem auffälligen Kennzeichen bemerkt. Der Wagen ist auf

Friedhelm Eck zugelassen. Was wollte Frau Eck von Ihnen?“
„Ich wüsste nicht, was Sie das angeht! Angelique und ich sind alte Freundinnen. Wir kennen uns seit der Schulzeit. Seit wann darf man seine Freundinnen nicht besuchen?“
„Aber Frau Tischner“, meinte Klein versöhnlich, immer darauf bedacht, das Gespräch nicht eskalieren zu lassen. „Niemand will Ihnen vorschreiben, wann Sie von wem Besuch erhalten. Darum geht es doch gar nicht. Versetzen Sie sich doch einmal in unsere Situation. Eine Frau wird brutal ermordet. Wir finden heraus, dass das Opfer kurz vor ihrem Tod unweit des Tatortes einen Streit mit zwei Leuten hatte, die beide theoretisch ein Motiv hatten. Würden Sie an unserer Stelle nicht auch wissen wollen, was da los war?“
„Was heißt da Motiv? Sind Sie noch ganz bei Trost?“
„Je eher Sie mir erzählen, was passiert ist, desto eher können Sie wieder nach Hause gehen“, bemerkte Torsten Klein ungerührt und blätterte wahllos in seinen Papieren.
„Angelique hat mich besucht“, warf ihm Wolfrun Tischner hin, doch Torsten Klein gab sich damit erwartungsgemäß nicht zufrieden.
„Was hatten Sie denn so spät am Abend zu besprechen?“
„Frauengeschichten, junger Mann, das verstehen Sie nicht.“
„Um 22.45 hat Frau Tietze angerufen.“
„Richtig.“
„Eine halbe Stunde später war sie bei Ihnen.“
„Auch richtig.“
„Was passierte dann?“
„Dann haben wir uns zu dritt unterhalten.“
„Frau Eck hat Frau Tietze gedroht. Sie solle die Finger von ihrem Mann lassen.“
Wolfrun Tischner drehte den Kopf zur Seite und schwieg.
„Woraufhin Tietze antwortete, Herr Eck stehe auf jüngere Frauen.“
„Die arrogante Zicke hat Angelique provoziert.“
„Wusste Frau Eck schon vorher von der Affäre ihres

Mannes?“
Tischner schnaubte verächtlich.
„Dieser Macho hatte doch immer jemanden. Er betrügt sie seit Jahren.“
„Wusste sie von Kerstin Tietze?“
„Ich glaube nicht. Sie hat etwas geahnt, war sich aber nicht sicher.“
Torsten Klein atmete innerlich auf. Endlich ging etwas voran.
„Sie hat mich gefragt, ob ich etwas darüber wüsste“, fuhr sie fort.
„Und?“
„Nein, ich war völlig überrascht. Als Kerstin dann angerufen hat, habe ich sie gebeten, zu mir zu kommen.“
„Dass sich die beiden Damen aussprechen können?“
„Angelique hatte das Recht zu erfahren, wer die Geliebte ihres Mannes ist, oder war.“
„Es war Ihnen aber auch klar, dass diese Aussprache nicht ganz emotionslos ablaufen würde, oder?“
„Ich konnte doch nicht ahnen, dass Kerstin am Ende des Tages tot sein würde“, brach es aus Wolfrun Tischner hervor. Ihre kontrollierte Fassade bröckelte.
Torsten Klein nutzte die Schwäche der Frau aus.
„Frau Tietze stürmt nach dem Streit hinaus, Frau Eck folgt ihr wenig später, holt sie im Karl-Bröger-Tunnel ein, streitet abermals mit ihr, verletzt sie schwer mit einer zerbrochenen Flasche und lässt sie liegen. Sie kommen dazu und helfen Frau Eck, das Opfer mit einem alten Bettlaken zuzudecken.“
Wolfrun Tischner starrte ihn entgeistert an.
„Wie bitte?“, flüsterte sie schockiert.
Der junge Polizist beugte sich über den Tisch.
„Wenn es nicht so war, wie war es dann?“
„Die beiden sind gegangen und ich habe mich ins Bett gelegt. Ich wollte mich nicht länger mit den Problemen der beiden befassen. Der Streit war nervenaufreibend genug.“
„Haben Sie danach das Haus noch einmal verlassen?“

„Nein, ich sagte doch, ich bin danach ins Bett gegangen!"
„Die Zeugin hat ausgesagt, Sie seien kurz nach den beiden anderen gegangen."
„Wer ist denn diese ominöse Zeugin? Ist es etwa die Krankenschwester von Frau Siebentritt? Das Mädchen hört doch die Flöhe husten!"
„Sind Sie gegangen, oder nicht?"
„Ich bin noch einmal nach unten und habe die Haustür abgesperrt. Vielleicht hat Ihre Zeugin das gehört? War das alles? Darf ich jetzt gehen?"
Sie sprang auf und funkelte Torsten Klein wütend an.
„Das ist eine Unverschämtheit! Ich werde mich an Ihren Vorgesetzten wenden. Ich komme hierher, um Ihnen behilflich zu sein und werde kurzerhand zur Mörderin abgestempelt."
„Frau Tischner", beschwichtigte Klein freundlich. „Niemand stempelt Sie zur Mörderin ab. Wir sind nur auf der Suche nach der Wahrheit. Sie haben uns sehr dabei geholfen. Vielen Dank für Ihre Mitarbeit und entschuldigen Sie noch einmal die Umstände. Auf Wiedersehen."
Erhobenen Hauptes verließ Wolfrun Tischner den Raum und stürmte ohne ein weiteres Wort in Richtung Treppe.

„Respekt, Herr Klein", meinte Charlotte anerkennend, „das war richtig gute Arbeit."
„Naja, es hat ja nicht viel gebracht", behauptete Klein verlegen. „Wir wissen immer noch nicht genau, was an dem Abend passiert ist."
„Und trotzdem haben Sie einiges erfahren. Es sind alles Puzzleteile, die sich am Ende zu einem ganzen Bild zusammenfügen", gab Charlotte zurück. „Immerhin haben Sie es geschafft, dieser schwierigen Person die eine oder andere Information zu entlocken."
„Wir werden sehen, was Angelika Eck dazu zu sagen hat", knurrte Kommissar Peter.
Charlotte und Torsten Klein starrten ihren Chef fragend an.

„Ich werde sie für morgen früh hierher bestellen. Immerhin hat sie ein Motiv“, erklärte er kurz angebunden. „Dieses Gespräch wird wieder ein erfahrener Beamter führen“, setzte er mit strengem Blick hinzu und ließ seine Mitarbeiter stehen.
Torsten Klein schluckte und biss sich auf die Lippen.
„Vergessen Sie ihn“, gab Charlotte wütend zurück. „Sie haben sehr gute Arbeit geleistet! Lassen Sie sich nicht von diesem Typen demotivieren. Ich frage mich wirklich, wie es sein kann, dass jemand auf der Karriereleiter so hoch klettern kann, ohne einen Funken Menschenkenntnis und Führungskompetenz zu besitzen. Wir sollten ihn schleunigst auf ein Seminar für Führungskräfte schicken!“

Als sie zurück in ihr Büro kam, lagen mehrere Nachrichten auf ihrem Schreibtisch.
„Das ist doch wirklich zum Mäuse melken!“, schimpfte sie und knallte die Zettel wieder zurück auf den Tisch.
„Schlechte Nachrichten?“, fragte Torsten Klein vorsichtig.
„Die Bäckerei hat angerufen. Herr Brugger war doch am Samstagmorgen Brötchen kaufen. Er kam genau in der halben Stunde, als die Tochter einer Mitarbeiterin kurz im Laden war. Die hat Bruggers Angaben bestätigt.“
„Dann war er wohl nicht mit einer Peitsche am Alten Kanal unterwegs, was?“
„Das können wir wohl ausschließen.“
„Und was ist mit der Mordnacht? Meiner Meinung nach hat er nicht mit seiner Frau vor dem Fernseher gesessen.“
„Das glaube ich auch nicht, aber wir können ihm bislang nichts nachweisen. Außerdem haben wir noch nicht nach seinem Alibi für die Tat an Hafensteiner gefragt.“
Sie seufzte. „Alles sieht nach einem weiteren Ausflug in die Konstanzenstraße aus.
„Gibt es noch mehr Neuigkeiten?“
„Hafensteiner und Siebert sind wieder zuhause. Wir sollten auch nochmal mit ihnen sprechen. Und mit Frau Eck und,

und, und. Herr Klein, wissen Sie was?“
„Ja?“
„Ich kann nicht mehr. Ich mache für heute Feierabend. Mir brummt der Schädel. Wir sehen uns morgen zur sicherlich interessanten Unterhaltung mit Frau Eck.“
„Ich versuche noch etwas über die Peitsche zu erfahren, mit der Siebert gequält wurde. Vielleicht hat die Spurensicherung was für uns?“
„Sie sind der neue Stern am Ermittlerhimmel“, scherzte Charlotte und zog sich ihre Daunenjacke über. „Bis dann.“

Ein eiskalter Wind pfiff ihr um die Ohren, es nieselte leicht. Sie zog ihre Mütze tiefer ins Gesicht und kämpfte sich über den Unschlittplatz bis zum Henkersteg voran. Die hölzerne, überdachte Brücke führte direkt auf das Henkerhaus zu, in dem seit einigen Jahren eine Ausstellung über die Kriminalgeschichte im mittelalterlichen Nürnberg untergebracht war.
Als Charlotte die Tafel an der Eingangstür las, dachte sie wieder daran, dass sie noch dringend Informationen zu Franz Schmidt brauchte und sich diesbezüglich an den Geschichtsverein wenden könnte, der die Ausstellung im Henkerhaus betreute. Sie nahm sich vor, gleich am nächsten Tag Kontakt zu dem Verein aufzunehmen.
Nach einigen Minuten stand sie im Supermarkt am Hauptmarkt und fischte mit klammen Fingern ihren zerknüllten Einkaufszettel aus der Hosentasche. Der Kühlschrank zu Hause war inzwischen so leer, dass sich das angefangene Glas Gurken und die Grillsoße vom vergangenen Sommer ganz einsam fühlten.
Sie steckte einen Chip in den Einkaufswagen und machte sich auf den Weg durch die Regale. Als sie kurz darauf ihre Waren an der Kasse auf das Laufband legte, fragte sie sich, wie sie all diese Köstlichkeiten zu Fuß nach Hause bringen solle. Man sollte doch nie hungrig einkaufen gehen!
Ratlos stand sie mir drei übervollen Tüten vor dem

Supermarkt und sah sich um. Vielleicht hatte das Schicksal ein Einsehen mit ihr und schickte ihr jemanden vorbei, der...
Da entdeckte sie plötzlich eine zusammengesunkene Gestalt auf den Stufen des Schönen Brunnens.
Willi!
Sie hatte zwar nicht vor, den Sandler zu fragen, ob er ihr die Tüten nach Hause tragen könnte, war aber neugierig, ob er Neuigkeiten bezüglich des Mordes im Karl-Bröger-Tunnel hatte.
Kurzerhand kramte sie einige Päckchen Wurst, Käse, Brot und Kekse aus den Tüten, ließ die restlichen Einkäufe in einer Ecke des Eingangs stehen und eilte die paar Meter hinüber zum Schönen Brunnen.
„Hallo, Willi“, begrüßte sie den Mann freundlich und ließ sich trotz des ungemütlichen Wetters neben ihm auf den Stufen nieder. „Darf ich Sie heute zu einem feudalen Menü einladen?“, scherzte sie und reichte ihm die Lebensmittel.
Er sah auf und lächelte dankbar.
„Da sage ich nicht nein, junge Frau.“ Er nahm die Päckchen an sich und steckte sie in eine seiner schmutzigen Taschen.
Sie saßen einige Minuten schweigend nebeneinander. Charlotte beobachtete, wie ab und zu jemand einen verstohlenen Blick auf ihre Einkäufe auf der anderen Straßenseite warf. Bisher hatte es noch niemand gewagt, sich zu bedienen, es war aber vermutlich nur eine Frage der Zeit, bis sich ihr Transportproblem von selbst gelöst haben würde.
„Haben Sie sich mal umgehört wegen der Toten im Karl-Bröger-Tunnel?“, fragte sie und versuchte, dabei möglichst unverbindlich zu klingen.
Willi starrte auf seine löchrigen Schuhspitzen.
Charlotte nahm sich vor, in Tims Schuhregal nach einem abgelegten Paar zu sehen, das er schon lange nicht mehr getragen hatte. Willi könnte es sicherlich besser gebrauchen. Die Schuhgröße schien zu passen.
Er machte keine Anstalten, zu antworten.

„Willi?“
„Keiner weiß was, keiner hat was gesehen, keiner sagt was.“
Charlotte ließ sich nicht so leicht abspeisen.
„Vielleicht hilft das Ihrem Gedächtnis auf die Sprünge?“, fuhr sie fort und hielt ihm einen 20.-€ Schein unter die Nase.
Willi blitzte sie wütend an. „Was soll das sein? Almosen für den Penner, oder Bestechungsgeld? Was, wenn ich mir jetzt irgendetwas ausdenke?“
„Das tun Sie nicht“, erwiderte Charlotte ungerührt. „Sehen Sie es als kleines Tauschgeschäft. Information gegen bare Münze.“
Der Mann schüttelte den Kopf.
„Sie gefallen mir, wie Sie da so neben mir in der Kälte sitzen, zittern und völlig abgebrüht mit mir verhandeln.“
„Es freut mich, dass Ihnen unsere Geschäftsbeziehung zusagt“, grinste sie. „Was ist nun?“
„Da waren zwei Frauen.“
„Das klingt doch schon mal gut. Weiter!“
„Sie kamen aus der Südstadt.“
„Und?“
„Sie haben gestritten.“
„Wo?“
„Auf dem Weg durch den Südstadtpark.“
„Haben Sie die beiden beobachtet?“
Willi zuckte zurück.
„Wo denken Sie hin, ich doch nicht! Ich habe mich umgehört, in der Szene. Ein Kollege von mir hat sein Revier dort. Es war kalt in der Nacht, viele von uns konnten nicht lange schlafen und sind herumgelaufen.“
„Wer ist dieser Freund?“
„Das werde ich Ihnen sicher nicht auf die Nase binden, Frau Kommissarin. Entweder, Sie nehmen die Information so, wie sie ist, oder Sie gehen mit Ihren beiden Tüten nach Hause!“
Mit beiden Tüten? Charlotte stutzte. Waren es nicht drei gewesen? Sie blickte hinüber zum Eingang des

Supermarktes und musste seufzend feststellen, dass sie die Ehrlichkeit der Leute leider überschätzt hatte.
„Was hat Ihr Freund noch gesehen?“
„Freund ist zu viel gesagt.“
„Dann eben Ihr Bekannter.“
„Nichts mehr. Die beiden sind im Tunnel verschwunden.“
„Kam eine der beiden wieder heraus?“
„Weiß nicht, glaube nicht.“
„Worum ging es in dem Streit?“
„Das weiß ich doch nicht! So elegant, wie die eine angezogen war, ging es sicher ums Geld!“
„Hat Ihr Bekannter was gehört, oder nicht?“
„Sie sollten sich beeilen, wenn Sie überhaupt noch eine Tüte mit nach Hause nehmen wollen. Es werden immer weniger. Schönen Abend noch.“
Willi stand auf und schlurfte davon.
Charlotte lief schimpfend über die Straße und packte die letzte verbliebene Tasche mit dem kläglichen Rest ihrer Einkäufe. Kurz überlegte sie, ob sie die gestohlenen Lebensmittel noch einmal kaufen sollte, doch die Lust war ihr vergangen.
Nachdenklich trat sie den Heimweg an.
Zwei Frauen, wahrscheinlich Tietze und Eck, haben sich gestritten. Sie verschwinden im Tunnel. Fertig!
Sollte an dieser Aussage wirklich etwas dran sein, wäre zumindest klar, dass Wolfrun Tischner nicht dabei war, wenigstens am Anfang nicht.
Es war doch noch alles möglich, trotz der Aussage. Wer weiß, ob es diesen Kollegen von Willi überhaupt gab? Womöglich war er selbst der Zeuge und wollte es nicht zugeben? Sie konnte ihn verstehen. Er wollte so wenig wie möglich mit der Polizei zu tun haben. Im Grunde genommen musste sie es ihm hoch anrechnen, dass er überhaupt mit ihr gesprochen hat.

Es war kurz nach 18.00 Uhr, als Charlotte müde und genervt

die Wohnungstür aufsperrte. Das Licht in der Küche brannte, der Dunstabzug lief und ein verlockender Duft nach Bratwürsten mit Sauerkraut stieg ihr in die Nase.
Das war jetzt genau das Richtige!
Sie liebte dieses zünftige, typisch fränkische Gericht, an dem sie sich so satt essen konnte, dass sie beinahe platzte.
„Du bist ein Schatz“, schrie sie gegen das ohrenbetäubend laute Brummen des altersschwachen Dunstabzugs an und drückte ihrem Freund einen Schmatz auf die Backe.
„Ich dachte, du könntest nach all der anstrengenden Verbrecherjagd ein köstliches Abendessen vertragen“, antwortete Tim lachend. Mit seiner bunten Schürze, den roten Wangen und der hölzernen Grillzange in der Hand sah er zum Anbeißen aus.

„Na, was macht Franz Schmidt?“, fragte er, nachdem sie alle Töpfe leer gegessen hatten. „Kommt ihr weiter?“
„Nein, nicht wirklich“, klagte Charlotte und rieb sich die Augen. „Wir drehen uns im Kreis. Ich brauche noch mehr Infos über den Henker und seine Arbeit. Vorhin, als ich am Henkerhaus vorbeikam, habe ich beschlossen, einmal mit den Leuten von diesem Geschichtsverein zu sprechen, die auch Stadtführungen zum Thema Kriminalgeschichte anbieten.“
„Das ist bestimmt sinnvoll. Die kennen sich vermutlich in dieser Thematik am besten aus. Ich habe mich auch mal dort beworben, hatte dann aber leider keine Zeit mehr, richtig einzusteigen.“
Charlotte sah überrascht auf. „Du wolltest Stadtführer werden? Das wusste ich gar nicht.“
„Rundgangsleiter heißt das, nicht Stadtführer“, verbesserte Tim schmunzelnd. „Schade, ich wäre bestimmt ein leidenschaftlicher Rundgangsleiter geworden, meinst du nicht?“
„Bestimmt!“, stimmte Charlotte fröhlich zu. Sie genoss die Abende mit ihrem Freund. Er schaffte es immer, sie wieder

aufzumuntern und auf andere Gedanken zu bringen. Wie öde musste es sein, nach einem langen, anstrengenden Arbeitstag nach Hause zu kommen und alleine zu sein? So, wie all die Kommissare in den Fernsehkrimis, diese gescheiterten Existenzen, die oftmals gar nicht mehr nach Hause gehen, sondern gleich in ihrem Büro übernachten. Die bis in die Nachtstunden hinein ermitteln, befragen und recherchieren. Ihr war der Feierabend heilig! Sie würde nicht ohne weiteres auf ein paar entspannende Stunden verzichten, nur um an ein paar mehr Daten heranzukommen.

„Wollen wir noch schnell eine Flasche Wein aufmachen?“, schlug Tim vor.

„Warum schnell? Wir können uns doch Zeit lassen“, wunderte sich Charlotte, doch ihr Freund zog skeptisch die Augenbrauen nach oben.

„Du weißt, wie schnell es in deinem Job gehen kann. Bei eurem aktuellen Fall würde es mich nicht wundern, wenn euer Henker bald wieder zuschlagen würde.“

## 24

*Ich habe das Haus gefunden.*
*Die Straßen waren menschenleer, keiner hat mich gesehen.*
*Selbst wenn jemand aus dem Fenster geschaut hätte, wäre ich niemandem aufgefallen.*
*Es ist dunkel und kalt.*
*Ich hatte einen langen Tag, bin müde, doch ich habe noch etwas zu tun.*
*Ich bin ein gewissenhafter Mensch. Was ich angefangen habe, bringe ich auch zu Ende.*
*Ich bin noch nicht am Ende, noch lange nicht.*
*Da gibt es immer noch Leute, die dafür büßen müssen, was sie mir angetan haben.*
*Meister Franz hat viele Taten gerächt, hat die Gerechtigkeit wiederhergestellt, nicht lange gefackelt.*
*Es ist unerträglich, wie viel Zeit und Geld die Menschheit darauf verwendet, Verbrechern den Prozess zu machen, von denen jeder weiß, dass sie schuldig sind.*
*Manche geben es sogar zu.*
*Sie sind schuldig des Mordes, Diebstahls, Betrugs, der Vergewaltigung oder des Missbrauchs.*

*Schuldig! SCHULDIG!! S C H U L D I G !!!!!*

*Sie haben die allgemein anerkannte Ordnung, die Regeln und Gesetze verletzt, sich selbst über Recht und Gesetz gestellt, unsagbares Leid über ihre Mitmenschen gebracht.*
*Sie müssen bestraft werden, das Leid am eigenen Leib verspüren, sofort! Ohne langen Prozess!*
*Im Mittelalter hat man schneller bestraft, unmittelbarer, härter!*

*Der Henker war derjenige, der die Strafen vollzogen hat, er hat die Verbrecher bestraft, sie gefoltert, verstümmelt oder hingerichtet.*
*Heute bin* ich *der Henker! Heute muss ein Verbrechen gesühnt werden, das lange zurückliegt, aber niemals verjährt ist!*
*Heute werde ich mich an dir rächen, Viktor!*
*Heute musst du bluten für das, was du mir angetan hast.*
*Du hast dir vermutlich nichts dabei gedacht, hast gemeint, mit mir kann man es ja machen.*
*Es ist jahrelang gut gegangen – für dich! Ich habe viele Jahre lang geschwiegen, versucht, alles zu vergessen.*
*Fast hättest du Glück gehabt, fast hätte sich der Mantel des Schweigens über die Angelegenheit gelegt, fast!*
*Aber jetzt ist alles anders!*
*Kerstin hat mich daran erinnert, dass nichts vergessen ist. Ebenso, wie Kai und Isidor kannst auch du dich bei ihr bedanken, dass sie mich wachgerüttelt, mir den Weg gezeigt hat, den Weg zu meinem inneren Frieden.*
*Danke, Kerstin!*

*Die Haustüre steht offen, das ist gut. Ich schleiche hinauf in den zweiten Stock. Es riecht nach Urin, Essen, Zigaretten.*
*Viktor von Treiden!*
*Ich spucke aus. Direkt auf deinen ausgetretenen Fußabstreifer.*
*Du bist ein Verlierer, Viktor von Treiden!*
*Mit deinem albernen* von *kannst du dir auch nichts mehr kaufen. Du hattest alle Möglichkeiten, dir stand alles offen, aber du hast es vermasselt, hast nichts aus deinem Leben gemacht. Jetzt haust du hier in diesem Loch, dröhnst dich zu, lässt den kläglichen Rest deines verkorksten Lebens an dir vorbeiziehen.*
*Aber das ist deine Sache, das ist mir egal. Meinetwegen kannst du dich zu Tode saufen, ich weine dir keine Träne nach. Aber du hättest mich nicht in deinen Sumpf mit*

*hineinziehen dürfen! Du hättest mich in Ruhe lassen müssen, mich respektieren! Schließlich waren wir einmal Freunde!*
*Ich spüre, wie mir allein bei dem Gedanken daran, dich einst als Freund bezeichnet zu haben, übel wird.*
*Das ist lange vorbei.*
*Ich höre den Fernseher, du bist zuhause. Das ist gut!*
*Ich packe den Lappen und die braune Flasche aus, halte die Luft an und tränke den Lappen mit der rettenden Flüssigkeit.*
*Schade, dass du nichts davon mitbekommen wirst, ich hätte dich gerne schreien und winseln hören, aber ich will unter allen Umständen, dass du überlebst.*
*Du darfst mich nicht erkennen, sollst dich nicht wehren. Es ist besser, wenn du wehrlos bist und erst erwachst, wenn ich fertig bin.*
*Du wirst sicherlich trotzdem noch sehr lange deine Freude an dem haben, was ich mit dir machen werde.*
*Ich freue mich darauf.*
*Das Licht im Treppenhaus geht aus. Ich lehne mich an die Wand neben der Tür und drücke die Klingel.*
*Es passiert nichts. Ich klingele noch einmal, dann noch einmal.*
*Du schlurfst schimpfend zur Tür, öffnest sie.*
*Der Äther wirkt sofort. Du sackst zusammen.*
*Ich schleife dich in den Flur.*
*Wie hässlich du bist, armselig, bedauernswert.*
*Aber ich bin nicht gekommen, um dich zu bedauern, sondern um Tatsachen zu schaffen, blutige Tatsachen.*
*Mir ist heiß. Ich will aber meine Jacke nicht ausziehen, das könnte nur unnötige Spuren hinterlassen.*
*Ich knie mich neben dich. Dein aufgeschwemmtes, unrasiertes Gesicht ist ekelhaft. Du stinkst!*
*Zügig packe ich das Messer, die Säge und das Verbandszeug aus.*
*Ich nehme deine schmutzige Hand. Zum Glück trage ich Handschuhe.*
*Zunächst greife ich zum Messer und setze den ersten Schnitt.*

*Es blutet. Nach kürzester Zeit ist der ekelhafte Teppich im Flur blutgetränkt.*
*Jetzt kommt die Säge.*
*Ich arbeite zügig und konzentriert, presse die Wunden zusammen, so gut es eben geht, verbinde sie.*
*Ich bin fertig, packe alles zusammen, lege meine Nachricht auf deinen Bauch, greife zum Telefon.*

## 25

Das Blaulicht des Krankenwagens blinkte stumm und warf gespenstische Schatten auf die tristen Fassaden der Mietshäuser, nur wenige Straßenzüge von Wolfrun Tischners Wohnung entfernt.
Charlotte parkte ihren Wagen dort, wo vor wenigen Tagen der teure SLK des Ehepaares Eck stand. Sie hatte Kommissar Peter gefragt, ob er zum Tatort mitkommen wolle, doch er hatte nur abgewunken.
Dann eben nicht!
Es war der jungen Polizistin ohnehin lieber, ohne den skeptischen Blick und die unentwegt schlechte Laune ihres Chefs unterwegs zu sein. Wie angenehm war dagegen Torsten Klein, der zu jeder Tages- und Nachtzeit motiviert und fröhlich war.
Markus Metz kam ihnen entgegen und hielt bereits den obligatorischen Zettel in der Hand.

GRÜSSE VOM MEISTER FRANZ

„Wer ist das Opfer?“, fragte Charlotte nach einem kurzen Blick auf das Papier.
„Es handelt sich um den 54-jährigen Viktor von Treiden“, berichtete Metz.
„Was ist passiert?“
„Unser Täter wird immer brutaler.“ Metz schüttelte fassungslos den Kopf, als er die beiden Polizisten zum Krankenwagen begleitete. „Er hat dem Mann drei Finger abgetrennt.“
„Abgetrennt?“, wiederholte Charlotte ungläubig.
„Ja, abgeschnitten, abgesägt, nenne es, wie du willst.“

„Das ist ja entsetzlich!“
„Ganz deiner Meinung. Der Arzt hat gemeint, das Opfer sei wieder mit Äther betäubt worden und hat von der ganzen Prozedur nichts mitbekommen.“
„Ein schwacher Trost“, murmelte Charlotte bitter.
„Anschließend hat der Täter die Wunden verbunden und die Polizei alarmiert.“
„Dieser Mann ist mir ein Rätsel. Was bezweckt er mit diesen fürchterlichen Taten? Er will Menschen verletzen, in diesem Fall sogar verstümmeln, will aber verhindern, dass sie daran sterben. Wie krank ist das denn?“
Charlotte fühlte sich plötzlich völlig überfordert. Sie arbeitete fast rund um die Uhr, befragte Leute, sammelte Beweise, wälzte Akten.
Und was hatte all diese Arbeit bisher gebracht?
Waren sie dem Täter auch nur einen Zentimeter näher gekommen? Nein!
Er spielte mit ihnen, lachte sich womöglich irgendwo ins Fäustchen, probierte munter aus, was man mit der Polizei noch alles machen könnte.
Er führte sie an der Nase herum!
Aus Charlottes Frustration wurde langsam Wut. Wut auf den Täter und sein perfides Spiel, seine Grausamkeiten. Was würde ihm als nächstes einfallen? Wie lange würde es dauern, bis eines der Opfer an den Verletzungen starb?
„Haben Sie bereits Spuren oder Hinweise in der Wohnung gefunden?“, mischte sich nun Torsten Klein ein.
„Kommt mit.“
Der Chef des Erkennungsdienstes ging voran die Treppe hinauf. Dieses Haus unterschied sich kaum von all den anderen Mietshäusern in der Südstadt, es war schlicht und nicht besonders hübsch. Charlotte war froh, in einem Haus zu wohnen, das schon eine über 200-jährige Geschichte vorzuweisen hatte und trotz oder gerade wegen seiner schiefen Wände und knarzenden Dielenböden einen heimeligen Charme versprühte.

„Die Tür weist keine Einbruchspuren auf", referierte Markus Metz, als sie vor der Wohnung des Opfers angekommen waren. „Entweder hatte der Täter einen Schlüssel, oder Herr von Treiden hat ihn hereingelassen."
„Haben Sie schon mit dem Mann gesprochen?"
„Nein, ich wollte auf euch warten." Metz führte sie in den Flur.
In der Wohnung stank es nach Alkohol, Zigaretten und gammeligen Essensresten. Der Fernseher lief, es herrschte Chaos. Auf dem abgewetzten Teppich im Flur war ein großer Blutfleck, daneben lagen verschiedene Reste von Verbandsmaterial.
„Der Täter hat vermutlich geklingelt und dem Opfer gleich den Ätherlappen vor das Gesicht gehalten. Dann hat er ihn gleich hier im Flur..., naja, ihr wisst schon. Jedenfalls war Treiden noch nicht ganz bei sich, als der Notarzt eingetroffen war."
„Gibt es sonst verwertbare Spuren?", fragte Charlotte wenig hoffnungsvoll.
„Bisher haben wir nur die Fingerabdrücke Treidens gefunden. Dann natürlich Fasern von Handschuhen. Sonst noch nichts.
Charlotte seufzte. „Wenn Ihr noch etwas findet..."
„... sagen wir Bescheid, Frau Kommissarin!"
„Danke. Sehen wir jetzt nach dem Opfer."

Auf der Trage saß ein Mann mit halblangem, fettigem Haar, ungesunder Hautfarbe und roter Nase. Er sah aus wie jemand, der viel Alkohol trank, rauchte, sich ungesund ernährte und selten an die frische Luft ging. Er trug ein schlabbriges, blutverschmiertes Sweatshirt und eine ausgewaschene, verbeulte Trainingshose.
„Er hat mir drei Finger abgeschnitten", stöhnte der Mann und hielt den Beamten seine verbundene Hand entgegen. „Drei Finger! Zuerst hat er mich betäubt mit irgendeinem stinkenden Lappen. Und als ich wieder zu mir kam, habe ich

gesehen, dass ich einen Verband an der Hand hatte. Es sind wahnsinnige Schmerzen, das können Sie mir glauben!"
„Guten Abend, mein Name ist Gerlach von der Kripo Nürnberg", stellte sich Charlotte vor. „Das ist mein Kollege Klein. Sie sagten, ein Mann habe Ihnen drei Finger abgetrennt?"
Charlotte verspürte eine leichten Brechreiz bei der Vorstellung, betäubt zu werden und beim Aufwachen festzustellen, dass drei Finger fehlten. Ihre Nackenhaare stellten sich auf.
„Erzählen Sie bitte von vorne", forderte sie den Mann auf, der trotz seiner schlimmen Verletzung offenbar die Aufmerksamkeit der Polizei genoss.
Melodramatisch strich er sich eine Haarsträhne aus der Stirn. „Ich saß vor dem Fernseher und habe mir ein kleines Bierchen gegönnt."
Oder drei oder vier, fuhr es Charlotte durch den Kopf. Selbst mit fast zwei Metern Abstand konnte sie die Alkoholfahne riechen.
„Dann hat es geklingelt. Ich bin erschrocken, wissen Sie, bei mir klingelt sonst nur der Postbote und der auch nicht sehr oft."
Viktor von Treiden setzte eine gequälte Miene auf und krümmte sich vor Schmerzen. Aus den Augenwinkeln beobachtete er, ob ihn die Polizisten auch angemessen bemitleideten, doch die schienen sich nur am Rande für seine Schmerzen zu interessieren.
„Haben Sie die Tür gleich geöffnet?", hakte Charlotte völlig unbeeindruckt nach.
„Natürlich nicht. Ich war sicher, dass wieder irgendjemand im Haus Besuch bekommen hat. Hier geht es ja manchmal zu wie auf dem Bahnhof. Und die Leute klingeln dann immer bei mir. Bin ich hier vielleicht immer dafür zuständig, die Gäste anderer Leute ins Haus zu lassen? Die sollen gefälligst selbst aufstehen und mir meine Ruhe lassen!", lamentierte von Treiden mit gespielter Empörung.

Charlotte tat der Mann leid – und nicht nur wegen der verlorenen Finger. Er erweckte den Eindruck, als wünschte er sich, es würde mal jemand zu ihm kommen, ihn aus seiner Einsamkeit reißen, ihm Gesellschaft leisten, sich für ihn interessieren. Aber wahrscheinlich verbrachte er seine Tage alleine mit seinem Fernseher und einem oder mehreren Kästen Bier. Wie trostlos!
Aber wenn er wirklich so einsam war, wie es schien, wer hatte dann einen Grund gehabt, ihn so grausam zu verstümmeln?
„Warum haben Sie dann die Tür geöffnet?", wollte Torsten Klein wissen.
„Der Kerl hat Sturm geklingelt und an die Tür gehämmert, da würden Sie auch wissen wollen, was los ist, oder?"
„Und was war los?"
„Ich habe die Tür aufgerissen und wollte sehen, wer da ist, da hatte ich schon diesen stinkenden Lappen im Gesicht. Ekelhaft! Dann weiß ich nichts mehr. Sie müssen den Kerl schnappen, hören Sie!"
Er presste mühevoll einige Tränen hervor.
„Haben Sie eine Idee, wer Ihnen das angetan haben könnte?"
„Keine Ahnung. Ich bin der friedlichste Mensch, den Sie sich vorstellen können."
Charlotte konnte sich tatsächlich vorstellen, dass dieser Mann in seinem Zustand keiner Fliege etwas zuleide tun konnte, abgesehen davon, dass er dazu erst einmal seine Wohnung verlassen müsste. Er war sicherlich ein friedlicher Mensch.
Jetzt. Heute.
Aber wie war das vor zehn Jahren, vor 20 oder 30? War er da auch so ein Unschuldslamm gewesen?
Charlotte wusste aus Erfahrung, dass Mörder ein gutes Gedächtnis hatten, Taten rächten, an die sich sonst niemand mehr erinnerte.
Was hatte es mit seinem Namen auf sich? Er war ein *von* Treiden. Stammte er tatsächlich aus einem Adelsgeschlecht?

Dann war es ein weiter Weg gewesen bis in diese Wohnung in der Südstadt.
„Was machen Sie beruflich?“
Viktor von Treiden senkte den Blick.
„Ich möchte mich gerade beruflich verändern und muss mich noch zwischen mehreren Angeboten entscheiden.“
Du hast gar nichts, Herr von Treiden, dachte Charlotte mitleidig. Du bist am Ende. Und jetzt kommt irgendjemand, nimmt dir drei Finger und du scheinst dich im Moment sogar darüber zu freuen. Endlich interessiert sich jemand für dich. Endlich nimmt dich jemand wahr, beschäftigt sich mit dir. Das bittere Ende kommt noch, die Aufmerksamkeit lässt nach, die Einsamkeit kommt wieder – deine Finger nicht.
„Um den Täter zu fassen, müssen wir mehr aus Ihrem Leben erfahren. Wir gehen davon aus, dass Sie den Täter gekannt haben. Bitte versuchen Sie, sich an möglichst viele Leute zu erinnern, mit denen Sie im Laufe Ihres Lebens möglicherweise Schwierigkeiten hatten. Können Sie morgen Vormittag zu uns ins Präsidium kommen? Es ist sehr wichtig.“
Charlotte warf einen fragenden Blick auf den Notarzt.
„Aus meiner Sicht steht dem nichts im Wege. Wir nehmen Sie jetzt mit in die Klinik. Die Stümpfe müssen ordentlich vernäht werden, dann können Sie wieder nach Hause gehen. Morgen müssen Sie im Laufe des Tages zum Verbandwechseln zum Hausarzt gehen.“
„Ja, ja“, brummelte Viktor von Treiden halbherzig.
Der Notarzt packte den Mann resolut am Arm. „Hören Sie! Das ist wirklich wichtig! Die Wunden müssen professionell versorgt werden, sonst können sie sich entzünden, haben Sie mich verstanden?“
„Lassen Sie mich los!“, ereiferte sich von Treiden. „Ich weiß, was gut für mich ist.“ Er wandte sich an Charlotte. „Habe ich eigentlich Anspruch auf Entschädigung? Schmerzensgeld?“
„Wir sehen uns morgen. Gute Nacht, Herr von Treiden.“

„Unangenehmer Zeitgenosse“, entfuhr es Charlotte auf dem Weg zurück ins Präsidium. „Glauben Sie, er kommt morgen?“
Torsten Klein sah auf seine Uhr. Es war kurz vor 23 Uhr. „Ich könnte es verstehen, wenn er morgen den ganzen Tag im Bett bliebe, aber ich vermute, er wird schon recht früh auf der Matte stehen.“
„Mir wird dieser Fall langsam unheimlich. Was fällt dem Täter als nächstes ein?“
„Ich weiß es nicht“, gab Klein zu.
„Ich treffe mich morgen mit einem Historiker von dem Geschichtsverein, der die Ausstellung im Henkerhaus betreibt. Meiner Meinung nach müssen wir mehr über Meister Franz erfahren, um zu wissen, wo wir nach dem Täter suchen müssen.“

# 26

*DER HENKER FRANZ SCHMIDT IST ZURÜCK*

In riesigen Lettern prangte diese Zeile auf der Titelseite der Nürnberger Nachrichten. Darunter war eine historische Abbildung des Henkers bei der Arbeit und ein Foto von Isidor Hafensteiner.

*Ein grausamer Nachfolger von Meister Franz versetzt die Stadt in Angst und Schrecken! Die Polizei sieht tatenlos zu!*

Kommissar Peter knallte die Zeitung mit hochrotem Gesicht vor Charlotte auf den Schreibtisch.
„Sagte ich nicht, es darf nichts von diesem Henker-Thema in die Öffentlichkeit gelangen? Wie konnte das passieren?"
Er war völlig außer sich.
Charlotte las entgeistert die Titelstory und zeigte auf das Foto.
„Hafensteiner. Unser zweites Opfer."
„Haben Sie ihm nicht gesagt..."
„Natürlich habe ich ihm eingeschärft, nichts an die Presse weiterzugeben, ich bin doch keine Anfängerin, Herr Peter!"
Sie blitzte ihn wütend an. Das war ja wieder typisch! Erst zog er sich bequem aus der Ermittlungsarbeit raus, und dann mäkelte er an ihr herum.
„Er ist erst gestern nach Hause entlassen worden. Ich wollte heute mit ihm sprechen, gleich nach der Unterhaltung mit Frau Eck und dem Gespräch mit Herrn Siebert, kurz vor der Befragung von Viktor von Treiden. Aber eigentlich erwarte ich jeden Moment Herrn Schiller vom Geschichtsverein. Ich

tue, was ich kann!“
„Als Kommissarin müssen Sie immer die Presse im Blick haben! Wir können uns solche negativen Schlagzeilen nicht leisten!“
Charlotte sprang auf.
„Wir können uns auch keine Toten leisten und erst recht niemanden, der durch die Stadt läuft und Leute foltert!“
Sie legte ihm einen Zettel hin. „Das ist Hafensteiners Adresse. Sprechen Sie mit ihm.“
Ihr Telefon läutete.
„Gerlach“, meldete sie sich, nickte kurz darauf und legte wieder auf.
„Bitte entschuldigen Sie mich, ein Zeuge wartet an der Pforte.“
Mit unterdrückter Wut verließ sie das Zimmer.
Das hatte ihr gerade noch gefehlt. Der Fall wurde immer komplexer und ihr Chef fing an, an ihr herumzukritisieren. Als ob sie nicht genug zu tun hatte. Sie wollte endlich erfahren, was es mit diesem Henker auf sich hatte.

Andreas Schiller war Ende 40, hatte dichtes, graumeliertes Haar und trug eine interessante, zweifarbige Brille. Er trug einen bequemen Kapuzenpulli und Jeans und war Charlotte auf Anhieb sympathisch.
„Guten Tag, Herr Schiller“, begrüßte sie ihn, immer noch aufgewühlt vom Streit mit ihrem Chef. „Gerlach, wir haben telefoniert. Schön, dass Sie Zeit gefunden haben, zu kommen.“
Schiller lächelte sie verständnisvoll an. Er schien ihre angespannte Gefühlslage zu spüren.
„Darf ich Ihnen eine Tasse Kaffee anbieten?“, fragte Charlotte und stellte wenig später zwei dampfende Becher vor ihm ab.
„Stress?“
„So eine Ermittlung zehrt doch mehr an den Nerven als man wahrhaben will“, gab Charlotte müde zu. Sie merkte, wie sie

langsam wieder ruhiger wurde, wie sie sich in der angenehmen Gegenwart ihres Gegenübers wieder sammeln und auf das bevorstehende Gespräch einlassen konnte.
Sie war dankbar dafür, keinen so anstrengenden Charakter wie Viktor von Treiden oder Kai Siebert vor sich zu haben.
„Wie kann ich Ihnen helfen?“, fragte Andreas Schiller und wärmte sich die Hände am Kaffeebecher. „Geht es darum was heute in der Zeitung steht?“
Charlotte nickte matt. „Ja, es geht um das, was heute besser nicht in der Zeitung gestanden hätte. Wir können keine Panik in der Bevölkerung brauchen.“
Schiller zog die Augenbrauen nach oben.
„Haben Sie schon Radio gehört?“
„Sagen Sie nichts“, bat Charlotte frustriert. „Das ist natürlich ein gefundenes Fressen für die Journalisten. Die übertreffen sich vermutlich mit blutrünstigen und reißerischen Formulierungen. Habe ich recht?“
„Soll ich jetzt etwas sagen oder nicht?“, schmunzelte der Historiker amüsiert.
Charlotte schloss kurz die Augen und holte tief Luft. „Ja, sagen Sie es mir. Ich will natürlich alles wissen.“
„Gut. Im Radio kam ein Bericht über diverse Gräueltaten, die an unschuldigen Bürgern verübt wurden. Einer wurde in einen Baum gehängt, ein anderer ausgepeitscht. Einem wurden sogar drei Finger abgetrennt.“
„Es ist unglaublich! Diese Journalisten haben ihre Augen und Ohren überall. Der letzte Fall war erst vor gut 12 Stunden.“
„Dann ist es also tatsächlich wahr?“
Charlotte ignorierte die Frage und schob dem Mann ein Blatt Papier zu.
„Würden Sie bitte diese Verschwiegenheitserklärung unterschreiben? Sie erklären damit, dass alles, was Sie hier an ermittlungstechnischen Internas erfahren, für sich behalten und nicht an Unbefugte weitergeben dürfen.“
Andreas Schiller las das Papier sorgfältig durch und

unterschrieb es.
„Danke, jetzt kann ich ganz offen mit Ihnen sprechen“, sagte Charlotte und heftete das Formular ab.
„Es ist leider richtig, was die Presse berichtet. Es sieht so aus, als habe eines der Opfer die Leute von der Zeitung informiert. Aber lassen Sie mich von vorne beginnen.“
Sie berichtete über den Tod Tietzes, die Folterungen und Verstümmelungen und zeigte ihm die Nachricht, die der Täter jeweils am Tatort hinterlassen hatte.
Schiller hörte aufmerksam zu.
„Das ist ja alles schrecklich“, meinte er fassungslos. „Da ist scheinbar wirklich jemand unterwegs, der sich als Nachfolger des berühmten Nürnberger Henkers Franz Schmidt sieht, denn er war 40 Jahre lang für Folterungen und Verstümmelungen in Nürnberg zuständig.“
„Was hat er noch vor?“
Der Historiker trank seinen inzwischen kalt gewordenen Kaffee aus und sah aus dem Fenster hinaus in das unwirtliche Novemberwetter.
„Das kann ich Ihnen leider auch nicht sagen. Es gibt natürlich noch vieles, was in der Arbeitsbeschreibung eines Scharfrichters aufgelistet war. Das Peitschen, oder wie es früher hieß das Ausstreichen mit der Rute, das Aufziehen und das Abtrennen von Fingern ist erst der Anfang.“
„Und was gibt es noch?“, stammelte Charlotte, die eigentlich gar nicht genau wissen wollte, was möglicherweise noch alles auf sie zukam.
„Es wurden zum Beispiel noch Ohren abgetrennt, Hände abgehackt, Zungen gekürzt und Augen ausgestochen. Auch das Brandmarken war eine verbreitete Strafe für Betrüger. Wir denken nur an den berühmten Nürnberger Künstler Veit Stoß, der wegen Urkundenfälschung zum Tode verurteilt worden war und nur wegen seiner prominenten Fürsprecher mit einer Brandmarkung davonkam.“
Alle Farbe wich aus Charlottes Gesicht.
Mussten sie damit rechnen, in den nächsten Tagen weitere

verstümmelte Opfer zu finden? Menschen ohne Zunge und mit abgeschnittenen Ohren?
„Auch in der Folterkammer hat sich Franz Schmidt nicht darauf beschränkt, Leute an einer Leiter aufzuziehen und ihnen Gewichte an die Beine zu hängen. Die Menschen damals waren, was das betraf, durchaus kreativ. Soll ich Ihnen...?“
„Nein“, unterbrach ihn Charlotte gequält. „Ich brauche nicht noch mehr Details, danke. Was wir brauchen ist eine Idee davon, was den Täter antreibt, nach welchem Muster er vorgeht. Die Opfer kennen sich nicht, mit Ausnahme von Frau Tietze und Herrn Siebert, haben völlig unterschiedliche Lebenssituationen, sind unterschiedlich alt, wohnen in unterschiedlichen Stadtteilen, haben unterschiedliche Berufe. Warum wählt er ausgerechnet sie aus? Was verbindet sie?“
„Ich bin kein Psychologe und erst recht kein Profiler. Ich kann nur versuchen, Ihnen das mittelalterliche Rechtssystem näher zu bringen, vielleicht kommen wir dann gemeinsam auf eine zündende Idee. Was halten Sie davon?“
„Gut“, stimmte Charlotte erleichtert zu. „Aber bevor wir anfangen, würde ich gerne meinen Kollegen dazu holen. Drei Hirne denken mehr, als zwei! Außerdem brauche ich dringend etwas zu Essen. Mein 10.00 Uhr-Hunger macht sich inzwischen sehr deutlich bemerkbar.“

Zehn Minuten später stand ein Teller mit Gebäck und eine große Flasche Wasser vor ihnen. Torsten Klein hatte sich noch einen Stuhl geholt und wartete gespannt auf das, was der Historiker zu berichten hatte. Er war froh, dem Tohuwabohu, das die verschiedenen Pressemeldungen verursacht hatten, entkommen zu sein. Kommissar Peter wurde von unzähligen Journalisten belagert, das Fernsehen baute bereits einen Übertragungswagen vor dem Präsidium auf. Zwischen all den Presseleuten wartete Frau Eck ungehalten darauf, dass sich jemand um sie kümmerte. Zu

allem Überfluss war auch noch Viktor von Treiden aufgetaucht. Er hätte sich liebend gerne ausgiebig mit der Presse unterhalten, wurde aber glücklicherweise rechtzeitig von diensthabenden Beamten aus der Schusslinie gebracht. Die Ereignisse überschlugen sich und ihr Chef war gefragt. Charlotte konnte sich ein heimliches Grinsen nicht ganz verkneifen. Es gefiel ihr, wenn ihr Chef durch äußere Umstände dazu gezwungen wurde, aktiv zu werden, statt immer nur wie ein Pascha an seinem Schreibtisch zu sitzen und Befehle zu erteilen.
Trotz der Schadenfreude spürte sie, dass auch der Druck auf sie größer wurde. Sie musste endlich eine aussichtsreiche Spur finden, einen Anhaltspunkt, von dem aus sie weitermachen konnte. Sie fischte nach wie vor im Trüben, all ihre Bemühungen endeten bislang in einer Sackgasse.

„Zu Zeiten Franz Schmidts kannte man noch keine langjährigen Gefängnisstrafen, wie sie heute üblich sind“, begann Andreas Schiller. „Heute ist es egal, was jemand verbrochen hat, er wird mit Freiheitsentzug bestraft. Je schlimmer das Vergehen, desto länger die Gefängnisstrafe. Früher hatten nur gesellschaftlich sehr hoch gestellte Personen, die ein Schwerverbrechen begangen hatten, das Recht auf lebenslange Haft. All die anderen wurden bei Kapitalverbrechen zum Tode verurteilt.
Je nach Schwere des Verbrechens hat man nach drei unterschiedlichen Stufen bestraft. Die erste Stufe waren die Ehrenstrafen, die den Körper des Delinquenten unversehrt ließen, ihm aber die Ehre nahmen. Das Paradebeispiel ist der Pranger. Die nächste Stufe waren die Körperstrafen. Darunter fielen Auspeitschungen und sämtliche Verstümmelungen wie sie Ihr Henker bisher auch vollzogen hat. Als letzte Stufe folgte dann die Todesstrafe, die allerdings auch noch unterteilt war.“
„Das ist ja unglaublich spannend“, staunte Torsten Klein. „Unser Täter muss doch eigentlich über all dies informiert

sein, er muss sich doch mit der mittelalterlichen Kriminalgeschichte auskennen, sonst würde er doch nicht so etwas tun, oder?“
Charlotte starrte ihn entgeistert an. „Richtig, Herr Klein! Sie haben vollkommen recht. Unser Mann muss geschichtlich bewandert oder zumindest interessiert sein. Diesen Aspekt haben wir bisher noch gar nicht berücksichtigt.“
Sie machte sich eine Notiz. „Bitte fahren Sie fort. Sie sagten, die Todesstrafe wurde noch unterteilt?“
„Ja, man konnte damals ehrenhaft hingerichtet werde, oder unehrenhaft.“
„Wie kann man denn ehrenhaft sterben?“
„Für den Verurteilten war es natürlich egal, tot ist tot, aber für die Angehörigen machte es einen gewaltigen Unterschied. Die einzig ehrenhafte Hinrichtungsart war der Tod durch das Schwert. Danach hatte der Tote das Recht auf ein kirchliches Begräbnis in geweihter Erde und die Verwandten blieben ehrenhaft. Anders sah es bei allen anderen Todesstrafen aus, sei es das schimpfliche Hängen am Galgen, Verbrennen, Vierteilen, Ertränken...“
„Hören Sie auf, das ist ja fürchterlich.“ Charlotte verzog das Gesicht und legte das angebissene Gebäckstück zurück auf ihren Teller. Ihr war der Appetit vergangen.
„In diesen Fällen durfte der Delinquent nicht beerdigt werden, und die Familie verlor ihre Ehre“, vervollständigte Schiller den Satz und biss genussvoll in sein Croissant. Ihn brachte dieses Thema mit all seinen schrecklichen Details nicht mehr aus der Ruhe. Schließlich befasste er sich tagtäglich mit dieser Materie.
„Das ist wirklich äußerst interessant“, meinte Torsten Klein, der sich als Erster wieder gesammelt hatte. „Die Frage ist jetzt, ob und in welcher Weise uns diese Informationen weiterbringen?“
Andreas Schiller überlegte. „Sie sagten, einem Opfer wurden drei Finger abgetrennt?“
Charlotte nickte, noch immer recht blass um die Nase.

„Waren das der Daumen, der Zeigefinger und der Mittelfinger der rechten Hand?“
„Woher wissen Sie das?“, fragte Charlotte erstaunt. „Kam das auch im Radio?“
„Nein, aber ich vermute, der Täter hat gezielt diese Finger ausgewählt. Es sind nämlich die drei Schwurfinger.“
„Schwurfinger?“
„Früher wurde beispielsweise der Wahrheitsgehalt einer Aussage oder die zukünftige Einhaltung einer Vereinbarung beeidet. Dazu hob man die drei Finger der rechten Hand in den Himmel und legte die linke Hand auf eine Bibel. Damit bezeugte man vor Gott, sich an die Abmachungen zu halten, nichts zu verraten oder Ähnliches. Brach man den Schwur, wurden zur Strafe die drei Finger abgetrennt.“
„Unfassbar!“, entfuhr es Torsten Klein.
„Im Mittelalter war es üblich, für bestimmte Vergehen bestimmte Strafen zu verhängen, Strafen, die in einem inhaltlichen Zusammenhang zu den begangenen Straftaten standen. Einem Dieb hat man gerne die rechte Hand abgehackt, denn wer keine Hand mehr hat, kann auch nicht mehr stehlen. Hat jemand Geheimnisse ausgeplaudert, wurde die Zunge gekürzt, bei Spionage das Augenlicht genommen oder die Ohren abgeschnitten. Die Verstümmelungen fanden in der Öffentlichkeit statt, damit die Leute abgeschreckt wurden. Außerdem war der Bestrafte für den Rest seines Lebens überall als Dieb, Verräter oder Betrüger zu identifizieren.“
„Dann könnte es doch so sein, dass Viktor von Treiden unserem Täter etwas versprochen und diesen Schwur dann gebrochen hatte“, schlussfolgerte Charlotte aufgeregt.
„Wäre durchaus vorstellbar“, stimmte Schiller zu.
„Und welche Verbrechen wurden mit Auspeitschungen oder Aufziehen am Baum bestraft?“
Charlottes Puls beschleunigte sich.
War das die heiß ersehnte Spur, der Anhaltspunkt nach dem sie schon so lange suchten?

„Da muss ich Sie leider enttäuschen. Das Aufziehen war keine Strafe, sondern eine Foltermethode, um ein Geständnis zu entlocken, ohne das keine Verurteilung erfolgen durfte. Das Ausstreichen mit der Rute war eine gängige Körperstrafe bei allen möglichen Delikten. Franz Schmidt hat am liebsten mit der Rute bestraft, wenn man das so sagen kann. Er führte nicht gerne grausame Verstümmelungen durch. Er war zwar der Scharfrichter, war dafür aber sehr menschlich."
„Inwiefern?"
„Er war überzeugt davon, dass Verbrecher bestraft werden mussten, hielt aber nichts von den brutalen Hinrichtungsarten, wie Rädern, Vierteilen oder lebendig verbrennen. Er setzte sich im Laufe seiner Amtszeit mehr und mehr dafür ein, dass alle Delinquenten nur noch mit dem Schwert hingerichtet wurden. Er hat sogar des Öfteren beim Rat der Stadt um Begnadigungen gebeten. So sollte beispielsweise eine Frau in der Pegnitz ertränkt werden, wurde aber zum Tod durch das Schwert begnadigt. Auf Antrag des Henkers."
„Franz Schmidt musste ein besonderer Mensch gewesen sein, wenn man so viel über ihn weiß."
„Das war er in vielerlei Hinsicht. Zum einen konnte er lesen und schreiben und hat uns ein Tagebuch hinterlassen, in dem man nachlesen kann, wen er wofür, wann und wie bestraft hat. Interessante Lektüre."
„Wie viele Leute hat er denn gerichtet in seinen 40 Amtsjahren?", wollte Torsten Klein wissen. Er hing mit offenem Mund an den Lippen des Historikers.
„Raten Sie mal", schlug Andreas Schiller verschmitzt vor. Er hatte diese Frage schon oft gestellt und erstaunliche Vorschläge zu hören bekommen.
„40 Jahre, jedes Jahr hat 12 Monate", rechnete Klein eifrig. „Bei schätzungsweise zwei Hinrichtungen pro Monat macht das... 960, sagen wir mal knapp über 1000 in 40 Jahren."
„Was glauben Sie, Frau Kommissarin?"

„Ich denke, es waren weit mehr als das.“
„Es waren genau 361“, triumphierte Schiller und beobachtete die überraschten Gesichter der beiden Beamten.
„Es sind weit weniger, als man gemeinhin denkt. Das Mittelalter war gar nicht so grausam, wie wir heute meinen. Es wurden vor allem die brutalsten Hinrichtungen dokumentiert. Die bildeten aber die Ausnahme, der Alltag sah viel weniger dramatisch aus. Die Leute wurde eher mal zu einer Geldstrafe oder Prangerstrafe verurteilt.“
„Sehr spannend. Was hat Meister Franz nach seinen 40 Jahren als Henker gemacht?“
Charlotte war, ähnlich wie ihr Praktikant, gebannt von den historischen Ereignissen. Was war das doch für eine andere Welt, ein anderes Leben, das oft so verklärt wird, in Wirklichkeit aber rau und hart war.
„Er hat sozusagen die Seiten gewechselt und ist ein angesehener Wundarzt geworden.“
„Wundarzt?“, wiederholte Klein ungläubig.
„Der Henker war unehrlich und durfte deshalb, anders als die ehrbaren Ärzte, den toten Körper eines Menschen öffnen und Studien betreiben. So makaber es klingt, so hatte doch der Scharfrichter leichten Zugang zu Toten. Er kannte sich besser in der Anatomie des Menschen aus, als die damaligen Ärzte. Darüber hinaus war er es auch, der die Wunden der Opfer nach dem Vollzug der Strafe versorgte.“
Torsten Klein riss die Augen auf.
„Er hat erst die Zunge herausgeschnitten und dann die Wunde versorgt?“
„Richtig.“
„Wie unser Täter auch“, fügte Charlotte hinzu. „Erst hat er die Finger abgetrennt, dann die Stümpfe verbunden.“
Sie goss sich ein Glas Wasser ein und trank es in einem Zug aus.
Was sie gehört hatte, war vom geschichtlichen Aspekt her sehr wissenswert und lehrreich, darüber hinaus aber auch der Schlüssel zu ihrem Fall.

Der Täter bestrafte Leute, die ihn in der Vergangenheit bestohlen, betrogen oder belogen hatten.
Mit Ausnahme von Kerstin Tietze waren alle Opfer noch am Leben und konnten diesbezüglich befragt werden.
Bei Hafensteiner und Siebert fehlte ein konkreter Anhaltspunkt, ihre Vergehen waren nicht eindeutig zu identifizieren. Anders verhielt es sich bei Viktor von Treiden. Er hat ein Versprechen nicht gehalten, das augenscheinlich so schwerwiegend war, dass es mit drei abgetrennten Fingern bestraft werden musste.
„Ist das nicht schräg?“, sinnierte Torsten Klein. „Unser Täter wurde in der Vergangenheit belogen und betrogen, war quasi das Opfer. So wie es aussieht, wurden diese Verbrechen nie gesühnt. Jetzt dreht sich das Ganze um. Die damaligen Täter werden zu Opfern und das Opfer zum Täter.“
„Ich denke auch, dass wir keines der Vergehen in unseren Strafregistern finden werden. Sie sind, wie Sie bereits vermutet haben, noch nicht gesühnt worden, weshalb nun der Geschädigte selbst die Gerechtigkeit wiederherstellen will. Die einzige Möglichkeit herauszubekommen, wer der Täter ist, ist die, die jetzigen Opfer danach zu fragen, welche Vergehen sie früher begangen haben“, ergänzte Charlotte nüchtern. „Ich habe allerdings so meine Zweifel bezüglich der Bereitschaft zur Mitarbeit, oder würden Sie gerne der Polizei erzählen, dass Sie vor 10 Jahren jemand um 20000 Euro betrogen haben?“
„Ich fürchte, wir können in diesem Fall keine Rücksicht auf die Befindlichkeiten unserer Opfer, oder besser gesagt Ex-Täter nehmen. Es geht immerhin darum, weitere Grausamkeiten zu verhindern.“
„Dann versuchen wir doch unser Glück.“
Charlotte erhob sich. „Vielen Dank, Herr Schiller! Sie haben uns nicht nur spannende Fakten über die mittelalterliche Kriminalgeschichte verraten, sondern uns zu einer vielversprechenden Spur verholfen.“
„Das freut mich“, antwortete Schiller und schüttelte der

Kommissarin die Hand. „Viel Erfolg.“
„Sie sagten, von Treiden ist hier im Präsidium?“, fragte Charlotte, als Schiller gegangen war.
„Ja, die Kollegen haben ihn gleich in den Vernehmungsraum geführt, damit er nicht noch mehr Details an die Presse weitergeben kann. Was haben Sie vor?“
„Ich werde dem Mann auf den Zahn fühlen. Er muss uns einen Namen nennen. Hoffentlich hat er nicht allzu viele Kandidaten auf seiner Liste.“

# 27

*Bald habe ich es geschafft.*
*Es war gar nicht so schwer – im Gegenteil!*
*Die ganze Sache beginnt, richtig Spaß zu machen.*
*Endlich bin ich derjenige, der die Fäden in der Hand hält, der Macht über die anderen hat. Nicht nur über die Leute, die das büßen müssen, was sie mir angetan haben, nein!*
*Auch über die Presse, die Öffentlichkeit, die ganze Stadt!*
*Heute Morgen habe ich zum ersten Mal etwas über mich in der Zeitung gelesen.*
*Gut so!*
*Die Menschen sollen erfahren, dass sie nicht ungestraft davonkommen, wenn sie andere verletzen, demütigen oder betrügen.*
*Natürlich werden Hafensteiner und Co als die armen Opfer dargestellt, denen man hinterrücks aufgelauert und sie dann grausam gefoltert hat.*
*Stimmt!*
*Aber fragt vielleicht mal jemand nach dem WARUM?*
*Es geht doch niemand grundlos umher und foltert Unschuldige!*
*Das ist nämlich der Punkt: Sie sind nicht unschuldig!*
*Ich bin es jetzt auch nicht mehr, aber das ist egal! Wichtig ist, dass die Gerechtigkeit wiederhergestellt ist.*

*Sie haben mich als den* Henker von Nürnberg *bezeichnet. Das macht mich richtig stolz. Schade, dass ich nicht jedem auf der Straße sagen kann, dass ich derjenige bin, vor dem sich jetzt alle fürchten, der die Stadt in Atem und die Polizei auf Trab hält.*
*Schade eigentlich.*

*Ich könnte es natürlich jedem sagen, sie würden es mir ohnehin nicht glauben.*
*Früher oder später werden sie mich finden, da mache ich mir gar nichts vor.*
*Dann werde ich vor Gericht stehen, als Mörder und Schwerverbrecher. Dann werden sie mich erneut einem psychologischen Gutachten unterziehen, mich auf meinen Geisteszustand untersuchen, wie damals, als ich schon einmal in die Klapsmühle eingewiesen wurde. Sie werden wissen wollen, welche psychische Störung mich zu solchen Gräueltaten veranlasst haben könnte.*
*Vielleicht werden die Ärzte und Gutachter aus der Psychiatrie Ärger bekommen, weil sie mich zu früh entlassen haben, weil ich eine Gefahr für die Öffentlichkeit darstelle.*
*Ich werde als Täter verurteilt werden, komme in die Psychiatrie, in Sicherheitsverwahrung, in eine Zwangsjacke, weil sie glauben, dass ich weiterhin Leute verstümmle oder mit zerbrochenen Flaschen die Hälse aufschneide.*
*Sie haben nichts verstanden.*
*Gar nichts!*
*Ich habe keine Angst vor dem Gefängnis, ich habe nur Angst davor, mit dem, was ich noch vorhabe, nicht fertig zu werden. Wenn nicht alle Verbrechen gerächt wurden, wenn noch jemand frei umher läuft, der maßgeblich zu meinem zerstörten Leben beigetragen hat.*
*Ich darf nicht länger warten, muss die Sache zu Ende bringen, denn zum Schluss wartet noch mein Meisterstück!*

# 28

Regen prasselte auf die Windschutzscheibe. Die Scheibenwischer schafften es kaum, der Wassermassen Herr zu werden.
Verbissen starrte Charlotte auf die Straße. Sie kämpfte sich durch den dichten Verkehr, was angesichts des Regens, der einbrechenden Dämmerung und der vielen reflektierenden Lichter höchste Konzentration erforderte, Konzentration, die Charlotte eigentlich für etwas anderes benötigte.
Erwartungsgemäß war Viktor von Treiden wenig kooperationsbereit gewesen, was noch milde ausgedrückt war. Erst hatte er herumgebrüllt, mit einem Anwalt, einer Verleumdungsklage und einer Beschwerde beim obersten Polizeichef gedroht. Dann war er sogar aggressiv geworden und hatte von zwei Uniformierten wieder beruhigt werden müssen.
Der Schuss war eindeutig nach hinten losgegangen. Jetzt konnten sie sicher sein, dass in den nächsten Tagen neben Horrorgeschichten über finstere Henker auch noch Berichte über die Unfähigkeit und Unverschämtheit der Polizei in den Zeitungen und Radiosendern die Runde machen würden.
„Verdammt!“, fluchte Charlotte, was sonst gar nicht ihre Art war. „Verdammt, verdammt!“ Sie schlug wütend mit beiden Händen auf das Lenkrad. „So kurz vor dem Ziel scheitert alles an der Dummheit eines egozentrischen Alkoholikers!“
„Vorsicht, Chefin!“, warnte Torsten Klein, dem der ungewohnt heftige Ausbruch seiner Chefin nicht ganz geheuer war. „Ich bin nicht sicher, ob der Alkoholkonsum oder der Intelligenzquotient unseres Opfers und Zeugen eine maßgebliche Rolle in unserem Fall spielt.“
„Ach, Klein, seien Sie doch nicht päpstlicher als der Papst.

Wir sind doch unter uns. Ich muss einfach mal Dampf ablassen, sonst halte ich das alles nicht länger aus!“
Sie waren unterwegs zu Herrn Hafensteiner nach Mögeldorf, einem östlichen Stadtteil Nürnbergs, nahe des Tiergartens. Kommissar Peter hatte sie darum gebeten, das Gespräch mit Hafensteiner zu führen, da er noch mit der Presse beschäftigt war und sich anschließend um Frau Eck kümmern musste.
Charlotte hatte die Bitte als Anweisung verstanden und sich bei Isidor Hafensteiner angekündigt.
Er war nicht sonderlich erfreut, als Charlotte ihren Besuch angekündigt hatte, aber das musste er ja auch nicht. Es würde Charlotte vollkommen genügen, wenn er ihr den Namen eines Mannes nennen würde, den er irgendwann einmal bestohlen, verletzt oder sonst irgendwie gedemütigt hatte. Dass dies ein nahezu aussichtsloses Unterfangen werden würde, war Charlotte klar. Sie hatten vereinbart, dass Torsten Klein, der im Moment ruhiger und besonnener war, das Gespräch führen würde.

Sie klingelten an einer rustikalen Holztür mit aufwändigen Schnitzereien. Das Haus stammte vermutlich aus den 70er Jahren und erinnerte Charlotte an das Haus ihrer Eltern. Auch hier befanden sich neben der Haustür bunte Glasbausteine, in die der Briefkasten eingelassen war. Der Garten war ordentlich und winterfest gemacht, das Laub gerecht, die empfindlichen Rosenstöcke mit einem schützenden Vlies umwickelt.
„Wer ist da?“, krächzte es aus der in die Jahre gekommenen Gegensprechanlage.
„Polizei, wir hatten telefoniert“, antwortete Torsten Klein. Der Türöffner summte.
Die beiden Beamten traten in eine dunkle Diele mit holzverkleideten Wänden und dunkelbraunen Fliesen am Boden. Frau Hafensteiner hielt mit ernster Miene die Tür zum Wohnzimmer auf. Auch hier dominierte die Farbe dunkelbraun. Die Wohnwand, die Couchgarnitur, Teppich

und Holzdecke, alles war dunkel, schwer und rustikal. Nur das prasselnde Feuer im offenen Kamin verbreitete etwas Lebensfreude.
In einem hohen Ledersessel saß Herr Hafensteiner. Er wirkte schwach, blass, eingefallen.
Ein Häufchen Elend.
„Sehen Sie sich an, was Sie mit meinem Mann gemacht haben", stieß Frau Hafensteiner mit tonloser Stimme hervor. „Er sitzt den ganzen Tag in seinem Sessel und starrt die Wand an."
Charlotte überlegte, was sie wohl für den Zustand des Mannes konnte, schließlich war sie nicht diejenige, die ihn an einen Baum gehängt hatte. Aber es war oft so, dass die Opfer die Polizei für ihren Zustand verantwortlich machten, weil nicht unmittelbar nach der Tat der Täter bereits hinter Schloss und Riegel saß.
„Es tut mir sehr leid, was passiert ist", begann Torsten Klein mit bemerkenswertem Einfühlungsvermögen. „Sie können sicher sein, dass wir mit Hochdruck daran arbeiten, den Schuldigen zu finden."
„Den Eindruck haben wir nicht! Deshalb haben wir auch die Presse eingeschaltet. Irgendwer muss doch etwas tun."
Frau Hafensteiner bot den Beamten weder einen Platz noch etwas zu trinken an, was Charlotte richtig ärgerte. Eigentlich hätte sie nicht schlecht Lust, die Dame für die Aktion mit der Presse ordentlich zusammenzupfeifen, sah aber ein, dass das im Moment nicht zielführend wäre. Immerhin waren sie ja hier, um ihren Mann als Dieb, Verleumder oder Betrüger zu entlarven, da waren sie auf jedes kleine bisschen Wohlwollen angewiesen.
„Deshalb sind wir ja hier", beschwichtigte Klein. „Dürfen wir uns setzen? Im Sitzen redet es sich doch bedeutend besser, finden Sie nicht?"
Er schenkte der älteren Frau sein gewinnendstes Lächeln und schien bereits erste Erfolge damit zu haben.
„Bitte, nehmen Sie doch Platz", knurrte sie bereits eine Idee

freundlicher. Vielleicht konnte Klein das Eis brechen?
„Wie Sie aus der Zeitung erfahren haben dürften, war ihr Mann nicht das einzige Opfer.“
„Es ist so furchtbar! Sie müssen das Monster fassen!“
„Das werden wir, Frau Hafensteiner, das werden wir.“
Er legte seine Hand beruhigend auf den Arm der Frau und sah ihr tief in die Augen.
„Wie können wir Ihnen helfen?“
Kleins Strategie ging wohl auf.
„Wir haben neue Hinweise auf den Täter“, fuhr er mit Samtpfötchen fort.
„Haben Sie ihn?“
„Nein, aber wir wissen, dass Sie uns äußerst wichtige Hinweise darauf liefern können, ihn ausfindig zu machen. Es fällt mir schwer, die richtigen Worte zu finden. Ich möchte Ihnen auf keinen Fall zu nahe treten, aber ich muss Ihrem Mann jetzt einige Fragen stellen, die Ihm vermutlich nicht gefallen werden. Bitte glauben Sie mir, es ist ungemein wichtig, eine ehrliche Antwort zu bekommen. Nur so können wir weitere Opfer vermeiden.“
Charlotte war beeindruckt.
Ihr Praktikant hatte ja beinahe das Zeug zum Polizeipsychologen. Inzwischen hatte sie fast die Hoffnung, Hafensteiner könne Ihnen doch einen Namen nennen.
„Fragen Sie.“ Frau Hafensteiner setzte sich aufrecht hin. Sie schien sich ihrer Verantwortung bewusst zu sein.
Torsten Klein berichtete von dem Gespräch mit dem Historiker und davon, dass die Tat an ihrem Mann möglicherweise eine Rache für vergangene Taten gewesen sein könnte.
„Wollen Sie damit sagen, mein Mann sei nicht das Opfer, sondern der Täter?“, brauste Frau Hafensteiner auf. „Was fällt Ihnen ein? Verlassen Sie sofort unser Haus!“
„Bitte lassen Sie mich doch...“
„Verschwinden Sie! Sie werden von unserem Anwalt hören! Das ist doch ungeheuerlich! Raus!“

„Gute Arbeit, Herr Klein“, lobte Charlotte, als sie wenig später wieder im Auto saßen.
„Wir wissen genauso viel, wie zuvor“, entgegnete Klein frustriert. Den Besuch hätten wir uns sparen können!“
„Das glaube ich nicht. Ich habe Herrn Hafensteiner beobachtet. Beim Thema, was er sich habe zu Schulden kommen lassen, ist er zusammengezuckt. Er wurde nervös. Ich denke, die beiden brauchen noch etwas Zeit.“
„Ihr Wort in Gottes Gehörgang“, brummelte Torsten Klein, einerseits frustriert über den unbefriedigenden Ausgang des Gesprächs, andererseits geschmeichelt von Charlottes Lob.
„Wohin jetzt?“
„Jetzt versuchen wir unser Glück bei Kai Siebert. Vielleicht ist der gesprächiger?“

War er nicht!
Auch er sah sich einzig und allein als Opfer, als Unschuldslamm, der sich zeit seines Lebens nichts hatte zuschulden kommen lassen.
Sie waren so nah am Täter und doch so weit weg. Charlotte war sich sicher, dass alle drei Befragten einen oder mehrere Namen im Kopf hatten, aber zu eitel waren, zu ängstlich oder uneinsichtig, sie der Polizei zu nennen. Immerhin war es ja nicht ausgeschlossen, dass dadurch ein Verbrechen an den Tag kam, das noch geahndet werden konnte. Niemand wollte sich freiwillig in die Mühlen der Justiz begeben. Da hielt man lieber den Mund und wartete darauf, dass die Polizei den Täter auch so dingfest machen würde.
Zurück im Präsidium ging Charlotte zielstrebig ins Büro ihres Chefs. Die Aufregung hatte sich etwas gelegt, die Presse war auf einen Termin am späten Nachmittag vertröstet worden.
„Haben Sie etwas?“, fragte Kommissar Peter voller Hoffnung. „Ich muss bei der Pressekonferenz am Nachmittag etwas bieten, sonst zerfleischen die mich.“

„Wir brauchen alle verfügbaren Leute“, forderte Charlotte verbissen, nachdem sie von den unbefriedigenden Ergebnissen des Vormittags berichtet hatte. „Ich möchte, dass das Leben von Tietze, Hafensteiner, Siebert und von Treiden auf den Kopf gestellt und durchleuchtet wird. Wir müssen wissen, wem sie im Kindergarten das Schäufelchen weggenommen, wessen Auto sie zu Schrott gefahren oder wem sie den Partner ausgespannt haben. Wer hatte mit wem Streit, wurde gemobbt oder kam plötzlich zu viel Geld. Wenn uns die Herrschaften nicht von sich aus verraten wollen, welchen Dreck sie am Stecken haben, müssen wir alles zu Tage fördern, was uns mit genügend Personal und moderner Technik möglich ist!“

Die Köpfe rauchten, die Tastaturen der Computer klapperten, es wurde telefoniert, ausgedruckt, Ergebnisse an die eigens aufgestellte Pinnwand geheftet. Die in Windeseile konstituierte zehnköpfige *SOKO Henker* arbeitete konzentriert und schnell.
Charlotte ärgerte sich, dass es immer erst den Druck von der Presse brauchte, um ihren Chef zur Einrichtung einer Sonderkommission zu bewegen. Hätte sie schon vor einigen Tagen über dieses Team verfügen können, wäre es möglicherweise gar nicht zu einem vierten Opfer gekommen. Zugegebenermaßen hatte allerdings auch das letzte Opfer zu dem entscheidenden Hinweis geführt – dem vermeintlich entscheidenden Hinweis, musste man der Ehrlichkeit halber sagen, denn einen richtigen Durchbruch hatte ihnen diese Information bislang noch nicht gebracht.
Nach zwei Stunden rief Charlotte alle Mitarbeiter zusammen.
„Ich möchte einen kurzen Zwischenbericht“, begann sie. „Was wissen wir über Tietze?“
„Es bestätigt sich das, was wir bereits von den Nachbarn wissen“, meldete sich ein junger Beamter zu Wort. „Sie war ein streitsüchtiger Charakter und legte sich mit

verschiedenen Leuten an. Ich habe eine Liste mit Namen erstellt, mit denen es nachweislich zu Differenzen gekommen war. Im Moment sind es etwa 15 Namen."
„Bitte lies uns die Namen vor. Vielleicht kommt jemandem der eine oder andere bekannt vor?"
Keiner der anderen konnte mit den genannten Personen etwas anfangen.
Ähnlich verlief es bei den anderen Opfern. Nach einer halben Stunde kursierten über 50 verschiedene Namen, doch es war keiner dabei, der auf mehreren oder gar allen Listen zu finden war.
„Wir machen eine Pause", schlug Charlotte frustriert vor. „Öffnet mal die Fenster, wir brauchen Sauerstoff! Wir sollten einen Kaffee trinken und etwas essen. In einer halben Stunde geht es weiter."
„Ich hole Brezen für alle", bot Torsten Klein an und erntete Begeisterung von den Kollegen.
Charlotte dachte mit Bedauern daran, dass sie ihren Umläufer-Praktikanten in zwei Wochen wieder hergeben müsste. Er hatte sich sehr gut in die Arbeit und ins Team eingefügt, war eine feste Größe geworden. Sie nahm sich vor, sich dafür einzusetzen, dass er nach seiner Ausbildung ihrer Abteilung zugewiesen werden würde.
Frisch gestärkt traf sich die *SOKO Henker* zur vereinbarten Zeit wieder.
„Wir sind noch nicht wirklich weitergekommen", resümierte Charlotte. „In zwei Stunden ist Peters Pressekonferenz. Bitte strengt euch noch einmal an. Wir müssen der Presse etwas bieten! Sucht weiter! Es muss einen Namen geben, der in allen Lebensläufen auftaucht!"
„Frau Gerlach", meldete sich Torsten Klein zu Wort. „Ich glaube, unser Täter ist ein unauffälliger Mensch, den man leicht übersieht. Unter Umständen haben unsere Opfer das, was sie dem Unbekannten angetan haben, gar nicht wahrgenommen und nur er selbst hat es als so schlimm empfunden. Es würde mich nicht wundern, wenn der Name

gar nicht in allen Lebensläufen auftaucht."
„Könnte sein, aber dann wird unsere Suche ja noch schwieriger. Was schlagen Sie vor?"
Er zuckte mit den Schultern. „Ich fürchte, wir sind tatsächlich auf die Mitarbeit der Opfer angewiesen."
„Sie haben recht. Wir sollten zweigleisig fahren. Bitte veranlassen Sie, dass die drei Männer hierher gebracht werden. Wir müssen sie dazu bringen, zu kooperieren. Die anderen machen bitte weiter."
Die Tür ging auf und der Kollege von der Pforte streckte seinen Kopf herein.
„Eure Telefone sind ständig besetzt. Wir haben einen Notruf aus der Nordstadt. Ein Notar wurde schwer verletzt aufgefunden."
Charlotte wurde blass. „Wie verletzt?"
„Ihm wurde ein Zeichen ins Gesicht gebrannt."

# 29

Hinter der Kaiserburg in dem Stadtteil mit dem wohlklingenden Namen *Gärten hinter der Veste* standen mehrere prunkvolle Stadthäuser aus der Jugendstilzeit. Eines davon gehörte dem Notar Dr. Klaus Grunwald.
Vor dem wuchtigen schmiedeeisernen Tor standen bereits der Notarzt und zwei Streifenwagen. Charlotte und Torsten Klein bückten sich unter dem rot-weißen Absperrband hindurch und trafen auf halbem Wege zum Haus auf zwei Sanitäter, die eine Krankentrage zum Rettungswagen schoben. Auf der Trage lag ein Mann mit einem dicken Verband im Gesicht.
„Wie geht es ihm?“, fragte Charlotte den Notarzt, den sie bereits von den vergangenen Fällen her kannte.
„Ähnlich, wie den anderen“, war die lakonische Antwort. „Er ist unter Schock, die Verletzung ist sicher schmerzhaft, aber nicht tödlich.“
„Was hat er mit ihm gemacht?“
„Er hat ihm mit einem glühenden Metallstab auf Höhe des Wangenknochens ein Kreuz in die Haut und das darunterliegende Gewebe gebrannt. Vorher hatte er ihn mit Äther betäubt. Näheres kann Ihnen vielleicht Ihr Kollege in Weiß erzählen. Wir müssen den Mann in die Klinik bringen. Im Moment ist er noch nicht vernehmungsfähig. Kommen Sie in etwa einer Stunde ins Nord-Klinikum.“
„Danke, Herr Doktor“, gab Charlotte schockiert zurück.
Ihr Kopf schmerzte, drohte zu platzen.
Ein fünftes Opfer!
Hatte denn dieser Mann noch nicht genug?
Wie lange würde der Albtraum noch dauern?
„Hallo, Charlotte“, begrüßte sie Markus Metz ungewöhnlich

ernst. Ihm schien angesichts der Häufung dieser grausamen Taten auch die gute Laune vergangen zu sein.
„Der Mann arbeitete im Garten. Er wurde wieder betäubt. Wir haben auch wieder eine Nachricht gefunden. Sieh mal."
Er hielt ihr ein Papier hin.

GRÜSSE VOM MEISTER FRANZ
FREUT EUCH AUF MEIN MEISTERSTÜCK

Fassungslos starrte sie auf die Nachricht. Die Schrift verschwamm vor ihren Augen. Ihr wurde schwindelig.
Hilfesuchend griff sie nach dem Arm des Kollegen.
„Er ist noch nicht am Ende", stieß sie hervor.
Markus Metz führte sie zum Treppenaufgang und setzte sich neben sie auf die Stufen. „Geht es wieder?"
Sie nickte benommen. Torsten Klein hielt ihr eine Flasche Wasser hin.
„Danke, es geht wieder", antwortete sie, nachdem sie getrunken hatte. „Habt ihr etwas gefunden?"
„Nicht mehr als sonst. Er hat keine Spuren hinterlassen, nicht einmal den äthergetränkten Lappen. Bisher hat keiner etwas gesehen oder gehört. Der Mann scheint ein Phantom zu sein."
„Er musste unbemerkt das Eisen erhitzt haben. Dazu reicht doch bestimmt kein Streichholz! Warum hat niemand etwas bemerkt?"
„Schau dir das Grundstück an, es gibt genügend Ecken und Winkel, in denen man mit einem Campingkocher ein Eisen erhitzen kann. Bei dem Verkehrslärm von der Pirckheimer Straße hört man auch nicht jedes Geräusch. Der Mann war vermutlich in seine Arbeit vertieft und wurde von hinten überrascht."
„Wer hat ihn gefunden?"
„Es wurde wieder vom Handy des Opfers ein Notruf abgesetzt. Ich denke, der Täter wollte, dass das Opfer schnell gefunden wird."

„Konntet ihr schon mit ihm sprechen?“
„Nein, er war noch bewusstlos, als wir kamen.“
„Hat er Familie?“
„Seine Frau ist wohl vor Kurzem verstorben, die Kinder in der ganzen Welt verteilt. Sie werden benachrichtigt.“
„Wir fahren jetzt in die Klinik. Kommen Sie, Herr Klein!“
„Viel Glück!“, rief ihr Markus Metz noch hinterher.

Dr. Grunwald lag in einem Einzelzimmer. Er hatte die Augen geschlossen.
„Die Betäubung war sehr stark“, erläuterte der Arzt. „Ich vermute, dass er frühestens in einer Stunde ansprechbar sein wird. Es tut mir leid. Ich lasse Sie rufen, wenn er zu sich kommt.“
„Danke.“
Charlotte war frustriert und ungeduldig. Sie konnte sich nicht einfach hier auf einen der Plastikstühle setzen und warten, während so viel Arbeit auf sie wartete.
„Herr Klein, bleiben Sie hier und warten Sie, bis er aufwacht. Ich muss zurück ins Präsidium. Fragen Sie ihn, ob er eine Ahnung hat, wer das getan haben könnte.“ Sie lächelte ihn an. „Sie wissen schon, was zu tun ist.“

Im Präsidium arbeiteten die Kollegen weiterhin auf Hochtouren. Die Listen der Namen wurden länger und länger.
„Sind die Herren Hafensteiner, Siebert und von Treiden inzwischen da?“
„Ja, sie warten in den Vernehmungsräumen“, antwortete einer der Beamten. „Kommissar Peter spricht gerade mit Kai Siebert. Was ist in der Nordstadt passiert?“
„Ein fünftes Opfer. Diesmal gebrandmarkt“, war die kurze Antwort.
Charlotte griff zum Telefon.
„Herr Schiller“, rief sie erleichtert darüber, den Historiker gleich am Apparat zu haben. „Gerlach, Kripo Nürnberg.

Was, sagten Sie, wurde früher mit Brandmarken bestraft?“, fiel sie mit der Tür ins Haus.
„Haben Sie etwa das nächste Opfer?“ Schiller war ebenso schockiert wie sie zuvor.
„Bitte helfen Sie uns“, bat sie erwartungsvoll. „Die Zeit drängt.“
„Betrug“, antwortete der Historiker. „Betrug oder Urkundenfälschung.“
„Danke, ich melde mich wieder.“
Sie legte auf. Urkundenfälschung! Das passte zu einem Notar. Sie rief Torsten Klein im Klinikum an und erzählte ihm von Schillers Aussage.
„Da könnte ich ja genauso einen Arzt danach fragen, welchen Pfusch er zu verantworten hat“, antwortete der Praktikant resigniert.
„Die Hoffnung stirbt zuletzt!“, versuchte Charlotte ihn zu ermutigen, doch sie hatte selbst auch nur wenig Hoffnung, eine befriedigende Antwort zu erhalten.

„Herr Hafensteiner will Sie sprechen“, meinte einer der Kollegen und zog erwartungsvoll eine Augenbraue nach oben. „Es klingt so, als habe er Ihnen etwas zu sagen.“

Isidor Hafensteiner saß aufrecht auf seinem Stuhl, die Hände vor sich auf dem Tisch gefaltet.
„Hat man Ihnen etwas zu trinken angeboten?“, fragte Charlotte, doch der Mann schüttelte den Kopf.
„Ich bin nicht hier, um etwas zu trinken, sondern um eine Aussage zu machen“, gab er leise zurück.
Charlotte sah ihn gespannt an.
„Verzeihen Sie, dass meine Frau so unhöflich zu Ihnen war, Sie tun auch nur Ihre Arbeit.“
Das war ja schon einmal ein guter Anfang.
„Ist Ihnen jemand eingefallen?“
„Ich war über 40 Jahre lang Bäcker, 35 Jahre habe ich meine eigene Bäckerei geführt.“

Gebannt und ungeduldig hing Charlotte an den Lippen des Mannes.
„Da erlebt man viel. Viele Höhen und Tiefen."
„Denken Sie an jemand bestimmtes?", versuchte sie, das Ganze zu beschleunigen, doch Isidor Hafensteiner war nicht aus der Ruhe zu bringen.
„Ich hatte viele Gesellen und Lehrbuben. Einige davon führen jetzt auch ihren eigenen Betrieb."
Stolz schwang in seiner Stimme mit.
„Immer habe ich mich bemüht, ein guter Chef zu sein, den Buben alles Wichtige mit auf den Weg zu geben, ihnen einen optimalen Start ins Berufsleben zu ermöglichen, alle gleich zu behandeln." Er schluckte. „Könnte ich vielleicht doch einen Schluck Wasser haben?" Charlotte musste sich zusammennehmen und in Geduld üben. Am liebsten hätte sie gebrüllt *Quatschen Sie nicht so viel, nennen Sie uns endlich einen Namen!*
Stattdessen stand sie auf und stellte ein Glas und eine Flasche Wasser auf den Tisch. Es war ihr klar, dass sie kurz davor war, den Namen des potentiellen Täters zu erfahren. Sie durfte den Mann keinesfalls unter Druck setzen, musste Verständnis zeigen. Sie spürte, wie schwer es dem Mann fiel, über die Geschehnisse von damals zu sprechen.
„Gab es mit einem Ihrer Mitarbeiter Probleme?", probierte es Charlotte erneut.
„Ach, in all der Zeit gab es ständig Schwierigkeiten. Die jungen Leute heutzutage haben einfach nicht mehr die nötige Leidenschaft, die richtige Einstellung zum Beruf. Es ist so schwer, gute Leute zu finden."
Charlotte rutschte unruhig auf ihrem Stuhl umher. Sie konnte die Spannung kaum ertragen.
„Vor über 35 Jahren waren zwei Lehrjungen bei mir, ich konnte aber nur einen von ihnen übernehmen. Der andere musste gehen. Beide waren fleißig, zuverlässig und freundlich."
„Was war passiert?" Gleich war es soweit! In wenigen

Augenblicken würde sie womöglich den Namen des Täters erfahren.
„Eines Tages, wenige Wochen vor Ende der Lehrzeit, vermisste ich Geld aus meiner Geldbörse. Einen der Buben hatte ich zuvor zum Einkaufen geschickt, mit der Geldbörse. Als er wiederkam, fehlte eine stattliche Summe. Ich habe ihn zur Rede gestellt, aber er hat alles abgestritten. Er hat geweint, geschworen, nichts genommen zu haben, aber ich war mir meiner Sache sicher und habe ihn sofort entlassen, ohne Gesellenbrief, ohne näher nachgeforscht zu haben. Einfach so seine Zukunft zerstört."
„Was ist aus ihm geworden?"
„Ich weiß es nicht, aber ich denke, er konnte nie als Bäcker arbeiten, es sprach sich herum, dass er des Diebstahls bezichtigt worden war."
„War er tatsächlich der Dieb?"
Isidor Hafensteiner senkte den Kopf.
„Nein, drei Wochen später fand meine Frau das Geld unter einer Kommode, es war mir offensichtlich unbemerkt aus der Börse gerutscht."
„Wie hieß der Junge?", fragte Charlotte eindringlich. „Nennen Sie mir seinen Namen!"

Dr. Klaus Grunwald öffnete langsam die Augen.
„Was ist passiert?", fragte er Torsten Klein, der sofort am Bett des Verletzten war. „Wer sind Sie?"
„Mein Name ist Klein, Kriminalpolizei. Wie geht es Ihnen?"
Dr. Grunwald setzte sich auf. Er fasste sich an den Verband.
„Was ist das? Was ist passiert? Wo bin ich? Warum steht die Polizei an meinem Bett?"
„Sie sind im Nord-Klinikum. Man hat Sie in Ihrem Garten überfallen und schwer verletzt", erklärte Klein ernst.
„Überfallen? Wer? Und warum?"
„Um das zu klären bin ich hier. Können Sie sich an etwas erinnern?"
„Ich war im Garten,... was ist das für eine Verletzung? Das

ganze Gesicht brennt wie Feuer."
„Herr Dr. Grunwald, haben Sie heute Morgen Zeitung gelesen?"
„Was hat das jetzt mit mir zu tun? Nun reden Sie schon!"
„Ich meine den Artikel über den Mann, der sich als Nachfolger des Henkers Franz Schmidt sieht."
Dr. Grunwald wurde noch blasser, als er ohnehin schon war.
„Sie meinen, er hat auch mich...? Was hat er getan?"
Er war kurz davor, sich den Verband herunterzureißen.
„Lassen Sie das", ging Torsten Klein resolut dazwischen. „Die Wunde muss heilen."
„Was ist unter diesem Verband?"
„Er hat Sie gebrandmarkt."
„Gebrandmarkt?", stotterte der Verletzte entgeistert.
„Man hat Ihnen mit einem glühenden Eisen ein Kreuz in die Wange gebrannt."
„Aber warum? Wer tut so etwas?"
„Um das herauszufinden bin ich hier."
Auch er erzählte von dem Gespräch mit dem Historiker und der Vermutung, es bestehe womöglich ein inhaltlicher Zusammenhang zwischen der ursprünglichen Tat und der Art der Bestrafung.
Die Augen des Notars weiteten sich.
„Was wollen Sie damit sagen?"
Da gab Torsten Kleins Handy ein kurzes Geräusch von sich. Eine SMS! Von Charlotte.
„Bitte entschuldigen Sie, die Nachricht ist von meiner Kollegin, es ist sehr wichtig."
*Wir haben den Namen. Fragen Sie Dr. Grunwald nach Norbert Kiesewetter. Ich hole Sie in 30 Minuten ab.*
Er las die Nachricht zweimal. Sein Herz schlug schneller. Wir haben ihn! Aber wer ist Norbert Kiesewetter? Dieser Name war in der bisherigen Ermittlung noch nie aufgetaucht. Kein Brugger, keine Eck, keine Tischner. Wer war dieser Mann?
„Herr Dr. Grunwald. Dieser Fall ist wirklich

außergewöhnlich. Wir haben bislang fünf Opfer. Vier davon leben noch und können uns bei der Suche nach dem Täter wichtige Hinweise geben. Ich kann mir gut vorstellen, dass Sie nicht gerne bereit sind, zuzugeben, dass Sie in der Vergangenheit einmal nicht ganz korrekt gearbeitet haben, aber ..."
„Was unterstellen Sie mir? Ich werde mich an Ihren Vorgesetzten wenden! Ich muss mir das nicht gefallen lassen!", echauffierte sich der Notar erwartungsgemäß.
„Sagt Ihnen der Name Norbert Kiesewetter etwas?"
Diesmal war es Torsten Klein, der sich nicht aus der Ruhe bringen ließ. „Bitte denken Sie nach. Es geht nicht nur darum, denjenigen zu finden, der Ihnen das angetan hat, sondern auch mögliche weitere Verbrechen zu verhindern."
Der Notar erstarrte.
„Sie kennen ihn", spekulierte Klein.
„Er ist der Exmann meiner Cousine", murmelte Grunwald kaum hörbar.
„Was haben Sie getan?"
„Er hat gemeinsam mit Martina ein Haus gekauft. In Zabo. Ich habe...", er schluckte, „... ich mochte ihn nicht, habe Martina immer vor ihm gewarnt."
„Warum?"
Torsten Klein war gespannt. Zum ersten Mal würde er eine der Geschichten hören, die den Täter zum Täter gemacht hatten.
„Er war ein Taugenichts, hatte es zu nichts im Leben gebracht, nichts gelernt, nichts zu Ende gebracht. Ich hatte Bedenken, es würde sie finanziell ruinieren."
„Sie haben den Kaufvertrag auf den Namen Ihrer Cousine ausgestellt?"
Dr. Grunwald wurde immer kleinlauter.
„Ich habe eine Klausel eingefügt, dass Norbert im Falle einer Trennung auf seinen Anteil am Haus verzichtet."
„Und er hat das nicht gewusst?"
„Natürlich nicht, sonst hätte er doch nicht unterschrieben."

Torsten Klein seufzte tief. „Dann kam es zur Trennung und Kiesewetter ging leer aus."
Der Notar nickte kaum wahrnehmbar.
„Sie hören von uns", meinte Klein nüchtern und verließ das Krankenzimmer.
Wie konnte jemand nur so kaltblütig und berechnend sein? Wissentlich einen anderen Menschen betrügen, das Vertrauen missbrauchen? Torsten Klein ertappte sich dabei, eine gewisse Sympathie für den Täter zu empfinden, ein Das-geschieht-ihm-ganz-recht-Gefühl. Es war unfair, dass manche Leute Kraft ihres Amtes über das Schicksal anderer bestimmen.

Er trat aus dem Klinikgebäude und sah auf die Uhr. Charlotte musste jeden Moment kommen. Ob die Kollegen bereits mehr über Norbert Kiesewetter herausgefunden hatten? Wer war er und welche Beziehung hatte er zu den andern Opfern?
In diesem Moment fuhr Charlottes Dienstwagen vor.
„Hallo, haben Sie Herrn Grunwald mit dem Namen des vermeintlichen Täters konfrontiert?"
„Ja, er hat zugegeben, den Kaufvertrag für das gemeinsame Haus manipuliert zu haben. Herr Kiesewetter ging dementsprechend nach der Trennung von seiner Frau komplett leer aus. Was sagen Hafensteiner und die anderen beiden?"
„Hafensteiner hatte ihn ungerechtfertigt als Dieb bezichtigt, was die gesamte Berufslaufbahn ruiniert hat, Siebert war sein Ausbilder bei der Bundeswehr und hat ihn schwer misshandelt und drangsaliert. Von Treiden hatte ihm einen Job versprochen, diesen dann aber selbst angetreten. Norbert Kiesewetter führt allem Anschein nach einen Rachefeldzug durch und rächt sich an all denen, die ihn im Laufe seines Lebens gedemütigt, verletzt oder betrogen haben."
„Was ist mit Kerstin Tietze?"
„Das wissen wir noch nicht so genau. Sie war seine

Vorgesetzte in einer Gärtnerei, die er nach einem halben Jahr bereits wieder verlassen musste. Wir nehmen an, sie hat ihn ebenfalls gepiesackt und schikaniert."
„Entweder ist dieser Mann ein Trottel oder ein unglaublicher Pechvogel", meinte Torsten Klein. „Alles scheint sich gegen ihn verschworen zu haben."
„Mag sein, aber das gibt ihm noch lange nicht das Recht, reihenweise die Leute zu foltern und zu verstümmeln."
„Wo fahren wir jetzt hin?"
„Zu seiner letzten Meldeadresse in Zabo. Er ist auch bereits zur Fahndung ausgeschrieben."
Der Stadtteil Zerzabelshof, kurz Zabo, lag im Osten der Stadt und grenzte direkt an den Reichswald.
Das Haus der Familie lag in einer Reihenhaussiedlung am Stadtrand. Charlotte klingelte und hörte bereits wenige Sekunden später die Stimme eines Mannes.
„Ich bin sofort da!"
Die Tür wurde aufgerissen. Ein älterer Mann mit schneeweißem Haar, braunen Cordhosen und einem karierten Hemd stand vor Ihnen.
„Herr Kiesewetter?"
„Nein", gab der Mann verdutzt zurück. „Meine Name ist Schobert, Werner Schobert und wer sind Sie?"
„Kripo Nürnberg, Gerlach, das ist mein Kollege Klein", betete Charlotte ihren Spruch herunter und hielt dem Mann ihren Ausweis hin.
„Polizei? Jetzt doch? Ich dachte, Sie kommen erst nach 24 Stunden?", fragte Herr Schobert verwirrt.
„Nach 24 Stunden?" Jetzt waren es die beiden Beamten, die nicht wussten, was gemeint war.
„Wegen meiner Tochter. Sie ist verschwunden, aber Ihre Kollegen haben gesagt, es wird erst nach 24 Stunden eine Suche eingeleitet. Warum sind Sie denn hier?"
„Dürfen wir vielleicht hereinkommen, dann können wir alles klären?", schlug Charlotte vor.
Im Wohnzimmer brannte ein wärmendes Feuer, der

Fernseher lief.
„Möchten Sie etwas trinken?“, bot der Hausherr an, doch Charlotte verneinte.
„Kennen Sie Norbert Kiesewetter?“, ergriff sie stattdessen das Wort.
„Ja, natürlich, er war ja lange genug mein Schwiegersohn. Was ist mit ihm?“
„Wissen Sie, wo er ist?“
„Nein, das weiß ich schon lange nicht mehr. Was ist denn passiert? Hat er etwas mit dem Verschwinden meiner Tochter zu tun?“
„Ich nehme an, Ihre Tochter ist die Exfrau von Norbert Kiesewetter?“
„Ja, sie sind seit über acht Jahren getrennt. Erzählen Sie mir endlich, warum Sie hier sind?“
„Wir haben Hinweise darauf, dass sich Herr Kiesewetter mehrerer Straftaten schuldig gemacht hat.“
„Das passt zu ihm.“ Schoberts Miene verfinsterte sich. „Er ist einfach ein Verlierer. Was hat er denn wieder angestellt?“
„Das darf ich Ihnen noch nicht sagen. Sie haben keine Ahnung, wo wir ihn finden könnten?“
„Nein, und das ist gut so. Wann suchen Sie nach meiner Tochter?“
„Einen Moment noch, Herr Schobert“, versuchte Charlotte die Daten zu ordnen. „Wo wohnt Herr Kiesewetter jetzt? Seine letzte offizielle Meldeadresse ist hier.“
„Das weiß ich doch nicht“, stieß Schobert ungeduldig hervor. „Ich habe seit acht Jahren nichts mehr von ihm gehört.“
„Wo hat er gearbeitet, als er hier auszog?“
„Arbeit?“ Schobert spuckte verächtlich aus. „Der Kerl hat so gut wie nie gearbeitet, hat sich immer ins gemachte Nest gesetzt, der Schmarotzer.“
„Er hatte keinen Job, keine Wohnung mehr und vermutlich auch kein Geld, oder?“
„Warum fragen Sie das alles? Norbert ist ein Idiot und ich

bin froh, dass er weg ist. Er hat nie einen Cent für die Kinder gezahlt, sich nie mehr um sie gekümmert. Ist das ein sich sorgender Vater?"
„Können Sie mir Namen und Adressen seiner Freunde geben?", versuchte Charlotte weiter, verwertbare Informationen aus dem aufgebrachten Mann herauszubekommen.
„Freunde? Wer will schon mit so einem befreundet sein? Er war völlig durchgeknallt mit seinen albernen Henker-Spielchen."
Charlotte warf ihrem Kollegen einen vielsagenden Blick zu.
„Wie meinen Sie das?"
„Er war ganz versessen auf diesen mittelalterlichen Henker, ich glaube, er hieß Fritz Schmidt, oder so ähnlich. Ein Buch nach dem anderen hat er verschlungen, Ausstellungen und Stadtführungen besucht, sich ein passendes Kostüm nähen lassen und am Ende sogar an verschiedenen Folterinstrumenten gebastelt.
Krank war der Mann, krank!!
Eines Tages haben sie ihn tatsächlich in die Psychiatrie eingewiesen, weil man Angst haben musste, dass er diese Spinnereien eines Tages tatsächlich in die Tat umsetzt."
„Sie meinen, Herr Kiesewetter hat Folterinstrumente nachgebaut?", fragte Charlotte fassungslos nach.
„Er wäre der perfekte Henker gewesen. Als ich diese Artikel in der Zeitung gelesen habe, dachte ich, dass all diese Taten, dieses spektakuläre Gehabe gut zu Norbert passen würde."
Charlotte konnte nicht fassen, was sie eben gehört hatte.
„Herr Schobert", meinte sie, um Fassung bemüht „warum haben Sie uns das nicht längst mitgeteilt?"
„Meine Tochter ist verschwunden!!", rief der Mann lauter, als es nötig gewesen wäre. „Warum sollte ich da an meinen verrückten Ex-Schwiegersohn denken? Egal, was ich Ihnen gesagt hätte, seien Sie versichert, Sie werden ihn nicht finden, weil er nicht gefunden werden will! Er hat alle Kontakte abgebrochen, keiner weiß, wo er jetzt ist.

Wahrscheinlich ist er schon in Australien!“
„Wie war die Ehe der beiden?“
„Was soll ich dazu sagen? Es war von Anfang an ein Fehler von ihr, diesen Verlierer zu heiraten. Es gab nur Streit. Er hat einfach nichts auf die Reihe bekommen. Gut, vielleicht war sie manchmal auch etwas ungerecht, aber er hat sich auch nie gewehrt.“
„Hat sie ihn geschlagen?“, fragte Charlotte ernst.
„Das weiß ich doch nicht“, brauste Werner Schobert auf. „Sie können sie ja selbst fragen, wenn Sie sie endlich gefunden haben!“
Charlottes Handy vibrierte in ihrer Hosentasche.
„Bitte entschuldigen Sie mich einen Augenblick. Es ist wichtig.“
Sie ging vor die Tür und nahm das Gespräch an.
„Ja, Matthias. Habt ihr was über Kiesewetter?“
Sie hatte die Kollegen im Präsidium gebeten, alles über den Mann zu recherchieren, was sie finden konnten.
„Er ist nirgendwo gemeldet. Seine letzte Arbeitsstelle war die in Tietzes Gärtnerei, vor über neun Jahren. Er bezieht kein Hartz 4 und keinerlei sonstige Unterstützung. Es sieht so aus, als sei er vom Erdboden verschwunden.“
„Oder in Australien?“, brummte Charlotte frustriert.
„Australien?“
„Ach, wir sitzen gerade bei seinem Ex-Schwiegervater, der nur Schlechtes über ihn erzählt. Irgendwie will ich nicht glauben, dass er ein so schlechter Mensch sein soll.“
„Er hat wahrscheinlich einen Menschen getötet und vier schwer verletzt. Kann das ein guter Mensch sein? Übrigens haben wir natürlich auch die Flüge der letzten Jahre überprüft. Es ist kein Mann dieses Namens ausgereist, aber das muss ja nichts heißen. Er kann ja auch das Auto genommen haben, oder die Bahn.“
„Es ist doch wie verhext! Endlich haben wir den mutmaßlichen Täter und haben ihn doch nicht! Der Schwiegervater meinte, Kiesewetter will gar nicht gefunden

werden."
„Wo geht jemand hin, der kein Geld hat, keine Wohnung und keinen Job und der nicht gefunden werden will?", grübelte Matthias halblaut vor sich hin.
„Auf die Straße!!", rief Charlotte aufgeregt. „Willi muss uns helfen. Er kennt doch sicher alle Leute auf der Straße. Sei so lieb und schicke mir die Nummer von Bratwurst-Gerti auf mein Handy – es ist wichtig!"
Langsam setzten sich verschiedene Puzzleteile zusammen. Sie stürmte zurück ins Haus.
„Herr Schobert, seit wann ist ihre Tochter weg?"
„Seit gestern Abend. Sie geht abends immer joggen. Diesmal kam sie nicht zurück. Und auf ihrem Handy ist sie auch nicht zu erreichen. Ich mache mir schreckliche Sorgen."
Charlotte kam ein fürchterlicher Verdacht. Sie erinnerte sich an die letzte Nachricht des Täters.

FREUT EUCH AUF MEIN MEISTERSTÜCK

Seine Frau ist sein Meisterstück!
Sie hat ihn offensichtlich ebenfalls schikaniert und, zumindest was das Haus anging, auch betrogen. Möglicherweise hatte sie ihm auch die Kinder vorenthalten und ihn aus dem Haus geworfen.
War sie jetzt in seiner Gewalt?
Was hatte er mit ihr vor?
Charlotte sprang auf.
„Wir melden uns wieder."

Draußen angekommen wählte sie die Nummer von Andreas Schiller.
„Herr Schiller, es geht noch einmal um unseren Henker. Was könnte sein Meisterstück sein?"
„Was meinen Sie damit?"
„Er hat uns wieder einen Zettel mit einem Gruß von Meister

Franz hinterlassen. Diesmal schreibt er, wir sollen uns auf sein Meisterstück freuen. Was könnte das sein?“
Schiller dachte nach.
„Sieht man sich die mittelalterliche Bestrafungshierarchie an, kommt nach Folterung, Auspeitschung und Verstümmelung eigentlich nur noch die Todesstrafe.“
„Er plant eine Hinrichtung“, murmelte Charlotte entsetzt.

# 30

*Jetzt bist du dran!*
*Endlich!*
*Ich bin erschöpft. Es ist anstrengender, als ich dachte.*
*Ich freue mich, wenn es vorbei ist.*
*Na, hast du die Nacht in der Hütte gut verbracht?*
*Sicher nicht so gut, wie zuhause, in* unserem *Haus, unserem gemeinsamen Haus, das du dir mit Hilfe deines verlogenen Cousins unter den Nagel gerissen hast. Dieser elende Betrüger hat auch schon das bekommen, was er verdient hat. Ihm wird niemand mehr vertrauen. Jeder wird sehen, dass man ihm nicht glauben kann, dass es ihm nur um seinen eigenen Vorteil geht.*
*Doch jetzt zu dir.*
*Ich kenne dich, weiß, was du gerne tust, wann du wo bist. Du bist so berechenbar.*
*Es war nicht schwer, dich im Wald abzufangen.*
*Du hast mich zunächst nicht erkannt, ich kenne mich ja selbst kaum noch.*
*Ich bin ein Anderer geworden in den letzten Jahren.*
*Du wolltest mich brechen, nicht nur meine Existenz, sondern auch meine Seele zerstören.*
*Du hast dir gewünscht, ich würde selbst Schluss machen, mich vor den Zug werfen, Medikamente schlucken oder mich auf andere Art und Weise aus meinem und damit auch aus deinem Leben katapultieren.*
*Vielleicht hast du all die Jahre geglaubt, ich habe es endlich getan? Hast dich gewundert, dass nichts davon in der Zeitung stand, niemand dich informiert hat?*
*Du wirst mich niemals klein kriegen. Niemals!*
*Denn jetzt bist du an der Reihe.*

*Du bist mein Meisterstück, das Sahnehäubchen, die Krone meiner Arbeit.*
*Du tust mir fast leid, wie du da sitzt und mich mit deinen großen Kulleraugen ansiehst. Vielleicht würdest du mir gerne etwas sagen, aber ich musste dich knebeln, ich hätte deine Stimme nicht ertragen.*
*Es ist zu spät, du hattest deine Chance. Viele Chancen, um genau zu sein. Du hast sie nicht genutzt – im Gegenteil!*
*Du hast immer noch mehr auf mir herumgehackt, mich erniedrigt, gedemütigt und sogar geschlagen.*
*Ich kam mir vor wie dein Sklave, dein Prügelknabe, wie der letzte Dreck!*
*Das ist jetzt vorbei, meine Liebe, jetzt ist meine Zeit gekommen, die Zeit aufzuräumen mit den alten Wunden, die sich inzwischen entzündet haben, aus denen ununterbrochen Blut und Eiter tropft.*
*Es ist Zeit für Heilung, Linderung, Erleichterung.*
*Ich habe alles für dich vorbereitet. In einer Viertelstunde wird nicht mehr viel von dir übrig sein. Ich überlege, ob ich dich bei Bewusstsein lasse, dass du auch alles miterleben kannst, was ich mir für dich ausgedacht habe.*
*Meine Äthervorräte gehen langsam zur Neige. Wer hätte vor über 30 Jahren geglaubt, dass ich das Zeug noch einmal brauchen würde?*
*Für eines muss ich mich allerdings bei dir bedanken.*
*Du hast mir die Hütte gelassen! War das Absicht, oder schlechtes Gewissen? Oder hast du schlichtweg vergessen, dass dieses Kleinod im Reichswald auch noch zu deinem Vermögen gehört?*
*Egal!*
*Ich konnte diesen Unterschlupf die letzten Jahre gut gebrauchen, konnte verschiedene Dinge lagern und an meinem Plan arbeiten.*
*Jetzt sitzt du selbst hier, gefesselt und geknebelt in deiner eigenen Hütte und hast Angst. Schreckliche Angst.*
*Ich will dich nicht länger quälen. Außerdem drängt die Zeit.*

*Dein Vater, mein ach so sympathischer Ex-Schwiegervater wird sein kleines Mädchen sicher schon vermissen!*
*Kleines Mädchen, wie lächerlich! Du bist mit deinen 52 Jahren auch nicht mehr die Jüngste. Bist du mit 70 auch noch sein kleines Mädchen, wenn du ihn mit seinen 95 im Altersheim besuchst?*
*Er mochte mich nie.*
*Ich habe alles versucht! Vergeblich! Kein Mann der Welt kommt gegen ihn an, schon gar nicht so einer wie ich.*
*Vielleicht jemand, der einen so wohlklingenden Namen hat wie Viktor? Ein Von und Zu?*
*Egal!*
*Steh auf!*
*Ich will dich nicht noch einmal tragen, wie gestern Abend. Lauf nur selbst, solange du noch kannst!*

# 31

Charlotte wählte mit zitternden Händen die Nummer von Bratwurst-Gerti. Hoffentlich war Willi zufällig bei ihr. Es würde zu lange dauern, zum Hauptmarkt oder zur Wöhrder Wiese zu fahren um ihn zu suchen.
Es klingelte und klingelte. Wahrscheinlich hatte sie einfach zu viel zu tun?
„Gerti, was gibt's?“, meldete sie sich endlich.
„Hier ist Charlotte von der Polizei“, japste Charlotte erleichtert in ihr Handy.
„Was verschafft mir die Ehre? Soll ich euch etwa die Würstchen ins Präsidium liefern?“, lachte Gerti schallend mit ihrer immer etwas heiseren Stimme.
„Ist Willi bei dir?“, fragte Charlotte gehetzt. Ihr stand gerade nicht der Sinn nach Scherzen.
„Willi? Was willst du denn von dem?“
„Gerti, bitte, es ist dringend!“, flehte Charlotte.
„Ist ja schon gut, Kindchen. Er war heute noch gar nicht hier.“
„Scheiße!“, entfuhr es der Kommissarin.
„Wofür hättest du ihn denn gebraucht?“
„Wir suchen jemanden, der vielleicht auf der Straße lebt und ich dachte, Willi kennt doch alle Kollegen.“
„Aber Frau Kommissarin! Ich kenne doch auch alle. Weißt du, in Wirklichkeit bin ich doch hier die Heilsarmee! Das mit den Bratwürsten ist nur Tarnung!“
Wieder ertönte ihr heiseres Lachen aus dem Apparat.
Charlotte überlegte kurz. Sie hatte keine andere Wahl.
„Kennst du einen Norbert Kiesewetter?“
„Sag mal, willst du mich veräppeln?“
„Gerti! Es ist wirklich wichtig!“

Charlotte hätte die Frau am liebsten durchs Telefon geschüttelt.
„Das ist er doch!"
„Wer ist was doch?"
„Na der Willi!"
„Nein, nicht Willi, Norbert!" Charlotte verstand gar nichts mehr. Konnte oder wollte Gerti den Ernst der Lage nicht begreifen?
„Kindchen! Willi ist Norbert! Er heißt mit vollem Namen Norbert Wilhelm Kiesewetter, kurz: Willi!"
„Danke", stieß Charlotte leise hervor und steckte das Handy im Zeitlupentempo zurück in ihre Tasche.
Willi?
Willi, der Sandler soll der brutale Täter sein, der eine Frau getötet und vier Menschen gequält hat?
Willi, den sie gemeinsam mit Tim unter seiner Brücke besucht hatte?
Willi, der unscheinbare Obdachlose, der sich freute, wenn man ihm *Drei im Weckla* ausgab?
Willi?
Ihr hatte es die Sprache verschlagen, sie war wie versteinert.
„Was ist denn los?", fragte Torsten Klein besorgt. Er fürchtete seine Chefin würde jeden Moment zusammenbrechen. „Was hat sie gesagt? Wo ist Kiesewetter?"
„Nicht wo, wer", stammelte Charlotte immer noch ganz benommen.
„Wie wer?" Auch Klein war irritiert. Was hatte die Kommissarin am Telefon erfahren?
„Willi ist unser Täter!", jetzt kam wieder Leben in sie. „Er heißt Norbert Wilhelm Kiesewetter und ist unser Täter!"
Blitzschnell zog sie wieder das Mobiltelefon hervor, das in diesem Moment klingelte.
Matthias!
„Charlotte, auf Kiesewetters Namen ist noch eine kleine Hütte im Reichswald gemeldet. Vielleicht ist er dort?"

„Matthias! Ich kenne ihn, ich kenne unseren Täter! Es ist ein Obdachloser, der sich Willi nennt. Gib sofort eine Fahndung nach ihm raus. Ich muss außerdem wissen, wo diese Hütte genau ist. Schicke mir bitte Hundeführer und Verstärkung dorthin. Ach ja, sag bitte auch Kommissar Peter Bescheid, dass wir ihn dort brauchen."
„Auf in den Reichswald, Herr Klein!"

# 32

*Gleich sind wir da.*
*Ich habe einen schönen Platz für dich ausgesucht, für deine letzten Minuten.*
*Du hast Panik in den Augen.*
*Gut so!*
*So fühlt sich Ohnmacht an, Ausgeliefert-Sein, Machtlosigkeit.*
*Ich muss noch letzte Vorbereitungen treffen. Es muss perfekt sein!*
*Ich habe einen geeigneten Baum gefunden, nicht zu dünn und nicht zu dick. Er steht frei, mit viel Platz außen herum, der optimale Richtplatz.*
*Wir sind weit entfernt vom nächsten Weg, ich möchte nicht gesehen oder gehört werden.*
*Hier wirst du nun beobachten können, was auf dich zukommt.*
*Leider muss ich dich an einen Baum fesseln, sonst läufst du mir noch davon. Ich kann dir auch leider den Knebel nicht abnehmen. Du würdest sonst schreien. Immerhin sind wir im Nürnberger Reichswald und nicht in der Wildnis Kanadas. Hier kommt doch immer wieder mal jemand in Hörweite vorbei.*

*Der Reisighaufen wächst stetig.*

*Schade, dass es so feucht ist, ich musste trockenes Holz aus der Hütte holen, sonst funktioniert das alles nicht.*
*Ich denke, in zehn Minuten könnte es losgehen.*
*Schade, dass es bald dunkel wird, man wird uns in der Dunkelheit besser sehen, aber es gibt jetzt kein Zurück*

*mehr!*
*Heute ist der große Tag, heute wirst auch du deine gerechte Strafe bekommen.*
*Ich freue mich so sehr!*

Charlotte setzte das Blaulicht auf das Wagendach und raste durch den Feierabendverkehr. Matthias hatte ihr die genaue Lage der Hütte durchgegeben.
Langsam wurde es dunkel. Wie sollten sie sich in der Finsternis im Wald zurechtfinden?
Im Kofferraum lagen starke Scheinwerfer, damit müsste es gehen.
„Rufen Sie bitte Schiller an und fragen Sie ihn, welche Art der Hinrichtung er vermuten würde. Vielleicht hilft uns das bei der Suche."
„Woher wissen wir denn, dass er die Frau im Reichswald hinrichten wird?"
„Die Frau war gestern Abend im Wald joggen und ist seitdem verschwunden. Diese Hütte ist unser einziger Anhaltspunkt. Wir müssen es versuchen."
Charlotte starrte mit zusammengekniffenen Lippen hochkonzentriert auf die Straße.
Würde sie die Frau retten können? Retten wovor? Wollte sie wirklich wissen, was Willi mit ihr vorhatte?
Egal, was der Täter geplant hatte, sie würde alles daran setzten, es zu verhindern.
Sie waren kurz vor dem Ziel, kurz davor, einen Täter zu überführen, der ursprünglich das Opfer war.
Aber war das nicht oft so?
Waren es nicht oft die Ungerechtigkeiten des Lebens, die jemanden zum Mörder werden ließen?
Zum Glück reagierten nur die wenigsten mit einem Rachefeldzug. Wie sähe unsere Welt aus, wäre jeder, dem je Ungerechtigkeit widerfahren war, als grausamer Rächer unterwegs? Man wäre seines Lebens nicht mehr sicher.
Torsten Klein hatte inzwischen Andreas Schiller am

Apparat.
„Danke für Ihre Hilfe“, verabschiedete er sich gerade.
„Und?“
„Er meinte, man hatte im Mittelalter Männer und Frauen oft unterschiedlich hingerichtet. Das schimpfliche Hängen am Galgen und der Tod durch das Schwert war weitgehend den Männern vorbehalten, während man Frauen eher ertränkt, verbrannt oder lebendig begraben hatte.“
Charlotte lief ein Schauer über den Rücken.
Womöglich gräbt Willi gerade eine Grube aus, um seine Exfrau bei lebendigem Leibe hineinzulegen und...
Sie schauderte bei diesem Gedanken.
Vielleicht waren sie bereits zu spät?
Oder am falschen Ort?
Es könnte auch sein, dass in diesem Moment eine Frau im eiskalten Wasser der Pegnitz um ihr Leben kämpfte.
Möglich war alles.

Sie hatten die Stelle erreicht, von der aus sie die Hütte am besten zu Fuß erreichen konnten.
Im Wald war es stockdunkel.
Mehrere Streifenwagen standen bereit, auch Kommissar Peter traf gerade ein.
„Die Hunde sind unterwegs“, berichtete er und zog mehrere kugelsichere Westen aus dem Kofferraum.
„Ziehen Sie sich das über“, ordnete er an und legte sich selbst eine der Westen an. „Haben Sie Ihre Dienstwaffen?“
Charlotte nickte. Es konnte losgehen!
Im wackeligen Schein der starken Lampen stapften die Beamten den schmalen, matschigen Pfad entlang. Die kahlen, feuchten Äste streiften Charlottes Wangen. Sie fror, während ihr gleichzeitig der Schweiß in Bächen am Körper hinab rann.
Ihr Herz pochte, sie lief so schnell sie konnte und stieß dabei weiße Atemwolken aus. Ihre Schuhe versanken bis zu den Knöcheln im Morast.

Es war still.
Das einzige Geräusch war das vielstimmige Atmen der Polizisten und das Stapfen schwerer Stiefel über den durchnässten Waldboden.
Kommissar Peter ging voraus.
Der Weg war in der Dunkelheit kaum noch zu erkennen.
Waren sie überhaupt noch richtig? Marschierten sie nicht längst fernab jeglicher Pfade querfeldein durchs Unterholz?
Charlotte hatte längst die Orientierung verloren.
Der Wald, der an einem lauen Sommertag so beruhigend und friedlich wirkte, strahlte an diesem frühen Novemberabend eine Bedrohlichkeit aus, die Charlotte Angst machte. Die Schatten der dünnen Kiefern und Fichten verwandelten sich in unheimliche Fratzen, schienen immer näher zu kommen, als wollten sie nach den Eindringlingen greifen, sie festhalten, einschnüren, unter allen Umständen ihr Weiterkommen verhindern.
Plötzlich gab Kommissar Peter ein Zeichen. Er zeigte auf die schemenhaften Umrisse einer kleinen Hütte.
Sie waren da.
Die kleinen Fenster waren vernagelt, kein Lichtstrahl drang nach draußen. Es war kein Lebenszeichen zu sehen.
Schnell und geräuschlos umzingelten die Beamten den Schuppen, den Schein der Lampen stets auf den Boden gerichtet. Pistolen wurden aus den Halftern gezogen und entsichert.
Kommissar Peter und ein zweiter Beamter standen links und rechts neben der wackeligen Tür, an deren Riegel ein verrostetes Vorhängeschloss hing.
Es war offen, die Tür nur angelehnt.
War doch jemand in der Hütte?
Wartete der Mörder bereits auf sie?
Beide Beamten hielten ihre Waffen schussbereit.
Charlotte, Torsten Klein und die anderen Polizisten starrten gebannt auf die Tür.
Charlottes Herz schlug ihr bis zum Hals, sie versuchte, ihre

Angst durch Professionalität zu bändigen, krampfte ihre eiskalte, feuchte Hand um den Knauf der Pistole, dachte daran, was sie in ihrer Ausbildung gelernt hatte:
Ruhe bewahren! Tief atmen! Höchste Konzentration!
Kein Laut war zu hören.
Alle warteten auf das Kommando.
„Zugriff!“, schrie Kommissar Peter, trat die Tür ein und stürmte in das Innere der Hütte. Vier Kollegen folgten ihm.
„Auf den Boden!!“, brüllte der Kommissar, Lichter flackerten auf, Tumult und Geschrei drang aus dem windschiefen Häuschen.
„Norbert Kiesewetter, ich verhafte Sie wegen des Verdachts des Mordes und der schweren Körperverletzung in vier Fällen!“, tönte die harte, ungnädige Stimme Peters durch die Dunkelheit.
„Lassen Sie mich los!“, hörte man einen Mann wütend rufen. „Ich bin nicht Norbert!“
„Natürlich sind Sie es! Wer sollte denn sonst um diese Zeit in dieser Hütte sein?“
„Lassen Sie mich gehen! Ich bin...“
„Ruhe! Ich will nichts hören!“
Charlotte lief hinein und sah einen Mann am Boden liegen, die Hände mit Handschellen gefesselt, das Knie Kommissar Peters in seinen Rücken gepresst.
„Das ist nicht Willi!“, stieß sie hervor.
Peter starrte Charlotte fragend an, zerrte den Mann auf die Beine und leuchtete ihm mit einer Lampe ins Gesicht.
„Wer sind Sie und was haben Sie hier zu suchen?“
„Mein Name ist Werner Schobert, ich bin der Ex-Schwiegervater von Norbert. Er hat meine Tochter in seiner Gewalt! Sie müssen sie finden!“, gab der Mann zornig zurück. „Nehmen Sie mir endlich die Handschellen ab!“
„Noch bestimme ich, was hier gemacht wird!“, giftete Peter zurück. „Bevor Ihre Identität nicht eindeutig geklärt ist...“
„Das ist wirklich Herr Schobert“, unterbrach Charlotte ihren Chef und versuchte, die erhitzten Gemüter zu beruhigen.

„Wir waren heute Mittag bei ihm. Ich denke, wir sollten jetzt gemeinsam überlegen, wo Norbert Kiesewetter sein könnte."
Zähneknirschend zog der Kommissar die Schlüssel aus der Tasche, während sich Charlotte in dem kleinen Häuschen umsah.
Der Zustand der Kate war katastrophal. Die Bretter an den Wänden hatten Löcher, es roch nach Schimmel, Moder und Urin. Ein altes, halbverfaultes Sofa, ein klappriger Tisch und zwei schiefe Hocker bildeten das einzige Mobiliar. Daneben standen unzählige Kisten, Schachteln und Umzugskartons. Werkzeug, Bierflaschen und Konservendosen lagen verstreut auf dem Boden.
Auf dem Tisch stand eine alte braune Flasche. Sie war fest mit einem Korken verschlossen. Die Aufschrift auf dem vergilbten Etikett war nicht mehr lesbar, doch Charlotte ahnte, was sich darin befand: Äther!
Sie hatten tatsächlich Willis Versteck gefunden.
Auf dem Boden lagen eine Decke, mehrere Kissen und ein kleiner MP3-Player mit Kopfhörern, wie sie gerne von Joggern beim Laufen benutzt wurden. In einer Ecke entdeckte Charlotte einen Stapel zerfledderter Bücher. Alle handelten von mittelalterlichen Foltermethoden oder der Arbeit des Scharfrichters.
In einer kleinen Kiste fanden die Beamten verschiedene Metallgegenstände, die aussahen wie nachgebaute Folterinstrumente.
Willi hatte in dieser Hütte offensichtlich seine krankhafte Leidenschaft für die mittelalterlichen Strafpraktiken ausgelebt. All die Jahre hatte er sich darauf beschränkt, sich lediglich passiv mit all den Grausamkeiten zu beschäftigen, bis irgendein Auslöser, vermutlich der Tod Tietzes, dazu geführt hatte, den lange gehegten Plan in die Tat umzusetzen und endlich all das zu rächen, was ihm angetan wurde.
„Chef", rief einer der Polizisten, „hier war bis vor kurzem jemand." Er deutete auf den kleinen rostigen Kanonenofen in der Ecke.

Er war noch warm.
„Vermutlich hat der Kerl die Frau über Nacht hier festgehalten. Sie können nicht weit sein."
Kommissar Peter lief hinaus vor die Tür und sah sich um.
„Sie könnten überallhin sein. Wo bleiben denn die Hunde?"
„Bestimmt ist er zum Richtplatz", rief Werner Schobert und rannte los.
„Halt!!", brüllte Kommissar Peter, packte den Mann im letzten Moment an der Jacke und brachte ihn zu Fall.
„Sie halten sich da raus! Das ist jetzt Sache der Polizei! Was hat es mit diesem Richtplatz auf sich?"
„Ich muss meine Tochter finden!", schrie Schobert und versuchte, sich aus dem Griff des Polizisten zu befreien. Erfolglos.
„Was ist der Richtplatz?! Nun reden Sie schon!"
„Norbert ist krank. Er bildet sich ein, im Mittelalter war alles besser, wurde viel gerechter bestraft, kam kein Übeltäter ungeschoren davon. Sie haben ja gesehen, welche Folterwerkzeuge er gebaut hat. Ich habe Martina immer vor ihm gewarnt, hatte immer die Befürchtung, dass er irgendwann all diese grausamen Geräte auch mal anwenden würde."
„Wo ist dieser Richtplatz und was hat er dort gemacht?"
„Es ist eine kleine Lichtung mit einem einzelnen Baum in der Mitte. Er hat oft davon gesprochen, dies sei der ideale Hinrichtungsplatz, der optimale Standort für einen Galgen, ein Schafott, oder einen Scheiterhaufen."
„Wo ist es?"
„Etwa 300m in diese Richtung."

*Ich musste dich doch betäuben.*
*Du hast dich gewehrt, wolltest dich nicht mit dem Rücken an den Baum stellen, auf all das trockene Holz, das ich extra für dich herangeschafft habe.*
*Er ist wunderschön, der Scheiterhaufen.*
*So, wie ich ihn mir immer erträumt habe. Wie oft habe ich*

*Pläne gezeichnet, ausgerechnet, wie viel Holz man braucht, in welcher Reihenfolge die Äste aufgeschichtet werden müssen. Alles ist perfekt!*
*Das Holz liegt rund um den Baum, fast einen halben Meter hoch.*
*Fast zu schade zum Anzünden, zum Niederbrennen.*
*Aber es muss sein, es wird sein.*
*Ich schwitze.*
*Es war anstrengend, dich auf den Haufen hinaufzuzerren.*
*Gerne hätte ich dich stehen sehen auf all dem Holz, den Zweigen, dem Reisig.*
*Jetzt sitzt du da, zusammengesunken mit hängendem Kopf.*
*Bewusstlos.*
*Aber du lebst noch.*
*Kleine weiße Wolken kommen stoßweise aus deinem Mund.*
*Das wird bald vorbei sein.*
*Ich gehe ein paar Meter zurück. Leider ist es dunkel, ich kann dich fast nicht erkennen, aber ich weiß, dass du da bist.*
*Ich ziehe die Streichhölzer aus der Tasche.*
*In der Dunkelheit sieht es bestimmt noch schöner aus, noch anmutiger, wenn die gelb-orangenen Flammen um deine Beine züngeln, sich in deine Haut graben, dich zur lebenden Fackel werden lassen.*
*Ich zögere.*
*Jetzt, am Ziel meiner Träume, meldet sich mein Gewissen.*
*Habe ich das Recht, das zu tun?*
*Bei all dem, was du mir angetan hast? Wie du über mich bestimmt hast?*
*Ja, ich habe das Recht!*
*Jetzt!*
*Ich höre ein Geräusch. Es knackt im Unterholz.*
*Da kommt jemand! Ich drehe mich um, starre in die Finsternis. Ein Schatten! Er kommt näher, richtet den Lauf eines Gewehres auf mich.*
*„Lass die Streichhölzer fallen!“*

*Die Stimme klingt heiser, gehetzt, entschlossen.*
*„Lass die Streichhölzer fallen!!“*
*Es ist die Stimme deines Vaters.*
*Sollte er derjenige sein, der mein Vorhaben scheitern lässt?*
*Der mein Meisterstück verhindert?*
*Ich hätte wissen müssen, dass er der Einzige ist, der mich finden kann, der weiß, wo er suchen muss.*
*Ich lasse nicht zu, dass er sich noch einmal in mein Leben mischt, in das Leben, das er gemeinsam mit dir zerstört hat.*
*Er hat dich gegen mich aufgebracht, dich angestachelt, mich mit Vergnügen aus meinem eigenen Haus gejagt.*
*Ich ziehe ein Streichholz aus der Schachtel.*
*„LASS ES FALLEN!!“*
*Zünde es an.*
*„ICH SCHIEßE!“*
*Werfe es auf den Scheiterhaufen.*

„Hier ist keine Lichtung!“, keuchte Kommissar Peter. „Der Kerl hat uns in die falsche Richtung geschickt!“
Ruckartig blieb er stehen.
Leises Hundegebell war zu hören.
„Endlich! Wenn man die Köter braucht, sind sie nicht da!“
Keine Minute später stießen drei Hundeführer mit ihren Tieren durch das dichte Unterholz zu der Gruppe abgehetzter Polizisten.
„Warum hat das so lange gedauert?“, meckerte Peter, doch die Hundeführer blieben ruhig.
„Seid ihr soweit?“
Nur mit Mühe konnten die Beamten ihre Tiere im Zaum halten. Sie hatten Witterung aufgenommen und hetzten die Polizisten zielstrebig in die Richtung aus der sie gekommen waren.
„Das ist die falsche Richtung! Die Lichtung liegt dort drüben!“, versuchte Kommissar Peter, die Hundeführer zurückzuhalten.
„Die Hunde wissen besser, wo es lang geht, glauben Sie mir,

Kollege.“

*Der Schuss dröhnt noch immer in meinen Ohren. Mein linker Arm wurde getroffen. Durch den Ärmel meines Mantels sickert Blut. Es schmerzt, doch ich bemerke es kaum.*

*Viel wichtiger ist, dass die kleine Flamme des Streichholzes den Weg zu dem trockenen Reisig gefunden hat, sich langsam durch die dünnen Äste frisst und größer, immer größer wird.*

*Gerne würde ich in Ruhe dieses Wunder betrachten, beobachten, wie aus einem kleinen Flämmchen ein zerstörerisches Inferno wird, das all meine Sorgen und Nöte mit sich fort nimmt, mein Leben von all dem Bösen und all den Ungerechtigkeiten reinigt, mich aufatmen lässt.*

*Doch leider bin ich nicht alleine.*

*Der Lauf des Gewehres ist erneut auf mich gerichtet. Ich stürze mich auf meinen Widersacher. Ein weiterer Schuss hallt durch die Nacht.*

*Ich entreiße ihm die Waffe, werfe sie weit weg. Er versucht, mich zu Boden zu ringen, niederzuschlagen, doch er schafft es nicht. Er ist alt und schwach.*

*Auch ich habe nicht mehr die Kraft, wie früher. Es ist ein Unterschied, ob man einen leblosen Körper an einen Baum fesselt, oder versucht, einen vor Wut bebenden Mann in Zaum zu halten.*

*Wir wälzen uns auf dem feuchten Waldboden, keuchen, schlagen uns.*

*Dichter Qualm hüllt uns ein, wir schnappen nach Luft.*

*Das Feuer hat sich inzwischen bis kurz vor Martinas Füße vorgearbeitet.*

*Ich lasse Werner los, muss husten, bin erschöpft.*

*Da höre ich das Gebell von Hunden.*

*Die Polizei!*

*Sie kommen!*

*„Martina!!“, brüllt Werner, springt auf und stürzt auf den Scheiterhaufen zu.*

*Er will sie retten, stolpert hustend in das Feuer.*
*Das Gebell wird lauter.*
*Gleich sind sie da!*
*Er will mein Meisterstück verhindern, im letzten Moment meinen Plan zunichte machen!*
*Ich muss das verhindern!!*

Charlotte roch es zuerst: Feuer!
Ein schwacher Geruchsfetzen zog durch den Wald.
„Es riecht nach Rauch!“, flüsterte sie entsetzt. „Er will sie verbrennen!“
Sie ließ alle Vorsicht außer Acht und rannte in die Richtung, in der sie das Feuer vermutete.
Zwischen den Stämmen der Bäume schimmerte es bereits gelb-orange, man konnte das Knistern hören.
„Schneller!“, rief Kommissar Peter. Die Polizisten jagten auf den hellen, schimmernden Fleck zu, der immer größer wurde.
Nach wenigen Metern erreichten sie eine kleine Lichtung mit einem einzelnen Baum in der Mitte.
Um den Stamm waren Zweige, Äste, Reisig und Holzscheite aufgetürmt, zwischen denen bereits die Flammen loderten.
Eine Frau saß leblos mit hängendem Kopf auf dem Holzhaufen. Sie war an den Stamm gefesselt. Ihr langes Haar fiel ihr über das Gesicht.
Das Feuer fraß sich rauchend und knisternd durch das Holz und hatte eben die Schuhspitzen der Frau erreicht. Im flackernden Schein der Flammen erkannte Charlotte zwei Männer, die miteinander kämpften und sich ungeachtet der zerstörerischen Macht des Feuers auf den Scheiterhaufen stürzten. Die Hitze brannte auf Charlottes Gesicht, der Qualm biss ihr in den Augen.
„Martina!!“, brüllte Werner Schobert heiser. Er versuchte verzweifelt, seine Tochter zu befreien und sich gleichzeitig gegen die Übergriffe Norberts zur Wehr zu setzen. Seine Jacke hatte inzwischen Feuer gefangen, ebenso wie Norberts

Mantel.
Plötzlich versetzte Schobert seinem Schwiegersohn einen gewaltigen Tritt mit dem Fuß und katapultierte ihn damit hinab auf den kalten, feuchten Waldboden. Stöhnend rappelte sich Norbert auf, doch bevor er sich wieder auf den lodernden Scheiterhaufen stürzen konnte, waren mehrere Beamte bei ihm, löschten seine brennende Kleidung und legten ihm Handschellen an.
Ein markerschütternder Schrei ertönte.
Werner Schobert schob mit letzter Kraft seine Tochter aus dem Feuer, bevor er selbst leblos zusammenbrach.
Charlotte rannte verzweifelt auf den Scheiterhaufen zu, doch Kommissar Peter hielt sie zurück. „Ich fürchte, ihm kann keiner mehr helfen."
Wie versteinert starrte Charlotte auf die riesige Feuersbrunst, spürte die enorme Hitze auf ihrer Haut, die in Begriff war, ihre Wimpern und Augenbrauen zu versengen.
„Kommen Sie da weg!" Kommissar Peter packte sie am Arm und zerrte sie einige Meter zurück, weg von der Hitze, hinein in den kühlen Wald. Schockiert und gleichzeitig fasziniert beobachtete sie, wie die Funken des gewaltigen Infernos in den sternenklaren Nachthimmel hinauf stieben und die erbarmungslosen Flammen den Körper des alten Mannes in sich aufnahmen.
Schwer atmend wandte sie sich ab, fuhr sich mit beiden Händen über das heiße Gesicht und blickte sich um. Langsam beugte sie sich über den leblosen Körper Martina Kiesewetters.
Es roch nach verbranntem Fleisch.
„Ist sie tot?", fragte Torsten Klein und kniete sich neben sie.
„Nein, sie hat erhebliche Verbrennungen, aber sie atmet noch."
Ganz leise hörte man die Sirene des Krankenwagens.
Die Sanitäter würden wohl eine ganze Weile brauchen, bis sie sich durch den Wald bis hierher gekämpft hätten, fuhr es Charlotte durch den Kopf. Die Feuerwehr hatte man gar

nicht verständigt. Zum einen war ein Durchkommen für das große Löschfahrzeug unmöglich, zum anderen bestand bei der hohen Luftfeuchtigkeit ohnehin keine Waldbrandgefahr. Man würde das Feuer einfach abbrennen lassen.

Norbert Kiesewetter saß zusammengesunken auf dem Boden. Sein Mantel hatte erhebliche Brandlöcher, der linke Ärmel war blutverschmiert. Große, dunkelrote Flecken überzogen sein Gesicht. Auch seine Haare waren in Mitleidenschaft gezogen.
„Wie geht es Ihnen?“, fragte Charlotte ehrlich interessiert.
Norbert blickte auf. Er lächelte.
„Am Ende hat es doch den Richtigen getroffen.“

# 33

Zaghaft bahnte sich die Sonne den Weg durch die dichten Wolken und tauchte das kleine Café am Ufer der Pegnitz in warmes Licht. Selten genug hatte man sie in den letzten Tagen zu Gesicht bekommen.
Charlotte war versucht, sich mit ihrer Espressotasse nach draußen zu stellen, doch der Schein trog. Trotz Sonnenstrahlen lag die Temperatur gerade mal zwei Grad über dem Gefrierpunkt. Auf warmes Frühlingswetter würde man noch lange warten müssen.
Durch die großen Fenster des *Café Al Fiume* konnte man das hektische Treiben auf dem Platz *Zwischen den Fleischbänken* beobachten, wo die letzten Vorbereitungen für die Eröffnung des Christkindlesmarktes getroffen wurden. Heute Abend um 18.00 Uhr würde das Nürnberger Christkind den Markt eröffnen.
Charlotte seufzte.
Sie war sehr froh, den Fall noch vor Eröffnung des Marktes gelöst zu haben. Es wäre nicht sehr werbewirksam gewesen, wenn der Nachfolger von Franz Schmidt in dieser Zeit noch sein Unwesen getrieben hätte.
So froh sie auch war, den Täter gefasst zu haben, so leid tat es ihr um Willi. Sie sah ihn nach wie vor noch als Opfer, den, wie er selbst ausgesagt hatte, ein Zufall zum Täter werden ließ. Er hatte seine verhasste Vorgesetzte aus der Gärtnerei, Kerstin Tietze, zufällig an diesem Abend im Karl-Bröger-Tunnel getroffen. Statt ihn zu ignorieren, hatte sie wieder mit ihren überheblichen Provokationen begonnen, ihn erneut gedemütigt und sich über ihn lustig gemacht.
Da war der ganze Hass auf die Frau wieder aufgebrochen und Willi hatte mit der erstbesten Waffe zugeschlagen, die

ihm in die Finger kam – der Weinflasche, die das Opfer selbst in der Tasche hatte.
Damit war der Damm gebrochen, und er konnte endlich den Plan in die Tat umsetzen, den er schon seit Jahren gehegt hatte: Sich als Scharfrichter an all den Leuten zu rächen, die ihn in seinem Leben verletzt und betrogen hatten. Sein Meisterstück konnte er zwar nicht vollenden, seine Exfrau hatte schwer verletzt überlebt, doch mit dem Tod des Schwiegervaters hatte es dennoch den in seinen Augen Richtigen getroffen.
Ob und wie Hafensteiner, Siebert, von Treiden und der Notar Dr. Grunwald im Nachhinein für ihre Taten noch belangt werden konnten, müssten die Juristen entscheiden. Das meiste war sicherlich verjährt.
„Gehst Du heute Abend zum Prolog?“, fragte Torsten Klein und biss genussvoll in einen knusprigen Keks.
„Nein, ich war noch nie dort“, antwortete Charlotte. „Mir sind das viel zu viele Leute. Gehst du wohl hin?“
Nach dem Showdown im Reichswald hatte Charlotte ihrem jungen Praktikanten das Du angeboten, das beiden noch etwas mühsam über die Lippen ging. Kommissar Peter hatte angekündigt, sich dafür einzusetzen, dass Klein nach Abschluss seiner Ausbildung ihrer Abteilung zugewiesen werden würde. Es blieb abzuwarten, ob ihr launiger Chef Wort halten würde. Charlotte und Torsten würden sich freuen, waren sie doch sehr gut miteinander ausgekommen.
„Ich mache immer einen großen Bogen um das Spektakel“, erklärte Torsten Klein kauend. „Lieber komme ich hierher und genehmige mir noch einen Espresso und ein Tellerchen dieser göttlichen Kekse.“
Mariella strahlte. „Das freut mich!“

ENDE

**Anmerkung der Autorin:**
Alle Handlungen und Personen, mit Ausnahme des Nürnberger Henkers Franz Schmidt, sowie des verurteilten Müllners Georg Carl Lamprecht, sind frei erfunden. Ähnlichkeiten mit lebenden oder verstorbenen Personen oder Einrichtungen sind rein zufällig und von mir nicht beabsichtigt.

**Danksagung:**
Mein Dank gilt an dieser Stelle all jenen, die mich bei der Realisierung dieses Buchprojektes tatkräftig unterstützt haben, meinen Korrekturlesern, Beratern und Ideengebern. Danke auch an Martin Schieber vom Institut für Regionalgeschichte, *Geschichte für Alle e.V.*, der mir bei allen historischen Fragen zur Seite stand. Seine Bemerkung *„Wenn du mal einen Krimi über den Henker schreibst, kannst du eine Lesung im Henkerhaus machen“*, hat mich zum Schreiben des Romans inspiriert. Leider durfte er die Veröffentlichung des Buches nicht mehr miterleben.
Ein ganz besonderer Dank gilt auch hier wieder meinem Mann Michael für all die Gespräche und Vorschläge zur Entwicklung der Geschichte, die Korrekturvorschläge und nicht zuletzt die gesamte Formatierungs- und Gestaltungsarbeit.

Lightning Source UK Ltd.
Milton Keynes UK
UKHW011834201219
355776UK00001B/34/P

9 783734 738968